## AIMER, HONORER, DÉCEVOIR

— Nous avons prononcé nos vœux l'un à l'autre, Catriona, dit-il d'un ton régulier. J'honorerai le mien, et je m'attends à ce que tu fasses de même.

— Que feras-tu, si je ne le respecte pas ? M'enlever ou me battre ?

Mais son cœur battait à tout rompre, et la manière dont il la regardait maintenant lui donna envie de le toucher.

— Tu sais que je ne te ferais pas mal ni ne te forcerais, dit-il en maîtrisant visiblement son humeur.

La tension dans la pièce avait décuplé, surtout à l'intérieur de son propre corps.

Il était déterminé, et cette détermination provoqua des sensations indescriptibles en elle. Depuis les picotements de sa peau jusqu'au centre de son corps, chaque nerf s'était réveillé. Lorsqu'il avança encore d'un pas vers elle, ils vibrèrent comme si quelqu'un avait posé une harpe avec les cordes rattachées à chaque partie de son corps.

Il tendit les bras vers elle…

*Les chevaliers écossais*

# AMANDA SCOTT

## Le maître des Highlands

Traduit de l'anglais par
Marie-Hélène Cvopa

ADA
éditions

Éditeur : François Doucet
Traduction : Marie-Hélène Cvopa
Révision linguistique : Féminin pluriel
Correction d'épreuves : Nancy Coulombe, Catherine Vallée-Dumas
Conception de la couverture : Matthieu Fortin
Photo de la couverture : © Larry Rostant
Mise en pages : Sébastien Michaud
ISBN papier 978-2-89733-400-0
ISBN PDF numérique 978-2-89733-401-7
ISBN epub 978-2-89733-402-4
Première impression : 2013
Dépôt légal : 2013
Bibliothèque et Archives nationales du Québec
Bibliothèque Nationale du Canada

**Éditions AdA Inc.**
1385, boul. Lionel-Boulet
Varennes, Québec, Canada, J3X 1P7
Téléphone : 450-929-0296
Télécopieur : 450-929-0220
www.ada-inc.com
info@ada-inc.com

**Diffusion**
Canada :        Éditions AdA Inc.
France :        D.G. Diffusion
                Z.I. des Bogues
                31750 Escalquens — France
                Téléphone : 05.61.00.09.99
Suisse :        Transat — 23.42.77.40
Belgique :      D.G. Diffusion — 05.61.00.09.99

**Imprimé au Canada**

Participation de la SODEC.          $ODEC
Nous reconnaissons l'aide financière du gouvernement du Canada par l'entremise du Fonds du livre du Canada (FLC) pour nos activités d'édition.
Gouvernement du Québec — Programme de crédit d'impôt pour l'édition de livres — Gestion SODEC.

**Catalogage avant publication de Bibliothèque et Archives nationales du Québec et Bibliothèque et Archives Canada**

Scott, Amanda, 1944-

    [Highland Master. Français]
    Le maître des Highlands
    (Les chevaliers écossais ; 1)
    Traduction de : Highland Master.
    ISBN 978-2-89733-400-0
    I. Cvopa, Marie-Hélène. II. Titre. III. Titre : Highland Master. Français.

PS3569.C6215H5314 2013          813'.54          C2013-941871-7

*Pour Paige Lori, lorsqu'elle sera
assez grande pour le lire, et pour la vraie chatte
sauvage des Highlands.*

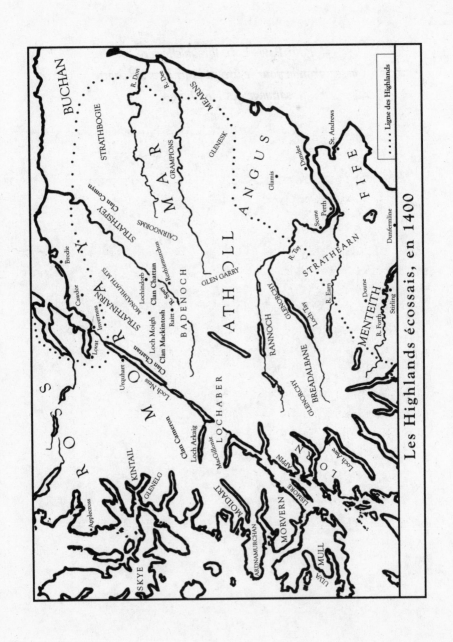

Les Highlands écossais, en 1400

## Note de l'auteure

Voici, pour les lecteurs qui l'apprécient, un guide rapide des significations ou de la prononciation de certains mots utilisés dans cette histoire :

Aodán : HEY den

Boreas : le vent du Nord (mythologie grecque)

Finlagh : FIN ley

Lui-même : la façon dont les membres de clans, surtout ceux qui ne font pas partie de la noblesse, appellent un chef de clan ou de confédération — dans cet ouvrage, le Mackintosh.

Moigh : Moy (le nom s'écrit aujourd'hui ainsi)

Rothesay : ROSS-i

Rothiemurchus : Roth-i MUR kus

Tadhg : TEY

« Le Mackintosh » fait référence au chef du clan Mackintosh, qui est aussi le chef ou le capitaine du clan Chattan. Le titre de « capitaine » est unique au clan Chattan.

# Prologue

*U*n silence abrupt remplit l'air, lorsque le jeune adversaire guerrier à la chevelure foncée tomba. Le jeune homme regarda rapidement, à la recherche du prochain, mais ne vit personne tout près encore debout.

Puis, entendant des gémissements et des cris plus faibles venant des blessés et des mourants, le guerrier se rendit compte que sa sensation de silence n'était rien d'autre que l'arrêt subit du hurlement des cornemuses accompagnant toujours les combats, quand sa propre lutte avait cessé.

Non seulement les cornemuses de combat étaient devenues silencieuses, mais aussi le noble public, qui regardait depuis les sièges placés par étages surplombant le terrain. Au début, il avait applaudi ; le jeune homme l'avait entendu, avant que tous ses sens se concentrent sur son premier adversaire.

La vaste étendue, généralement un pré vert de la pointe nord de Perth, s'était transformée en un terrain macabre de corps et de sang versé.

Il avait tué un homme après l'autre, dans ce jugement par combat entre les Cameron et le clan Chattan, deux des fédérations des clans des Highlands les plus puissantes. Chacune, sur ordre du roi des Écossais, avait formé trente champions au combat.

L'intention de la royauté était de mettre fin à des décennies de querelles concernant le territoire et autres sujets de discorde.

Le jeune guerrier allongea son regard fixe, pour balayer le reste du terrain et voir s'il restait des adversaires. Il ne vit que trois hommes debout et un autre agenouillé, tous à une certaine distance d'où il se tenait, près de la large et rapide rivière Tay.

La ville de St. John de Perth ainsi que Scone Abbey, qui se trouvait tout près, avaient servi d'endroits royaux et sacrés pendant des siècles. La partie North Inch de Perth avait longtemps été un site pour les jugements par combat. Le champ était clôturé depuis le sud-est de la ville jusqu'à la rivière, qui procurait une barrière aussi efficace que les clôtures, sinon plus.

La ville donnait sur l'estuaire de la rivière Tay, qui constituait le premier endroit suffisamment étroit pour construire un pont. Si un homme venait à tomber, le courant rapide et puissant de la rivière l'emporterait dans le Firth of Tay, puis vers la mer, mais il se noierait probablement bien avant d'y arriver.

Ainsi, les combattants de la journée avaient essayé de se tenir éloignés de la rive abrupte. Mais quand un autre sol devint encombré de corps et glissant à cause du sang, l'endroit situé près de l'eau resta la seule option.

Aucun des quatre qui semblaient encore visiblement en vie ne paraissait tenir compte du jeune guerrier. Le jeune garçon demeura méfiant, mais était soulagé de pouvoir se reposer, sachant que s'il devait lutter contre un ou contre tous, il était probable qu'il mourrait.

Les autres portaient des habits semblables aux siens — des tuniques couleur safran descendant aux genoux et de larges ceinturons en cuir. Chacun portait également une protection en cuir attachée à un bras, pour parer aux coups d'épée. Et tous avaient leurs longs cheveux rattachés en une seule natte, comme la plupart des guerriers des Highlands, pour éviter que des mèches volent sur leurs visages pendant un combat.

Même s'il n'arrivait pas à distinguer les insignes de leur clan d'où il se tenait, le jeune homme savait qu'ils étaient tous membres du clan Chattan, l'ennemi.

— Fin.

Ses oreilles fines entendirent la voix, faible, et il se retourna rapidement.

Au milieu des corps à proximité, il vit un mouvement, léger mais insistant, et il se dirigea dans sa direction. Se laissant tomber sur un genou à côté de l'homme qui l'avait fait, et retenant une poussée de colère et un désespoir glacé, il s'exclama :

— Père !

— Je suis épuisé, murmura Teàrlach MacGillony, qui, de toute évidence, se donnait plus de mal qu'un homme dans son état devrait le faire. Mais je dois...

— Ne parle pas ! dit Fin précipitamment.

— Je dois le faire. Tu es tout ce qu'il nous reste de cette épouvantable journée, jeune homme. C'est donc ton devoir sacré de rester en vie. Combien des scélérats sont encore droits debout ?

— Je peux en voir quatre, répondit Fin. L'un d'eux est à genoux — il a des haut-le-cœur, je crois.

Avec un sanglot dans la voix, il ajouta :

— À part moi, tous nos hommes sont tombés.

— Alors, ils, vois-tu, ne font que reprendre leur souffle, dit son père. Il faudra que tu leur résistes, à moins que Sa Majesté le roi cesse le massacre. Mais son frère, Albany, est à ses côtés. Le roi est faible, mais pas Albany. C'est un démon ; c'est ce qu'*il* est. C'était son idée, tout cela, mais Sa Majesté n'a pas le pouvoir de l'arrêter.

Fin regarda de nouveau vers le gradin. Non seulement le roi et le duc d'Albany y étaient assis, mais également des membres de la cour royale et du clergé ainsi que de nombreux habitants de la ville de Perth. Des bannières s'agitaient, et des vendeurs, sans aucun doute, offraient encore de la bière anglaise au malt, du whisky, des brioches et des confiseries, qui avaient donné l'impression en début de journée que l'événement serait une fête.

— Albany parle à Sa Majesté, en ce moment, déclara Fin.

— Hé, nul doute qu'il est en train de lui dire qu'il doit y avoir un véritable vainqueur, afin que la querelle entre les Cameron et le clan Chattan s'arrête. Mais écoute-moi, jeune homme. Notre peuple comptait sur moi comme étant leur chef de guerre, aujourd'hui, et je les ai déçus. Toi, tu ne le dois pas.

— Plusieurs de ces morts sont votre victoire, monsieur, lui dit Fin.

— Oui, en effet, mais ton épée a touché leur Fabricant plus rapidement que la mienne. Et, si tu es vraiment le dernier de nos hommes encore debout, tu as un devoir dont tu dois t'occuper.

— Lequel?

— La vengeance, dit son père en haletant. Jure que tu t'en serviras contre leur chef de guerre et... et d'autres. Tu verras..., après un tel massacre..., que le droit à la vengeance est sacré. C'est un legs sacré... qu'en tant qu'unique survivant, tu dois accepter.

Il haleta plus fort à chaque respiration.

— Jure-le... moi, ajouta-t-il.

— Oui, je le jure, monsieur, dit Fin précipitamment.

À son père, visiblement en train de mourir, il ne pouvait répondre autre chose.

— Bénis-moi, mon...

Teàrlach MacGillony avait cessé de haleter.

Des larmes montèrent aux yeux de Fin, mais un cri venant du public le fit sursauter et le sortit de sa peine. Son regard se tourna vers le gradin, et il vit Albany faire des gestes pour que se poursuive le combat.

Les cornemuses demeurèrent silencieuses. Le roi s'assit, tête baissée, ne faisant aucun signe, mais les gens n'y verraient rien qui cloche. Le roi était faible, et Albany, en tant que gouverneur du royaume siégeant à la place de Sa Majesté, était celui qui prenait de telles décisions depuis bien longtemps.

Posant son regard vers les hommes du clan Chattan, Fin en vit trois parmi eux qui faisaient face au gradin. Le quatrième, un type grand et maigre, parlait aux autres. Puis, son épée fin prête, il se tourna vers Fin. Les autres suivirent, mais s'arrêtèrent à une bonne distance derrière lui.

Alors que l'homme s'approchait, il garda la tête baissée pour voir où il marchait, sans doute pour éviter de poser le pied sur des cadavres.

Fin souleva son épée, prit une profonde inspiration et se prépara.

Lorsque finalement l'autre homme leva les yeux, son regard croisa celui de Fin et le soutint.

Fin le fixa, puis trouva suffisamment de voix pour dire :

— Hawk ?

L'autre s'arrêta environ deux mètres plus loin. D'un mouvement de tête si discret que Fin se demanda s'il l'avait imaginé, il indiqua la rivière tout près à sa droite.

Les hommes derrière lui bavardaient entre eux, maintenant de manière joyeuse, confiants quant à l'issue. Ils se trouvaient suffisamment éloignés pour ne pas avoir pu entendre Fin parler, et ils ne l'entendraient pas plus s'il parlait de nouveau.

— Qu'essaies-tu de dire ? demanda-t-il.

— Pars, dit Hawk.

Ses lèvres avaient à peine remué.

— Je ne peux pas me battre contre toi. Quelqu'un de ton côté doit vivre, pour raconter ta version de ce qui s'est passé ici aujourd'hui.

— Ils vont t'écorcher vif !

— Non, Lion. Je serai un héros. Mais tu réfléchiras à cela plus tard. Maintenant, pars, et vite, avant qu'Albany envoie ses propres hommes pour tous nous abattre.

Hawk étant l'un des quelques hommes en qui Fin avait une confiance aveugle, il pivota, fourra son épée dans sa sangle sur son dos et plongea, tout en pensant à lui-même et en s'apercevant, seulement une fois que l'eau l'eut avalé, qu'il devait avoir l'air d'un lâche. À ce stade, la rivière l'emporta rapidement passé la ville et plus loin vers la mer, inexorablement.

La forme et le poids encombrants de l'épée attachée dans son dos menaçaient de le noyer, mais il ne se débattit pas. Plus le courant l'emmènerait loin avant qu'il refasse surface, plus il serait en sécurité, et s'il mourait en chemin, que ce soit ainsi.

Puis, une autre pensée, terrifiante, lui vint à l'esprit. Il avait prêté *deux* serments, ce jour-là.

Le premier était d'accepter les résultats du combat et de ne faire de mal à aucun des adversaires. Chaque homme qui se trouvait là avait, d'une seule voix, prêté ce serment.

Mais ensuite, son chef de guerre — son propre père mourant — avait demandé de prêter un deuxième serment, un serment de vengeance que Fin ne pouvait respecter sans briser son premier. Un tel dilemme menaçait son honneur et celui de son clan. Mais *tous* les serments étaient sacrés.

Un serment pouvait-il être *plus* sacré qu'un autre ? Son père savait-il ce qu'il avait demandé ?

Il se mit à donner des coups de pied vers la surface, tout en effectuant un angle vers le sud, ne connaissant qu'un seul endroit où il pourrait trouver une réponse. Il pourrait s'y rendre plus facilement depuis la rive faisant face à Perth..., s'il pouvait simplement s'y rendre.

# Chapitre 1

*Les Highlands, début juin 1401*

e gazouillis étrange, ponctué de sons plus forts, qui composait le chant du geai écossais ne donna aucun indice de ce qui se tenait bien en dessous, sur le sol de la forêt.

La jeune femme aux cheveux blonds qui allait son chemin à travers la forêt vers le haut pin du geai ne sentit rien autour, pas plus que le grand chien-loup qui se déplaçait parmi les pins épais, les bouleaux et les trembles quelques mètres à sa droite, tel un fantôme gracieux et de couleur argent terni.

Presque toute la neige de l'hiver avait fondu, et la journée était tempérée.

La brise qui soufflait silencieusement à travers la voûte au-dessus et le sol encore humide de la forêt sous les pieds nus de Lady Catriona Mackintosh, âgée de dix-huit ans, permettaient plus aisément de garder le silence qu'après des températures plus chaudes qui auraient séché le sol et le feuillage.

Lorsqu'un campagnol marron gras et velu détala sur son chemin et que deux écureuils se coururent après sur un arbre tout près, elle sourit, ressentant une pointe de fierté dans sa capacité de bouger si silencieusement que sa présence ne dérangeait pas les créatures de la forêt.

Elle tendit l'oreille pour entendre les sons du ruisseau situé devant, qui coulait rapidement. Mais avant d'en percevoir, la brise tomba et le chien s'arrêta, se figeant en état de vigilance tout en levant son long museau. Puis, tremblotant, il tourna la tête et la regarda.

Levant sa main droite vers lui, paume ouverte, Catriona s'arrêta aussi et essaya de sentir ce qu'il sentait.

Le chien l'observa. Elle savait que l'odeur qu'il avait sentie dans l'air n'était pas celle d'un loup ni d'un cerf. Son expression était méfiante et inhabituelle. Et son tremblement indiquait de la prudence, plutôt que cette excitation frémissante qui le rendait tendu comme une corde et qu'il manifestait lorsqu'il captait l'odeur d'une proie préférée.

Le chien se retourna de nouveau et montra les dents, mais il ne fit aucun son. Elle l'avait bien entraîné, et elle ressentit une nouvelle sensation de fierté devant la preuve de ses compétences.

Avançant, plaçant doucement ses orteils sous le mélange de feuilles qui pourrissaient et d'aiguilles de pin qui tapissaient le sol de la forêt, comme elle l'avait fait auparavant, elle regarda le chien de nouveau. S'il sentait un danger planer au-devant, il l'arrêterait.

Au lieu de cela, alors qu'elle avançait, le chien augmenta la cadence, faisant son propre chemin entre les arbres et à travers les massifs d'arbustes, pour se placer silencieusement devant elle.

Elle était habituée à ses instincts protecteurs. Une fois, elle avait presque foncé sur un loup qui s'était détaché de son groupe et qui s'était tenu tellement immobile qu'elle n'avait pas senti sa présence. Le chien-loup avait bondi entre eux, arrêtant Catriona et grognant devant le loup pour l'effrayer, faisant ainsi obstacle pour sa sécurité. Elle n'avait aucun doute que le chien tuerait des loups, quel qu'en soit le nombre, pour la protéger.

Parce qu'il continuait à glisser de manière régulière devant elle tout en ne cessant de regarder derrière lui, elle comprit que même s'il n'aimait pas l'odeur, il n'avait pas peur.

Elle n'avait pas peur non plus, car elle portait son poignard, que ses frères lui avaient appris à utiliser. De plus, elle avait confiance en ses propres instincts, presque autant qu'en ceux du chien. Elle était certaine qu'aucun prédateur, humain ou autre, n'était à l'affût devant elle.

Le geai continuait à chanter. Les écureuils bavardaient.

Généralement, les oiseaux se taisaient, à l'approche d'un prédateur. Et lorsque des écureuils hurlaient des signaux d'avertissement de danger, c'était très fort, des éclats staccato, tandis que le messager courait au-devant de la menace. Mais les deux écureuils étaient devenus plus bruyants, comme s'ils essayaient d'émettre des sons plus forts que ceux du geai.

Alors que cette pensée fantasque surgissait dans son esprit, Catriona leva les yeux pour voir si elle pourrait espionner les écureuils ou l'oiseau. Au lieu de cela, elle vit un énorme corbeau noir piquer vers le haut pin et entendit le croassement sonore du plus grand oiseau tandis qu'il envoyait voler le geai, qui poussa des cris perçants. L'arrivée du corbeau lui fit froid dans le dos. Les corbeaux voyaient de la charogne, des choses mortes. Celui-ci était perché sur un arbre et fixait le bas tout en continuant à croasser, appelant pour informer ses congénères qu'il avait découvert un festin potentiel.

Le chien augmenta la vitesse de ses pas, comme si lui aussi reconnaissait l'appel du corbeau.

Catriona se précipita derrière lui et, peu de temps après, entendit de l'eau qui coulait plus loin devant. Suivant le chien jusqu'à une clairière, elle put voir le ruisseau turbulent qui coulait à travers. L'énorme corbeau, sur sa branche au-dessus, protesta bruyamment contre sa présence. D'autres formaient des cercles autour, de grandes ombres noires sous le ciel couvert, croassant avec espoir.

Le chien grogna, et elle aperçut finalement ce qui avait attiré les corbeaux.

Un homme portant des bottes de cuir brut ainsi qu'une tunique safran avec une grande cape rouge et verte par-dessus — le genre que les Highlanders appelaient un plaid — était allongé face contre terre sur le sol humide, inconscient ou mort. Ses jambes s'étiraient vers le ruisseau tumultueux. Une grande épée dans sa sangle était attachée en travers de son dos, et une bonne quantité de sang avait coulé à côté de sa tête.

Le chien avait senti le sang.

Et les corbeaux aussi.

***

Sir Finlagh Cameron se réveilla lentement. Sa première sensation fut la douleur à sa tête, qui était insupportable. La deuxième était la chaude brise dans son oreille droite, ainsi qu'un son d'exaspération. Il lui sembla être face contre terre, mais sa joue gauche reposait sur un coussin ayant l'odeur d'herbes.

Que lui était-il arrivé ? se demanda-t-il.

Juste au moment où il se rendait finalement compte qu'il était allongé sur un sol un peu humide recouvert de quelconques plantes feuillues, une longue langue mouillée lui lava sa joue et son oreille droite.

Ouvrant les yeux, il contempla deux... ou plutôt quatre pattes gris argenté, qui se trouvaient bien trop près.

Bien conscient que des loups jonchaient toutes les forêts des Highlands, il contracta son corps, mais s'efforça de demeurer immobile, pendant que l'animal le léchait de nouveau. Il dirigea son regard au-delà des quatre pattes, pour voir s'il y en avait d'autres. Il vit effectivement deux autres pattes, mais soit sa vision était défectueuse, soit son esprit lui jouait de mauvais tours.

Les deux jambes étaient nues, jolies et bronzées.

Il ferma les yeux et les rouvrit de nouveau. Les jambes avaient la même apparence.

Lentement et prudemment, il essaya de relever la tête pour mieux distinguer les deux créatures, mais il ne fit que grimacer à la secousse de douleur qui lui transperça la tête en bougeant. Mais, coincé par l'arche des pattes et du corps de la bête, il jeta un coup d'œil aux chevilles et aux pieds nus, indéniablement humains, puis aux mollets dénudés, absolument féminins.

En peinant, il put aussi voir des genoux découverts et de nus...

Un son sec le déconcentra, et l'animal à côté de lui recula. Il était plus gros que ce à quoi il s'attendait, et plus grand. Mais ce n'était pas un loup. Au contraire...

— Un chien-loup ou un chien courant, murmura-t-il.

— Alors, vous n'êtes pas mort, en fin de compte.

La voix douce et féminine avait une note de drôlerie, et elle flotta vers lui par-dessus la brise, seulement il ne ressentait plus la brise. Sans doute était-ce l'haleine du chien qu'il avait sentie dans son oreille un peu plus tôt. En venir à cette conclusion le rassura : il n'avait pas perdu la tête, quoi qu'il lui soit arrivé d'autre.

— Ne pouvez-vous pas me parler ?

C'était la même voix, mais plus proche, même s'il n'avait en aucune façon senti son approche. Mais alors, jusqu'à ce que le souffle chaud s'introduise dans son oreille, il n'avait pas senti le chien non plus. Il se rendit compte également qu'elle avait parlé en gaélique. Il l'avait à peine remarqué, même s'il l'avait parlé un peu lui-même pendant plusieurs années.

Se souvenant des jambes bien galbées et des pieds nus, il se rendit compte, un peu désorienté, que ses yeux s'étaient d'une façon refermés. Il les rouvrit et eut la révélation décevante que sa nudité se terminait à mi-cuisses. Une tunique bleue usée, pliée de la façon dont un homme plierait son plaid, couvrait presque entièrement le reste de son corps.

— Je peux parler, dit-il, ressentant de nouveau cette sensation étrange d'accomplissement. Je ne suis pas certain de pouvoir bouger. Je sens ma tête comme si quelqu'un avait essayé de la couper en deux.

— Vous avez répandu du sang sur les feuilles autour de votre tête, ce qui signifie que vous êtes blessé, dit-elle.

Sa voix était restée douce, calme, et elle portait cette note légère, comme si elle n'avait aucune crainte, ni de lui ni de rien d'autre dans les bois.

— Je peux retirer votre épée de sa sangle, si vous me faites confiance. Et je peux aussi vous retirer la sangle et la ceinture. Mais vous devrez vous soulever un peu. Ensuite, peut-être, vous arriverez à vous retourner.

— Oui, bien sûr, répondit-il.

Si elle avait voulu le tuer, elle l'aurait déjà fait. Et elle était trop petite pour manier sa lourde épée comme une arme.

Elle réussit sans trop de difficulté à traîner l'épée hors de sa sangle sur son dos. Lorsqu'il se souleva pour qu'elle puisse atteindre la boucle de la courroie sous lui, il dut serrer les dents, pour supporter la douleur et les vertiges qui déferlaient dans sa tête.

Toutefois, lorsqu'elle détacha la sangle solide, qu'elle la fit glisser adroitement et qu'elle libéra son corps, il s'aperçut qu'il avait peu de mal, à part une tête douloureuse.

— Maintenant, si vous pouvez vous retourner, dit-elle, je vais jeter un œil et voir la gravité.

Avec beaucoup d'effort, il se retourna et leva les yeux. Il vit un joli visage avec une tache sur une joue rouge, et une longue masse de cheveux détachés de couleur fauve lui donnant un air sauvage.

Malgré une expression d'inquiétude sur son visage, ses yeux pétillaient.

Fin ne pouvait en déterminer la couleur exacte, dans l'ombre de tant d'arbres et sous un ciel couvert, mais ils paraissaient marron clair, plutôt que bleus.

— Êtes-vous un lutin ou une sorte de créature des bois ? murmura-t-il en trouvant maintenant la force de parler plus fort.

Ses cils tombèrent.

Elle gloussa tout bas dans sa gorge, un son charmant et stimulant.

Ses yeux s'ouvrirent de nouveau, et il vit qu'elle avait posé un genou pour se pencher vers lui. Tandis qu'il regardait les deux petits tas de chair à l'apparence douce et bien bronzée qui sortaient de son corsage plongeant si près de lui, son esprit lui sembla tout à coup plus éveillé.

Ses lèvres remuaient, et il se rendit compte qu'elle parlait. Ayant raté le début, il écouta avec attention pour comprendre la suite, espérant ainsi lui répondre de manière sensée.

— … rirait d'entendre quelqu'un me prendre pour une fée des bois, dit-elle.

Puis, elle ajouta d'un ton ferme :

— Maintenant, monsieur, restez immobile, s'il vous plaît. Vous devez savoir que j'étais méfiante à l'idée de m'approcher trop près, jusqu'à ce que j'aie pu être certaine que vous ne me feriez pas de mal.

— N'ayez jamais crainte, jeune fille, je ne le ferais pas.

— Je m'en rends compte, mais Boreas, mon compagnon ici, n'aime pas laisser des étrangers s'approcher de moi. Si vous aviez fait un geste brusque ou si vous vous étiez débattu comme le font certains lorsqu'ils reprennent connaissance après une blessure, il aurait pu vous avoir pris pour une menace.

Ayant remarqué avec quelle rapidité le chien-loup avait reculé après avoir entendu le bruit sec — certainement un claquement de ses doigts fins —, il douta qu'il attaque contre sa volonté. Mais il ne le dit pas. Ses paupières se refermèrent.

— Êtes-vous toujours réveillé ?

Plus d'amusement, maintenant ; seulement de l'inquiétude.

— Oui, bien sûr, mais je m'affaiblis, marmonna-t-il. Quel est votre nom, jeune fille ?

— Catriona. Quel est le vôtre ?

Il y réfléchit pendant un instant, puis dit :

— Fin... On m'appelle Fin des Batailles.

— Que vous est-il arrivé, Fin des Batailles ?

Sa voix lui parut plus distante, comme si elle s'en allait en flottant de nouveau.

— J'aimerais le savoir, dit-il en essayant de se concentrer. Je marchais à travers la forêt, écoutant un fichu geai impertinent qui me hurlait et me murmurait dessus pour m'être introduit sans permission. Tout ce dont je me souviens ensuite, c'est de votre escorte qui me soufflait dans l'oreille.

Il inspira profondément et, sans ouvrir les yeux, essaya de bouger ses bras exagérément pour se retourner. La douleur lui traversa de nouveau la tête, et il sentit une plus grande douleur provenant d'un genre d'éraflure sur son bras gauche. Mais ses deux bras semblaient obéir à sa volonté. Ses orteils et ses pieds lui obéirent également.

Une main toucha son épaule droite, ce qui le fit sursauter. La jeune femme avait changé de côté et, une fois de plus, il ne l'avait pas entendue bouger. Il n'était, de toute évidence, *pas* encore lui-même.

— Restez tranquille, dit-elle en s'agenouillant avec grâce à côté de lui.

Tandis qu'elle se penchait plus près, il remarqua la douceur dénudée de sa poitrine, avant qu'un torchon froid et mouillé touche son front et se déplace dessus d'une manière apaisante pour lui recouvrir les yeux.

Il sut alors qu'elle avait dû se rendre au ruisseau qu'il pouvait entendre jaillir tout près. Il essaya de se rappeler s'il avait vu ce ruisseau.

— Cela fait du bien, murmura-t-il.

— Ce ne sera plus le cas dans une minute. Vous avez une entaille sur le côté gauche de votre front, avec des feuilles, de la saleté et des cheveux collés dedans. Vous aurez une belle cicatrice dont vous pourrez vous vanter.

— Je ne me vante pas.

— Tous les hommes se vantent, dit-elle avec une nouvelle pointe d'humour. Remarquez que la plupart des femmes le font aussi. Mais les hommes se vantent comme des enfants, souvent et avec beaucoup d'exagération.

— Pas moi.

Il lui parut important qu'elle le sache.

— Très bien, vous ne le faites pas. Vous êtes le seul parmi les hommes. Maintenant, restez immobile. Rappelez-vous que Boreas contestera tout mouvement inattendu.

Il s'arc-bouta. Il n'avait pas peur du chien, mais détestait la douleur. Et il avait déjà supporté plus que sa part de gâteau.

―∞―

Catriona le vit se tendre et en déduisit rapidement la raison. Aucun homme, d'après son expérience, n'aimait la douleur. C'était certainement le cas de son père et de ses deux frères, même s'ils étaient tous de bons et de braves guerriers. Le magnifique spécimen humain devant elle semblait pouvoir retenir la sienne contre n'importe lequel d'entre eux.

Lorsqu'il se retourna, elle eut besoin de toute sa bonne volonté pour ne pas crier à la vue de son visage zébré de sang. Elle se rappela que les blessures à la tête saignaient toujours facilement et remarqua que, heureusement, tout le sang semblait provenir de l'entaille sur son front.

En nettoyant son visage plus tôt avant de poser le torchon sur ses yeux, elle avait décidé que, mis à part sa belle carrure, il était beau, avec un aspect de rudesse. Ses yeux profonds étaient particulièrement fins, leurs iris gris clair étonnants sur un visage bien bronzé. Ses cils épais et noirs étaient moins surprenants. Pour une raison seulement connue de Dieu, les hommes semblaient toujours avoir des cils plus foncés et plus épais que les femmes.

— Avez-vous des ennemis dans les parages ? demanda-t-elle tout en arrachant doucement de sa blessure des cheveux et des détritus de la forêt.

Au lieu de lui répondre directement, il dit :

— Je ne suis jamais passé par ici auparavant. Vos gens sont-ils froids, avec les étrangers ?

Ayant déchiré deux morceaux de son jupon de flanelle rouge pour les faire tremper dans le ruisseau, elle en avait utilisé un pour couvrir ses yeux, espérant que cela l'apaiserait et l'empêcherait de la fixer pendant qu'elle nettoierait sa blessure. Le dernier souhait n'était pas pour son bien à lui, mais pour son bien à elle. Consciente qu'elle allait lui faire mal, elle savait qu'elle travaillerait mieux si elle n'avait pas besoin de voir sans cesse la douleur dans ses yeux chaque fois qu'elle toucherait sa blessure.

Maintenant, toutefois, elle enleva le torchon de ses yeux et attendit jusqu'à ce qu'il les ouvre et se concentre sur elle, puis elle leva les sourcils et dit :

— *Mes* gens ?

À sa surprise, il sourit, juste légèrement. Mais cela lui suffit pour voir qu'il avait un joli sourire et que son ton de voix avait chatouillé son sens de l'humour.

— Vous osez vous moquer de moi ? demanda-t-elle.

— Non, jeune fille. Je ne me moquerais pas d'une bienfaitrice si gentille. Je suis encore en train de me demander si vos gens sont des humains ou autre chose. Écoutez, même si vous niez être une fée des bois, j'*ai* entendu des légendes concernant de petites créatures vivant dans cette région.

— Je suis humaine, dit-elle. Maintenant, restez allongé et immobile. Le sang de votre blessure essaie de coaguler, mais je dois rincer ces torchons, et si vous bougez trop, vous recommencerez à saigner.

— Dites-moi d'abord qui vous êtes, vous et vos gens, demanda-t-il tandis qu'elle se tenait debout.

Sa voix était plus forte, et ses mots sortaient de sa bouche comme un ordre d'un homme habitué à l'obéissance.

Catriona le regarda d'un air interrogateur.

— Ne savez-vous pas *où* vous êtes ?

— Je me trouve, je crois, sur le territoire du clan Chattan à Strathspey. Mais le clan Chattan possède de vastes territoires et de nombreux clans en son sein — six, je pense, d'après le dernier décompte.

— Tous sous la domination d'un seul homme, dit-elle.

— Oui, le Mackintosh est le chef de toute la confédération, dit-il presque en opinant de la tête.

Elle le vit se souvenir de son avertissement à ce sujet et s'arrêter.

Satisfaite, elle dit :

— C'est juste, quoique nous l'appelions notre capitaine, pour montrer qu'il est plus puissant que d'autres chefs de clans dans notre confédération.

Retournant rapidement vers le ruisseau, elle s'agenouilla et rinça le torchon ensanglanté dans l'eau glacée et agitée. Puis, elle trempa l'autre, tordit les deux et revint vers lui.

Tandis qu'elle s'approchait, elle vit Boreas pénétrer dans des buissons à une courte distance au-delà de la tête de l'homme, reniflant l'air. Le chien enfonça son museau dans un buisson bas et dense, en sortit une flèche, puis revint vers elle en trottant avec la flèche dans sa gueule.

En prenant la flèche, Catriona dit :

— Je crois que Boreas a trouvé la raison de votre blessure, monsieur. Si c'est le cas, je peux vous assurer que cette flèche ne vient d'aucun arc appartenant au clan Chattan.

— Ni d'un clan de Lochaber, murmura-t-il.

— Alors, êtes-vous de Lochaber ?

Se maudissant pour sa bévue, Fin dit :

— J'ai grandi sur la côte ouest de Great Glen, mais dernièrement j'y ai passé peu de temps. Ne pouvez-vous me révéler rien d'autre sur cette flèche ?

— Non, mais j'aurais aimé qu'Ivor soit ici, déclara-t-elle.

— Ivor ?

Il leva son sourcil gauche, grimaça et dit d'un air contrit :

— Je devrai me souvenir de ne *pas* exprimer mes émotions avec des mouvements faciaux pendant un certain temps.

Gloussant et décidant qu'elle aimait le son mélodieux de sa voix, elle dit :

— Ivor est le plus jeune de mes deux frères. Il est aussi le meilleur archer d'Écosse, alors il connaît le style de tir de la plupart des clans des Highlands et m'a appris le peu que je sais. Mais lui, mon père et mon frère James sont aux frontières avec le seigneur du Nord.

— Qu'est-ce qui vous fait croire que cet Ivor est le meilleur archer du territoire? demanda-t-il. L'Écosse se vante d'avoir de nombreux bons archers. Je suis moi-même adroit, avec un arc et une flèche.

— Aucun doute là-dessus. Je tire bien, moi aussi, tant qu'à y être. Mais Ivor est le meilleur.

— Je connais un type qui peut battre tout ce que votre Ivor ferait, dit-il.

— Il n'existe aucune personne de ce genre, dit-elle avec assurance, tout en glissant la flèche sous la ceinture rattachée qui remontait ses jupes.

Puis, s'agenouillant de nouveau, elle ajouta :

— Maintenant, laissez-moi finir de nettoyer votre blessure. La seule chose avec laquelle je pourrais la bander est avec une bande de mon jupon, mais je crains que la flanelle frotte contre elle et la fasse saigner davantage.

— Je n'ai pas besoin de bandage, dit-il. Je guéris rapidement.

— Vous voyez, vous vous vantez, comme tous les hommes. Jusqu'où devez-vous aller?

— Une journée de marche, peut-être deux.

— Alors, vous devriez m'accompagner chez moi et vous reposer, cette nuit. Cette entaille *se rouvrira*, car elle a besoin d'un bandage et peut-être même d'un point de suture ou deux.

Sa grimace révéla une forte réticence, concernant les points ou son invitation.

Avant qu'il ne puisse parler, elle dit :

— Ne soyez pas assez idiot pour refuser. Quelqu'un vous a attaqué d'une manière abjecte, et cette flèche vous a envoyé la tête la première contre cet arbre. Vous vous êtes cogné assez fort pour rebondir en arrière et tomber dans la position où je vous ai trouvé.

— Pour l'amour, jeune fille, si vous avez vu tout cela, n'avez-vous pas vu aussi celui qui m'a tiré dessus ?

— Je n'ai rien vu de tout cela, répondit-elle.

⸺◦◦⸺

La regardant fixement, Fin dit :

— Si vous n'avez rien vu, vous ne pouvez pas savoir comment je suis tombé. Pour l'amour, je n'en sais pas beaucoup moi-même.

— Néanmoins, c'est quelque chose comme ça qui s'est produit, insista-t-elle. Cette flèche que Boreas a trouvée a causé l'entaille sur votre front, car le sang qui est dessus est encore collant. Vous avez une bosse qui enfle, ici, près de votre oreille…

Il grimaça, lorsqu'elle la toucha.

— … et je vois de l'écorce dans vos cheveux et sur le collet de votre chemise. Aussi, la manche de votre veste est déchirée, et je vois d'autres bouts d'écorce sur votre bras. L'événement se voit de lui-même, monsieur. De plus, ajouta-t-elle en pointant, il a tiré depuis l'autre rive du ruisseau.

Il dut admettre, ne serait-ce qu'à lui-même, qu'elle avait raison à propos du reste, de même qu'au sujet de la direction du tir.

Décidant qu'il était resté allongé assez longtemps sur le sol humide, il s'assit, puis dut se tenir pour se stabiliser, tout en se concentrant très fort pour lutter contre une nouvelle vague de vertiges. Il essaya de faire cela sans qu'elle s'aperçoive de sa grande faiblesse.

Croisant ses yeux scintillants, il grimaça, suspectant ses pouvoirs d'observation d'être plus développés que sa propre capacité du moment à dissimuler ses émotions.

— Cette sensation de vertiges passera, si vous lui en laissez le temps, dit-elle, confirmant ainsi ses soupçons. Mais vous seriez bête de *ne pas* venir avec moi, car on voit aisément que vous n'êtes pas en bonne forme pour continuer seul.

Le chien vint se placer à côté d'elle, tout en observant l'homme pensivement. Juste le fait de regarder le chien rappela à Fin que les forêts des Highlands abritaient beaucoup de meutes de loups. Les bêtes sentiraient bientôt l'odeur de son sang, s'il ne faisait rien pour empêcher la blessure de recommencer à saigner.

— Est-ce que vos parents accueilleraient facilement un étranger ? demanda-t-il.

— Ma mère accueille tous ceux qui viennent en paix, dit-elle. Pendant l'absence de mon père, je vous garantis qu'elle acceptera volontiers d'avoir un homme robuste à portée de la main, même pour la nuit.

Il se rendit alors compte qu'elle était de naissance noble et qu'il aurait dû le savoir malgré son aspect négligé. Les roturiers possédaient rarement des chiens-loups ou ne parlaient pas comme elle.

— À quelle distance d'ici se trouve votre maison ? demanda-t-il.

— Elle est dans la vallée juste après cette colline, répondit-elle en pointant vers le faîte de granit au-dessus d'eux vers le nord-est. Nous traverserons le raccourci au-dessus de ces arbres.

— Alors, je vais volontiers accepter votre invitation.

Tout en souriant d'une manière qui créa une sensation inattendue en guise de réponse, elle ramassa son épée et la sangle, puis recula pour le laisser se mettre debout.

Lorsqu'il fut sur ses pieds et qu'il tendit le bras pour prendre l'épée, elle dit :

— Je peux la porter.

— Non, je n'abandonne mon arme à personne, femme ou homme.

Il vit un éclair de contrariété dans ses yeux, mais elle lui tendit la ceinture. Il l'attacha bien en place et prit l'épée de ses mains, sentant son poids plus que d'habitude alors qu'il reculait pour la glisser dans sa sangle. Mais il le fit, crut-il, sans difficulté visible. Elle n'avait pas *semblé* l'avoir remarqué, mais il sentit une nouvelle tension entre eux.

La pente était escarpée, et la suivre à travers la forêt jusqu'au faîte fut plus difficile qu'il ne l'avait imaginé. Les vagues de vertiges persistèrent et, à mi-chemin, il commença à se sentir exténué, presque comme s'il était fait de plomb. Il était certain d'avoir voyagé loin, ce jour-là.

Mais une telle sensation de profond épuisement était anormale pour lui.

Lorsqu'ils atteignirent le raccourci rempli d'éboulis sous le sommet pointu, il devint de plus en plus facile d'avancer. Mais les roches qui roulaient sous leurs pieds et un certain nombre d'immenses rochers sur leur route exigeaient une vigilance, afin d'éviter un mauvais pas.

Fin s'arrêta avec plaisir, quand la jeune fille fit halte, mais s'assura que rien ne clochait chez lui, à part ses vertiges récurrents et une étrange lassitude. Au loin, la large perspective imposante des Cairngorms encore enneigées était spectaculaire.

— Voilà, dit-elle en pointant du doigt, il ne nous reste qu'à traverser le lac à la rame.

Il regarda vers le bas et vit un lac courbé vert foncé, long d'un peu plus de deux kilomètres, qui ressemblait à un éclat de verre à travers un miroir, reflétant la beauté sauvage de pentes très boisées et de quelques-unes escarpées en granite qui l'entouraient, tels les bords profonds d'un bassin.

Suivant son geste, qui indiquait un point plus près au sud-est, son regard tomba sur une île fortifiée à une dizaine de mètres de l'endroit où la rive faisait une courbe autour du pied de la pente abrupte située juste sous eux. À la vue de cette forteresse, il ressentit une sensation de désorientation inattendue et d'incrédulité.

Tout en maintenant avec effort un ton de voix régulier, il dit :

— N'est-ce pas le château Moigh, le siège même des Mackintosh ?

— Non, répondit-elle. C'est le château de Rothiemurchus de Loch an Eilein appartenant à mon père. Mais vous n'êtes pas le premier à le confondre avec Moigh. Vous voyez, nous, les Mackintosh, aimons les îles. Elles procurent une meilleure sécurité que d'autres sites.

— Donc, vous devez être apparentée au Mackintosh.

— C'est mon grand-père, répondit-elle avec fierté.

— Alors, vous pouvez me dire la distance exacte de Loch Moigh à partir d'ici.

— Oui, bien sûr, mais pourquoi voulez-vous le savoir ?

— Écoutez, je suis venu sur le territoire du clan Chattan dans le but de parler au Mackintosh, pour lui livrer un message.

Ses yeux scintillèrent de nouveau.

— Vraiment, en fait ?

Lorsqu'il opina de la tête, elle ajouta :

— Alors, c'est une bonne chose que vous soyez venu avec moi, monsieur, car le Mackintosh et ma grand-mère habitent en ce moment à Rothiemurchus avec ma mère et moi.

— Notre rencontre d'aujourd'hui était donc une chance, n'est-ce pas ?

— Eh oui, approuva-t-elle en détournant la tête. Nous allons descendre, maintenant.

Il se souvint alors de sa croyance comme quoi en l'absence de son père, sa mère accueillerait un « homme robuste » à Rothiemurchus.

— J'espère que votre grand-père est en bonne santé et…

Il hésita, ayant vu suffisamment d'elle pour savoir que les mots sur sa langue pourraient l'offenser.

Elle se retourna, et il remarqua que le scintillement dans ses yeux avait foncé.

— Si vous étiez sur le point de suggérer que mon grand-père est malade où qu'il a perdu l'esprit…

— Je n'ai pas dit cela.

— Mais vous l'avez presque dit, ou quelque chose du style. Le niez-vous ?

— Non, mais j'ai entendu dire qu'il était trop âgé pour manier une épée avec son adresse jadis légendaire. Et vu que je suis venu lui demander une bénédiction, et que je ne le presserais pas de faire quoi que ce soit qu'il est trop faible de...

— Faible ?

Ses lèvres se contractèrent nerveusement en un sourire approximatif, et, tandis qu'elle se retournait, elle dit par-dessus son épaule :

— Il est venu nous voir parce que ayant appris qu'il y avait de l'agitation dans notre région, il désirait en connaître la cause. Toutefois, ma mère espère que mon père et mes frères reviendront bientôt. Voyez-vous, mon grand-père a confiance en mon père pour s'occuper de tout problème auquel nous aurions à faire face, car il est notre chef guerrier du clan Chattan.

Une nouvelle tension le saisit.

— Qui *est* votre père, jeune fille ? demanda-t-il doucement.

— Shaw Mackintosh, laird de Rothiemurchus, dit-elle. Avant qu'il n'épouse ma mère et prenne le nom de Mackintosh, les hommes le connaissaient sous le nom de Shaw MacGillivray.

Stupéfait, Fin s'arrêta dans ses pas.

Shaw MacGillivray était le chef guerrier du clan Chattan qu'il avait juré de tuer.

# Chapitre 2

Remarquant le silence soudain derrière elle, Catriona se retourna en disant :

— Qu'y a-t-il ?

— Rien, répondit Fin des Batailles — plutôt sèchement, pensa-t-elle.

Elle fronça les sourcils. Il parut plus pâle qu'avant.

— Avez-vous de nouveau des vertiges ? demanda-t-elle.

La couleur rose teinta ses joues, lui faisant comprendre qu'il n'appréciait pas la question. Mais elle se dit qu'elle avait détecté du soulagement dans son expression, lorsqu'il répondit :

— Oui, de temps en temps.

Il était clair que, comme ses frères, l'homme détestait admettre toute forme de faiblesse. Pour se le prouver, elle dit :

— Nous arriverons bientôt au bateau. La traversée ne prend que quelques minutes, puis je vous emmènerai à l'intérieur, où vous pourrez vous reposer.

Tout en continuant à l'observer, elle vit un éclair de consternation, plutôt que le mécontentement auquel elle s'attendait de la part d'un homme à qui on rappelait son besoin de se reposer.

Son regard croisa le sien. À l'air libre, elle remarqua que ses iris gris clair se seraient mélangés au blanc, s'ils n'avaient pas foncé légèrement sur les bords. La longueur et l'épaisseur de ses cils semblaient maintenant protectrices, plutôt que simplement injustes.

Se tenant debout près de lui comme elle le faisait maintenant, elle se rendit compte que le sommet de sa tête atteignait à peine son menton. Et alors qu'elle continuait à fixer son regard immobile, elle ressentit un frémissement sur sa peau qui irradiait chaudement à l'intérieur de son corps.

Comme elle se débattait pour reprendre ses esprits, elle sentit en lui une nouvelle hésitation, une réticence plus forte. Elle eut l'impression qu'il dirait peut-être qu'il avait changé d'idée et qu'il poursuivrait son chemin sans s'arrêter à Rothiemurchus.

Mais il dit alors avec fermeté :

— Emmenez-moi, jeune fille. Je suis impatient de parler à votre grand-père, s'il daigne me recevoir.

— Il le fera, dit-elle en faisant signe à Boreas de les précéder.

Tout en suivant le chien, elle devint plus consciente que jamais de l'homme derrière elle et du frémissement que causait chacun de ses pas fermes.

∞

Fin se demanda si le Mackintosh avait l'habitude de laisser sa petite-fille vagabonder dans les bois à sa guise, ou si elle aurait à subir des réprimandes pour avoir emmené un étranger à la maison. Il espéra que non, car cela compliquerait une affaire qui était déjà suffisamment complexe.

Tout en considérant le dilemme auquel il faisait face concernant le père de la jeune fille, Shaw MacGillivray, il réfléchit ensuite à ses motifs personnels. Le nom du chef guerrier du clan Chattan l'avait hanté pendant près de quatre ans et demi. De savoir qu'il était sur le point d'entrer dans le bastion de l'homme produisit en lui une foule de pensées et d'émotions conflictuelles.

Il accepterait l'hospitalité de Shaw, alors la voix dans la tête de Fin lui cria qu'il devrait chercher refuge auprès de n'importe qui sauf de l'homme qu'il avait juré de tuer. La loi des Highlands interdisait de faire du mal à qui que ce soit qui demandait l'hospitalité ou qui la *fournissait*.

Son plan du début était de passer par Strathspey dans les montagnes, vers l'ouest, et d'atteindre le château Moigh sans faire de bruit. Jusqu'à cet endroit, il avait voyagé prudemment, et après s'être séparé de son propriétaire terrien et de son écuyer, il avait poursuivi seul.

Le fait était qu'il se trouvait en territoire ennemi. Pour le rendre sûr, une trêve existait depuis la grande bataille de clans. Mais les trêves pouvaient s'évaporer en une nuit, surtout lors de conflits concernant des territoires. Et lorsqu'une querelle se poursuivait pendant des décennies, comme celle des Cameron-Mackintosh… Est-ce que celui qui lui avait tiré dessus savait qu'il était un Cameron ?

Fin savait qu'il était resté sur ses gardes. Même s'il avait vu de petites exploitations agricoles et maisons sur sa route, il n'avait pas flâné suffisamment près pour attirer de l'attention indue.

Après être entré dans les bois où la jeune fille l'avait trouvé, il s'était senti plus en sécurité. Mais même si la forêt fournissait un meilleur abri pour un voyageur que des vallées ouvertes et des coteaux, l'archer invisible lui avait tiré dessus. Et aucun homme ne tirait sans voir sa cible.

Sans l'arrivée opportune de Lady Catriona, le scélérat l'aurait peut-être tué. En retour, il était sur le point d'accepter son hospitalité, malgré sa seule intention d'abattre son père.

Elle le conduisit à un angle au bas de la colline. Ils dépassèrent l'îlot jusqu'à une pente de granite où un bateau au fond plat était amarré. Tandis qu'elle traînait ses rames hors du buisson tout près, Fin lui dit :

— Vous attendez-vous à ce que cette petite chaloupe nous transporte, nous *et* le chien, jusqu'à votre îlot ?

Se retournant pour lui faire face — menton relevé et yeux brillants —, elle posa ses rames sur le sol avec leurs plats contre une épaule.

— Oui, je m'attends à cela. Êtes-vous si lâche, monsieur, que vous avez peur que je n'arrive *pas* à vous emmener de l'autre côté en sécurité ?

N'aimant ni le mot ni son ton de voix, mais déterminé à ne pas se laisser avoir par un appât si évident, Fin remarqua distraitement que ses yeux n'étaient pas marron clair, mais noisette doré. Lorsqu'elle lui lança de nouveau un regard furieux, il dit :

— Je me demande, mademoiselle l'impérieuse, si vous avez l'habitude de parler ainsi aux hommes. Mais honnêtement, je n'ai confiance en personne à part moi pour manœuvrer une telle embarcation, surchargée comme elle le sera. Mais le chien et moi pouvons nager, et faire trempette ne vous fera pas de mal.

Lorsque pour toute réponse, sa main se leva brusquement, il attrapa son poignet et le tint.

Quoi ? se demanda Catriona. Qu'est-ce qui lui avait pris d'oser une telle chose ?

Sa prise, elle le savait, lui laisserait des ecchymoses. Elle savait aussi que si elle avait osé narguer n'importe lequel de ses deux frères, sans parler d'une gifle, l'un ou l'autre l'aurait lancée dans le lac glacé, sinon juste par-dessus son genou. Pire, Fin était blessé, bien qu'à l'évidence en train de guérir rapidement, et il était sur le point de devenir un invité de la maisonnée de son père.

Toujours fâchée qu'il ait douté de ses capacités, mais ressentant maintenant des picotements différents, plus inhabituels et intrigants, en réponse à l'expression sévère de ses yeux, elle ne lutta pas contre sa prise et ne répondit pas à sa question. Pas plus qu'elle ne détournerait son regard jusqu'à ce qu'il la relâche.

Une fois qu'il le fit, elle déposa ses rames dans le bateau et se mit à le tirer vers l'eau. Elle n'était pas allée bien loin, lorsqu'il saisit l'autre côté pour l'aider.

S'il souffrait toujours de vertiges, la vitesse avec laquelle il avait attrapé sa main et la facilité avec laquelle ils avaient traîné le bateau jusqu'à l'eau démentaient son état. Toujours silencieuse, elle fit signe à Boreas, et, tandis qu'elle et Fin stabilisaient l'embarcation, le chien sauta dedans avec précaution, puis par-dessus les rames et le milieu, pour se rouler en boule à l'arrière.

Fin continua de regarder le bateau d'un œil désapprobateur.

— Peut-être que je *devrais* ramer, déclara-t-il.

— Avec vous au milieu et Boreas à l'arrière, le poids de vous deux ensemble le ferait vraisemblablement couler, pendant que je serais encore en train d'essayer de le mettre à l'eau et de grimper à l'avant, rétorqua-t-elle. Toutefois, il est clair que vous avez suffisamment récupéré pour nous mettre à l'eau, et je m'attends à ce que vous soyez assez agile pour sauter dedans sans mouiller vos pieds, si cela vous inquiète.

Cette fois, lorsque son regard croisa le sien, quelque chose dans celui-ci lui envoya un avertissement qui traversa son corps. Mais il dit simplement :

— Montez, jeune fille.

Se demandant quel démon s'était emparé d'elle pour qu'elle le taquine de nouveau, elle obéit enfin et prit sa place. Faisant face à l'arrière et à Boreas, elle libéra ses jupes remontées afin d'observer les convenances, puis ajusta la flèche à sa ceinture d'une manière plus confortable. Puis, prenant ses rames, elle stabilisa la chaloupe, pendant que Fin des Batailles la lançait à l'eau.

Lorsqu'il s'élança à l'avant, de l'eau clapota sur le côté gauche, mais pas suffisamment pour les mettre en danger. Le bateau avait moins de franc-bord qu'elle l'aurait voulu, mais le lac était calme, et elle était adroite avec les rames.

Jetant un coup d'œil par-dessus son épaule, elle dut se pencher et regarder au-delà son large passager pour s'assurer qu'elle ne frapperait pas une roche en reculant, puis elle tourna l'avant vers l'île. Elle remarqua qu'il l'observait attentivement manier les rames. Une fois qu'elle eut exécuté son tour, il relaxa visiblement. Mais il ne s'excusa pas.

Lorsqu'elle lui tourna de nouveau le dos, il dit :

— Vous n'avez jamais répondu à ma question au sujet de vos gens, concernant la façon dont ils traitent en général les étrangers. Toutefois…

— Nous les traitons poliment, bien sûr, à moins qu'eux se montrent impolis.

— Alors, jeune fille, nous les traitons de la même façon. De plus, avant de nous rencontrer, je n'ai parlé à personne depuis ce matin, alors je ne peux guère avoir offensé qui que ce soit.

— Peut-être que la personne avec qui vous étiez ce matin s'est offensée à propos de quelque chose.

— Non, puisque j'étais avec mes propres garçons d'écurie, à cheval, à partir de Glen Garry et allant vers le nord.

Elle rejeta un coup d'œil par-dessus son épaule.

— Vous étiez à cheval avec une troupe d'hommes ?

— Seulement deux garçons, dit-il avec un haussement d'épaules suffisamment léger pour montrer qu'il n'avait toujours pas confiance en la stabilité de la chaloupe.

— Où sont-ils, maintenant ? demanda-t-elle.

— Sachant que les montagnes à l'ouest d'ici sont plus faciles à traverser à pied qu'à cheval comme nous l'étions, j'ai choisi de marcher devant eux.

— Mais pourquoi ne sont-ils pas simplement venus avec vous ? Et où sont vos chevaux ?

— J'ai envoyé les hommes faire une course, et ils devaient ramener les chevaux à l'écurie jusqu'à notre retour des montagnes. Toutefois, ils s'attendent à me retrouver au château Moigh.

— Peut-être ont-*ils* attiré l'attention. Ou peut-être que vous l'avez fait sans le savoir. Je vous ai demandé plus tôt si vous aviez des ennemis dans les environs, ajouta-t-elle. Vous m'avez simplement répondu que vous n'étiez jamais passé par ici auparavant.

Il demeura silencieux assez longtemps pour qu'elle ait le temps de donner deux coups de rame et que cette étrange sensation de sa présence refasse surface, avant qu'il ne dise :

— Je vous le promets, jeune fille. Je ne suis *pas* passé par ce chemin avant. Mais j'ai entendu que, plutôt que de jouir d'une réputation de bonne politesse, les hommes du clan Chattan sont des grincheux. Aussi, vous avez également parlé de troubles qui se préparent. Il semble logique que ma mésaventure en soit peut-être le résultat.

Remarquant qu'il n'avait toujours pas dit s'il avait des ennemis dans les parages, Catriona mordilla sa lèvre inférieure, tout en réfléchissant. Elle ne pouvait réfuter sa logique, car celle-ci était excellente. Mais elle était réticente à discuter des irritants Comyn avec un étranger.

— Je vois, murmura-t-il de manière provocante.

— *Que* voyez-vous ?

— Que je pourrais avoir raison, dit-il. Qui sème votre trouble ?

Tout en grimaçant, elle dit :

— Les Comyn ne sont qu'un fléau. Mais je ne vois pas pourquoi ils vous ennuieraient.

— Comyn ? Je croyais que ce clan était presque éliminé.

— Oui, mais ils ont déjà été les seigneurs du château Lochindorb, qui se situe près d'ici et qui appartient maintenant au seigneur du Nord. Les Comyn essaient de redevenir puissants.

— Gardent-ils des griefs contre votre confédération, dans ce cas ?

— Non, ils agissent en réaction à des plaintes imaginaires et à leur propre arrogance, dit-elle. La majeure partie de leur mauvais usage, comme pour la plupart des conflits, est due à des territoires qu'ils croient devoir être les leurs, mais qui appartiennent, et ce, depuis toujours, à Mackintosh. Sauf en ce qui concerne Lochindorb et toutes ses propriétés, ajouta-t-elle consciencieusement.

Il était silencieux. Jetant un nouveau coup d'œil derrière elle, elle le vit froncer les sourcils. Lorsqu'elle déposa ses rames et lui lança un regard narquois, le froncement s'adoucit, et il dit :

— À quelle rapidité êtes-vous tombée sur moi ? Vous rappelez-vous ?

— Pas exactement, répondit-elle en se remettant à ramer. Est-ce important ?

— Peut-être, dit-il. Les arbres dans ces bois étaient trop éloignés les uns des autres pour que je rate un archer debout, suffisamment près pour me tirer dessus à bout portant. Mais j'ai pu ne pas en voir un qui a tiré d'une distance plus grande.

— Peut-être que quelque chose vous a distrait, vous empêchant de le voir.

— J'en doute. Je ne me rappelle pas ce à quoi je pensais, lorsque la flèche m'a atteint. Mais me trouvant seul dans des bois inconnus comme je l'étais, je suis resté prudent. Le coup porté n'était pas un accident non plus. Un Comyn aurait-il été responsable d'avoir tiré sur un étranger ici pour d'autres raisons ?

Redéposant ses rames, elle se retourna cette fois suffisamment sur son siège pour le voir sans avoir un torticolis.

— Nous ne nous sommes pas mis d'accord sur le fait que l'archer soit un Comyn, dit-elle.

Elle espéra que son ton de voix ait été neutre, mais il avait plissé les yeux. À la hâte, elle ajouta :

— Il aurait facilement pu être un braconnier qui a raté sa cible, comme un archer effectuant un grand exploit de tir à l'arc.

Elle pouvait sentir ses joues brûler. Elle se retourna et se remit à ramer, craignant qu'il ait remarqué ses joues rougir et espérant qu'il ne l'interrogerait pas sur ce sujet.

Il dit sur un ton uniforme :

— Un tel tir à l'air libre avec un arc peut être facile pour la plupart des archers. Mais ce ne l'est pas à une distance et une dissimulation nécessaires pour éviter que je voie l'archer. Et pendant que vous n'avez *pas* déterminé que le tireur était un Comyn, *vous* n'avez pas encore dit si des Comyn ou d'autres pourraient penser qu'il avait ses raisons.

— Une personne ne peut pas savoir *ce* qu'un tel homme pourrait penser, répondit-elle. Vous avez mentionné plus tôt le geai bruyant. J'ai cru qu'il était devenu bruyant à cause de votre mésaventure, mais…

— Les geais ont l'habitude d'être bruyants, s'exclama-t-il.

— Oui, ils le sont, en effet, approuva-t-elle. Mais ils sont aussi bruyants lorsque des prédateurs envahissent leur territoire. Les écureuils étaient bruyants également, tout comme les corbeaux.

— Les corbeaux ?

Elle fit un signe de tête affirmatif.

— Ils ont dû sentir le sang frais, comme l'a fait Boreas, et espérer festoyer avec ce qu'ils avaient trouvé.

— Nous pouvons oublier les corbeaux, puisqu'il n'y a pas eu de sang avant que la flèche ne m'atteigne. Mais une autre personne *se trouvait* dans ces bois. Si vous n'avez vu personne…

— Je n'ai vu ni *entendu* personne, dit-elle lorsqu'il fit une pause. Nous étions contre le vent par rapport à vous, monsieur, et donc aussi par rapport à la personne, qui qu'elle soit, qui vous a tiré dessus. Boreas n'a rien senti jusqu'à ce que tombe la brise, et nous vous avons trouvé peu de temps après.

— Les chiens-loups attrapent les odeurs dans l'air, dit-il pensivement. Mais il est certain que si un étranger avait été à proximité, il aurait senti son odeur aussi, dans ce cas.

— On peut penser que oui, approuva-t-elle. Mais il a fallu un certain temps avant de vous rejoindre. Et les corbeaux croassaient plus fort. Peut-être que l'homme qui vous a tiré dessus a profité de leur raffut pour se sauver, ou peut-être que l'odeur plus forte de sang a camouflé son odeur à lui, que Boreas n'a donc pas sentie. En tout cas, nous ne savons pas de qui il s'agissait.

— Non, dit-il. Pas plus que nous ne savons pourquoi il m'a tiré dessus.

Catriona jeta un coup d'œil par-dessus son épaule et vit avec soulagement qu'ils approchaient l'île. Le mur de roche du château, qui formait un rideau, s'élevait juste au-dessus de la marque de la marée haute sur la légère pente. La lourde clôture était entrouverte.

À ce moment, tout le monde saurait qu'elle emmenait un étranger chez elle. Si son père et ses frères avaient été là, ils auraient été en train d'attendre sur le palier. Vu la situation, leur comité de bienvenue consistait en deux hommes d'armes vigoureux et un garçon arborant un large sourire.

Examinant les deux hommes d'armes qui s'approchaient depuis la porte, Fin se demanda s'il avait été imprudent d'accepter l'invitation de la jeune fille. Un souvenir tardif de la devise du clan Chattan, « Ne touche le chat qu'avec un gant », lui suggéra qu'il *était* un idiot.

Mais il n'avait pas d'autre choix.

Ses ordres étaient de persuader le Mackintosh d'accepter un rôle que l'homme serait peut-être réticent à jouer. Et le Mackintosh était sur l'île.

Toutefois, accepter l'hospitalité à Rothiemurchus présentait tout de même une difficulté suffisante pour donner à Fin un nouveau remords de conscience.

En vérité, aucune loi en vigueur n'interdisait à un hôte de refuser un invité d'autrefois *après* que celui-ci eut accepté son hospitalité…, pour autant qu'il attende de ne plus être sous son toit. De plus, s'il allait décider maintenant de ne pas rester, il attiserait la curiosité de Lady Catriona, sinon sa méfiance définitive. Quant à son honneur…

Cette mi-pensée n'avait qu'à entrer dans son esprit, produisant une image mentale de son maître puissant et extrêmement volatile, pour lui permettre de rapidement reprendre ses esprits. Quel que soit son dilemme personnel, il avait un devoir à exécuter et, tout simplement, le Mackintosh se trouvait ici. Tous les autres problèmes devaient être mis de côté pour qu'il se concentre sur son but.

L'avant de la chaloupe racla le fond, détournant ainsi son attention. Lorsque le garçon qui avait accompagné les deux hommes d'armes entra dans les bas-fonds en éclaboussant de l'eau et qu'il essaya de tirer l'embarcation jusqu'à terre, Fin sauta hors du bateau pour lui venir en aide.

Ses bottes de cuir brut se mouillèrent, mais cela ne le dérangea pas. Ils les avaient portées pour protéger des pieds qui avaient perdu leur solidité après des années à dos de cheval aux frontières et dans les plaines, au lieu qu'il ait marché partout nu-pieds comme le faisaient la plupart des Highlanders.

— Le Mackintosh vous recevra immédiatement, m'dame, dit un des hommes d'armes lorsque Fin et le garçon eurent amarré le bateau. Il sera dans sa chambre, mais Lady Annis et votre mère seront dans la grande salle. Elles veulent vous voir aussi.

Fin tendit une main vers Catriona, mais elle mit pied à terre toute seule et avec une grâce qui le surprit. Peu de gens arrivaient à sortir sans aide d'une embarcation aussi instable, sinon avec gêne.

Il avait vu depuis le sommet de la colline que la forteresse entourait presque toute l'île, sauf son extrémité nord, qui était boisée. Lorsqu'ils arrivèrent à la porte et la passèrent pour entrer dans la cour, il remarqua qu'un donjon à quatre étages occupait l'angle sud-ouest du mur. La forteresse était dotée de deux autres tours plus petites : une à l'extrémité nord près de la porte, et l'autre au coin situé au sud-est. Un homme demeura près de la porte.

— Tadhg, dit Lady Catriona en s'adressant au petit porteur, je t'en prie, cours devant et dis au cuisinier que Boreas voudra bientôt dîner.

— Oui, bien sûr, répondit le type gaiement.

Levant la main pour caresser le garrot du gros chien comme pour s'assurer qu'il ne mourrait pas de faim, il fila vers le donjon.

Boreas continua de trotter à côté de Catriona et de l'homme d'armes qui restait.

Tandis qu'ils se dépêchaient de traverser la cour rocheuse et remplie de tas de terre sèche vers l'escalier en bois menant à l'entrée principale, ils passèrent par une alcôve située entre le donjon et la rangée de dépendances en bois bâties contre le mur. Fin remarqua un chemin menant à une entrée inférieure, et lorsque Tadhg ouvrit la porte et disparut à l'intérieur, il conclut qu'elle menait probablement à l'arrière-cuisine et à la cuisine.

Il suivit les autres dans l'escalier en bois, puis, à l'intérieur, ils montèrent encore des marches en pierre et passèrent sous une voûte, jusqu'à se trouver dans la grande salle. Il faisait froid, malgré une belle flambée dans l'énorme foyer encapuchonné qui occupait presque tout le long mur à sa droite.

Il vit trois femmes à mi-chemin entre le feu et l'estrade à l'autre extrémité de la salle. Une était mince et âgée ; la deuxième, une jeune dame ; et la troisième avait entre leurs deux âges. Elle était plus attirante que les deux autres et un peu plus dodue. Leurs voiles et leurs robes les proclamaient toutes nobles.

— Te voilà, petite-fille, dit la plus âgée des trois d'une voix haut perchée qui portait, même si elle ne semblait pas l'avoir haussée. Tu as été partie pendant une éternité, jeune fille. J'espère que tu n'es pas allée vagabonder trop loin.

La jeune dame regarda Catriona d'un air désapprobateur, mais ne dit mot.

Celle qui était dodue et attirante sourit chaleureusement.

— Je ne suis pas allée loin, madame, dit Catriona à l'aînée en s'approchant d'elles, puis faisant sa révérence. Je ne dois pas non plus m'attarder ici maintenant, parce que mon grand-père seigneur m'a envoyée chercher. Mais avant de le rejoindre, je vous prie de me laisser vous présenter cet homme que Boreas et moi avons trouvé blessé dans nos bois.

— Pitié, chérie, j'aimerais que tu ne te promènes pas au hasard avec seulement ce fantastique chien pour te protéger, dit la dame dodue. De nos jours, quelqu'un peut rencontrer *n'importe qui*.

— En fait, tu pourrais, dit la plus jeune des dames. Pourquoi? Tu sais bien que…

— Oubliez cela pour le moment, vous deux, dit la dame âgée en soutenant le regard intéressé de Fin. Présente-nous ta nouvelle connaissance, Catriona.

— Il s'appelle Fin des Batailles, madame, dit la jeune fille pendant que Fin faisait sa révérence. Voici ma grand-mère, Annis Lady Mackintosh, monsieur.

Elle fit un geste montrant les autres et dit :

— Voici ma mère, Lady Ealga, et l'épouse de mon frère James, Morag. Fin des Batailles est venu au pays du clan Chattan pour parler au Mackintosh, ajouta-t-elle.

— Dans ce cas, tu dois l'emmener tout de suite vers ton grand-père, dit Lady Annis. Mais j'aimerais en savoir plus à votre sujet, Fin des Batailles. Vous vous joindrez à nous pour le dîner.

— Avec la permission du Mackintosh, cela me fera plaisir, madame la comtesse, dit Fin.

Il s'aperçut que le « chien fantastique » s'était affalé près du feu et qu'il avait fermé les yeux.

Lorsque Catriona se tourna vers l'extrémité de l'estrade de la salle, sa grand-mère fit un geste à l'homme d'armes qui était venu avec eux depuis la rive et dit :

— Prends Aodán avec toi, jeune fille. Le Mackintosh aura peut-être des ordres à lui donner.

Les lèvres de Fin se tordirent en un sourire approximatif. Lady Annis était trop polie pour l'insulter en lui demandant de laisser ses armes derrière lui. Mais de toute évidence, elle croyait qu'un garde pouvait protéger le capitaine du clan Chattan si le besoin se présentait.

Cela ne serait pas nécessaire, ce qui était tout aussi bien. Blessé ou non, Fin savait qu'il pouvait gagner un juste combat contre tout adversaire.

— Par ici, monsieur, dit la jeune fille en faisant un geste en direction de l'estrade. En l'absence de père, mon grand-père utilise notre chambre intérieure.

Puis, baissant suffisamment le ton pour que personne ne puisse entendre, mais avec une note d'humour qu'il avait déjà entendue, elle ajouta :

— Je vous assure qu'il continuera aussi à l'occuper après le retour de père.

— Le Mackintosh aime aussi parvenir à ses fins, n'est-ce pas ? murmura Fin.

Son regard pétillant rencontra le sien.

— Tous les hommes aiment parvenir à leurs fins.

— Les femmes aussi, n'est-ce pas ?

Elle secoua la tête.

— Les femmes peuvent espérer le faire dans certains cas. Mais vous savez certainement que lorsque des têtes se cognent ensemble, ce sont les hommes qui, *la plupart du temps*, gagnent.

— Pas toujours?

Cette fois, elle gloussa.

— Non, comme vous l'avez vu par vous-même.

Il cacha un sourire qu'il garda pour lui, mais la laissa pour cette fois avoir le dernier mot.

Un porteur apparut depuis une alcôve à l'extrémité de l'estrade à la droite de Fin et se dépêcha d'ouvrir la porte par l'arrière pour eux. Catriona entra dans la pièce au-delà, avec Fin sur ses talons et l'homme d'armes Aodán derrière lui.

— Pour l'amour, est-ce une invasion? demanda une voix bourrue qui attira le regard de Fin depuis l'énorme lit devant lui, où il s'attendait à voir le Mackintosh, jusqu'à une table à l'extrémité droite d'une pièce qui semblait de la même largeur que la grande salle.

Le Mackintosh était assis sur une chaise à deux bras, derrière une table chargée de documents enroulés. Et Fin se rendit compte immédiatement que la jeune fille avait eu raison.

Même si son grand-père avait depuis longtemps dépassé ce que beaucoup appelaient avec tact les traces de l'âge, du moyen à l'avancé, ses épaules et ses bras paraissaient encore suffisamment musclés pour manier l'énorme épée qui l'avait rendu célèbre dans sa jeunesse. L'air renfrogné du vieil homme était perçant, avec derrière une lumineuse étincelle d'intelligence.

Fin se rendit compte qu'il avait fondé son opinion antérieure uniquement sur le fait que quatre ans plus tôt, le clan Chattan avait donné comme raisons l'âge avancé et l'infirmité de son capitaine pour expliquer pourquoi son chef guerrier l'avait mené à la lutte de clans à sa place. Aucun homme n'avait remis en question les raisons, car tous savaient que le huitième chef du clan Mackintosh avait déjà été le capitaine du clan Chattan pendant plus de trois décennies.

— Ce n'est pas une invasion, mon seigneur, dit Catriona en ignorant l'air renfrogné de son grand-père et en souriant tandis qu'ils s'approchaient de la table. Je viens sur votre ordre, comme vous le savez bien, et vous supplie de me laisser vous présenter notre invité.

Elle effectua un geste gracieux en direction de Fin.

Tandis qu'il s'approchait pour faire sa révérence, elle ajouta :

— Je l'ai trouvé dans les bois, derrière l'arête ouest — blessé, comme vous pouvez le constater. Lorsque j'ai appris qu'il se dirigeait vers Moigh pour vous parler, je l'ai emmené ici.

— Comment se fait-il que vous soyez blessé ? demanda le Mackintosh au sujet de Fin.

— Il est évident que quelqu'un m'a tiré dessus avec une flèche, monsieur, répondit Fin.

— Je l'ai trouvé inconscient avec une balafre sur son front, dit Catriona. Boreas a trouvé la flèche tout près dans un buisson, avec le sang encore collant dessus.

— Est-ce la flèche à ta taille, jeune fille ?

— Oui, monsieur, dit-elle en la retirant de sa gaine, puis en la posant devant lui.

— S'ils ne m'avaient pas trouvé à ce moment-là, monsieur, je crois que je ne serais en aucun cas actuellement en mesure d'accepter l'hospitalité de quiconque, déclara Fin pendant que le vieil homme examinait la flèche.

— Vous suspectez quelqu'un d'intention meurtrière, dans ce cas, n'est-ce pas ?

Il jeta un coup d'œil vers sa petite fille, et Fin remarqua une communication silencieuse dans son expression. Il ne put observer sa réponse sans tourner la tête, mais le Mackintosh ajouta :

— Je dois te demander de limiter tes errances pendant un certain temps, jeune fille. Vu la situation…

Sans la regarder, Fin ressentit sa résistance. Mais elle n'argumenta pas.

— Tu ferais mieux de t'en aller, maintenant, et de me laisser discuter avec lui, ajouta le Mackintosh.

— Lorsque vous aurez terminé avec lui, monsieur, je le mènerai à une chambre pour qu'il puisse se reposer, dit-elle.

— Aodán, allez-y aussi, dit le Mackintosh. Je n'ai pas besoin de vous.

Leurs pas — ceux de Catriona légers et ceux de l'homme d'armes pesants et lourds — firent du bruit derrière Fin, tandis qu'ils traversaient le plancher. Des sons apparentés suivirent, pendant que l'homme ouvrait la porte pour elle et la refermait derrière eux.

Dans le silence qui suivit, le Mackintosh dit :

— Qui êtes-vous, alors, pour vous appeler Fin des Batailles ? Je dois dire qu'il y a quelque chose chez vous qui me paraît familier. Mais ma mémoire ne me sert plus aussi bien qu'avant.

Même s'il s'attendait à des questions sur ses antécédents, Fin se rendit compte en croisant son regard féroce qu'il n'avait pas de réponse toute prête. Il savait qu'il ressemblait à son célèbre père, mais, à cause de plusieurs choses, bien des gens à Lochaber ressemblaient aussi à Teàrlach MacGillony.

Finalement, il dit :

— Je rapporte un sauf-conduit de Davy Stewart, duc de Rothesay et gouverneur du royaume, mon seigneur. Il demanderait une bénédiction de votre part.

— Vraiment ? dit sèchement le Mackintosh. Nous aurons besoin de whisky, dans ce cas, je pense.

# Chapitre 3

Catriona aurait souhaité changer de vêtements, mais lorsqu'elle sortit de la chambre intérieure, sa mère, sa grand-mère et sa belle-sœur se trouvaient sur l'estrade située juste à l'extérieur. À la vue de l'expression exprimant la curiosité sur leurs trois visages, elle sut qu'elle porterait sa vieille tunique pendant encore un moment.

— Qui *est*-il, ma chérie, et pourquoi se nomme-t-il lui-même Fin des Batailles ? demanda Lady Ealga.

Presque avec le même souffle, Lady Annis dit d'un ton brusque :

— D'où est-il originaire, ma petite-fille ? Qui sont ses parents ?

En étouffant un soupir, Catriona répondit :

— J'aurais souhaité que l'une de vous le lui demande, car je n'en sais pas plus que ce que je vous ai dit. Je me promenais avec Boreas, lorsque nous l'avons trouvé. En fait, je m'inquiète plus pour la blessure de l'homme que pour ses antécédents.

— Ma foi, Catriona, tu devrais faire plus attention, lui dit sa belle-sœur d'un ton sévère.

— Oui, Morag a raison, dit Lady Annis. On devrait toujours connaître les origines d'un homme, avant de s'en approcher. Écoute, ma petite-fille, un jour, ta nature impétueuse t'enfoncera profondément dans de l'eau savonneuse.

— Il *est* beau, n'est-ce pas? dit Ealga. Il aurait été difficile de le laisser allongé sur le sol sans essayer de l'aider — tristement inconsidéré, aussi. Et alors que moi, j'aurais peut-être été trop lâche pour lui venir en aide, Annis, je crois que *tu* aurais fait exactement comme notre Catriona.

— Si je l'avais fait, cela aurait été parce que je sais que je suis capable de me défendre moi-même. Peux-tu en dire autant, Catriona?

— Tu as bien ton petit poignard, n'est-ce pas, ma chérie? demanda Lady Ealga.

— Oui, en effet, répondit Catriona en glissant sa main droite dans la fente — ou la pochette — de sa jupe, ce qui lui permit de prendre l'arme dans la gaine attachée à sa cuisse.

Voyant que sa grand-mère écarquillait les yeux, elle dit :

— Mes frères m'ont appris comment m'en servir, madame, et m'ont dit de le faire uniquement si je sentais ma vie en danger. Je n'en ai pas eu besoin.

Morag secoua la tête, manifestant sa totale désapprobation, et Lady Annis serra les lèvres. Puis, un pétillement éclaira les yeux bleu clair de la dame plus âgée, et elle dit :

— Je ne suis pas surprise que tu transportes une arme, ma chère. Et c'était à la fois sage et gentil de la part de James et d'Ivor de t'apprendre à l'utiliser correctement. Toutefois, d'après mon expérience, la ruse et ses propres griffes sont de meilleures armes pour une femme que quoi que ce soit d'autre.

Catriona eut soudain à l'esprit une image fugitive de sa tentative de gifler Fin, et elle ne trouva rien à répondre. Malgré les propres mots de sa grand-mère, Lady Annis condamnerait instantanément une telle impolitesse envers un invité — et avec raison.

— Tu vas vouloir enlever cette robe avant notre dîner, ma chérie, déclara Ealga avec tact.

— Oui, maman, mais je doute que notre invité ennuie grand-papa encore bien longtemps. Je lui ai dit qu'une fois qu'ils auraient terminé de discuter, je le mènerais à une chambre.

— Va te changer, lui dit sa mère. Aodán pourra l'installer dans cette pièce en face de celle que j'utilise présentement, de l'autre côté du palier. Ne restera-t-il que cette nuit?

— J'ai dû le persuader de rester tout court, répondit Catriona. Mais c'était avant que j'apprenne qu'il cherchait le Mackintosh. Lorsque je lui ai dit que grand-papa était ici, il a été d'accord pour venir. Mais il ne m'a pas donné plus d'information.

— Tu peux être sûre que je saurai tout ce qu'il pourra nous dire sur lui, dit sa grand-mère. Je veux savoir qui sont ses parents, et beaucoup plus, de près.

Déterminée à être témoin de cette confrontation, Catriona s'excusa et se précipita en haut de l'escalier, appelant sa servante tout en montant.

———⊙∞⊙———

Sur ordre du Mackintosh, Fin prit une cruche de whisky et deux gobelets dans une niche, versa du whisky dans chaque gobelet, en déposa un devant son hôte et laissa l'autre où il se trouvait.

— Dois-je replacer la cruche, mon seigneur? demanda-t-il.

— Non, nous en aurons besoin. Rapprochez simplement votre tabouret et dites-moi que diable cherche Davy Stewart en troublant la paix d'un vieil homme avec ses affaires royales.

— Il préfère être connu sous le nom de Rothesay, monsieur, et il n'a pas parlé de votre âge, mais uniquement de votre pouvoir. *Cela*, m'a-t-il assuré, est assez vaste pour servir ses intérêts.

— Vous n'êtes pas en train de me dire qu'il croit que mon pouvoir est plus grand que le sien.

Sachant que cela serait indélicat si véridique d'affirmer que Rothesay croyait que le pouvoir d'*aucun* homme ne surpassait le sien, Fin dit :

— En tant qu'héritier du trône et maintenant gouverneur, il est parfaitement conscient de son pouvoir, monsieur. Il est aussi conscient d'avoir des ennemis puissants.

Le Mackintosh leva un sourcil.

— Un en particulier, je parie.

— Oui, lorsque le Parlement et le roi ont convenu que Rothesay, son âge avançant, devrait assumer la gouvernance pendant trois ans à la place du duc d'Albany pour montrer que Rothesay *peut* gouverner, Albany a été des plus mécontents.

— Vous êtes diplomate, jeune homme. J'ai entendu dire qu'il était furieux. Mais je n'ai pas de patience envers tous nos nouveaux ducs — comme l'anglais diabolique. Faugh, je dis !

— L'Écosse n'a que deux ducs, l'assura Fin. Rothesay et Albany.

— Oui, eh bien, Albany était suffisamment dangereux pendant qu'*il* gouvernait à la place du roi. Selon moi, un homme qui ne s'intéresse pas à la gouvernance ne devrait pas *être* roi.

— Rothesay sera un chef bien plus fort que son père, monsieur, dit Fin.

— Cela ne sera pas difficile, si Albany laisse le type en vie assez longtemps, dit Mackintosh. Et si son imprudence réputée et sa prodigalité sont exagérées. Écoutez, Davy Stewart est le propre neveu d'Albany, mais Albany est un démon. Auld Clootie a déposé sur lui la marque de son sabot au berceau. Et plus il vieillit, plus il devient évident qu'il appartiendra toujours au démon. Quand même, il n'exerce de pouvoir ni ici dans les Highlands ni dans les Îles.

— Exactement, monsieur, même s'il a nommé son propre fils seigneur du Nord.

— Oui, bien sûr, lorsqu'il était gouverneur, mais il sait bien ce qui arrivera, si son petit essaie un jour de prendre la seigneurie des mains d'Alex Stewart, dit Mackintosh d'un ton brusque.

— Alex tient serrée la seigneurie, approuva Fin.

— Oui, il dirige depuis Lochindorb avec plus de force que jamais ne l'a fait son propre seigneur.

— Je devrais vous dire que Rothesay a aussi envoyé un message à Lochindorb, dit Fin.

— Ce château se situe à près de vingt-cinq kilomètres au nord d'ici, dit le Mackintosh. Mais si Davy… si Rothesay espère que son message atteigne le seigneur du Nord, il a raté sa touche. Alex est aux frontières avec mes propres gens, venant en aide au comte Douglas.

— Ils reviendront bientôt, dit Fin. Douglas est toujours le seigneur le plus puissant dans les frontières. Et, grâce à une telle aide venant d'un grand nombre de nobles puissants, il a dirigé les Anglais de nouveau. Mes hommes ont porté le message à Lochindorb, afin que je puisse vous rencontrer à Moigh. Mais après que nous nous fûmes séparés, pendant que je cherchais un chemin dans les montagnes à l'ouest d'ici, j'ai marché plus loin que je ne le souhaitais vers le sud le long du Spey, sans trouver un passage à gué…

Il s'arrêta de parler, lorsque le Mackintosh se mit à ricaner.

— Pour l'amour, jeune homme, nous faisons très attention à ne pas laisser de traces dans nos montagnes, à l'est comme à l'ouest, dit-il. Si un homme ne connaît pas son chemin, il ne le trouvera pas sans aide.

— Un de mes hommes connaissait le chemin vers Lochindorb, dit Fin. Et je connais bien Great Glen et peux le rejoindre d'ici simplement en me dirigeant vers l'ouest.

Pour éviter de poursuivre la discussion au sujet de son erreur, il ajouta :

— Rothesay a aussi envoyé un message au seigneur des Îles.

— Alors, il cherche des alliés parmi les ennemis de son oncle, n'est-ce pas ?

— En effet, oui.

— Qu'est-ce que Davy attend de nous…, de moi en particulier ?

— Il veut que vous organisiez pour lui une réunion au château Moigh avec le seigneur des Îles et le seigneur du Nord.

— Dans quel but ?

— Pour garder un œil sur l'ambition d'Albany, dit-il. Au-delà de ça, je ne peux rien vous dire. Je ne connais pas ses intentions exactes.

— Son mandat provisoire à titre de gouverneur prend fin en janvier, dit le Mackintosh pensivement. Alors, je parie qu'il veut être assuré de leurs votes, lorsque les membres du Parlement se réuniront pour décider s'ils vont le prolonger ou le rendre à Albany.

— Je ne parierais pas contre vous, monsieur. Mais mes ordres sont de livrer son message et de lui envoyer un mot à Perth, si vous acceptez d'organiser la réunion.

— Je vois. Alors, avant de croire en votre parole là-dessus, j'aimerais en savoir plus sur vous.

Ayant espéré avoir détourné l'attention du vieil homme concernant ses antécédents, et souhaitant ardemment que le Mackintosh ne s'aperçoive pas de son malaise à ce moment précis, Fin prit une inspiration et tendit la main vers son gobelet.

— Servez-vous du whisky, et vous avez besoin de maîtriser vos pensées, dit le Mackintosh aimablement. Mais je vous avertis, jeune homme, ne me mentez *pas*.

L'insistance qu'il mit en prononçant ses mots rappela forcément à Fin que le Mackintosh détenait le pouvoir de la fosse et de la potence. Pendre le messager de Davy pourrait l'énerver, mais Fin doutait que le vieil homme y accorde une seule pensée.

Avec l'aide de sa servante Ailvie, Catriona enfila une robe plus seyante couleur vert mousse et des pantoufles en soie assorties. Puis, refrénant son impatience, elle laissa Ailvie brosser ses cheveux emmêlés et les tresser, pour ensuite les enrouler en une spirale souple sous un voile blanc.

En revenant à la grande salle, Catriona remarqua le sourire approbateur de sa mère et vit que des serviteurs dans la partie inférieure de la salle préparaient l'installation pour le repas du soir. Il n'y aurait pas de nourriture avant une heure, mais son grand-père aimait que ses repas soient servis à l'heure, ainsi il ne devait pas y avoir de retard à moins que des invités inattendus se présentent ou que, par un coup de chance, son père et ses frères reviennent à temps pour dîner avec eux.

La probabilité de cette éventualité était faible. Lorsque Shaw et ses fils entraient dans les Highlands, l'annonce de leur arrivée parvenait à Rothiemurchus des heures, sinon des jours, avant eux.

— Je n'ai jamais vu cette robe avant, dit Lady Annis. Elle te va bien.

— Toutes ses robes lui vont bien, dit Ealga. Celle de Morag lui va bien aussi.

— Merci, madame, répondit Catriona. Mais je n'ai jamais l'air aussi soignée que Morag, ajouta-t-elle en souriant à sa belle-sœur.

— Tu ne te donnes jamais du mal pour cela, dit Morag.

— C'est la jeunesse qui leur va bien, Ealga, dit Lady Annis. Catriona, ajouta-t-elle, ton homme blessé n'est pas encore apparu, alors il n'aura pas eu de repos avant que nous dînions. Nous devons espérer que la flèche, en frappant sa tête, n'a pas touché son cerveau.

Catriona gloussa.

— Si c'est le cas, je n'ai vu aucun signe. S'il avait été confus, j'imagine que grand-papa n'aurait pas toléré sa présence aussi longtemps qu'il l'a fait.

— Allons dans mon salon, pendant qu'ils terminent de mettre les tables, proposa Lady Ealga. J'ai dit à Aodán de conduire notre invité à sa chambre, lorsqu'il sortira. Il voudra se rafraîchir, avant de nous faire face de nouveau.

— Avant de faire face à grand-mère, tu veux dire, dit Catriona en lançant à cette dame un sourire.

— Oui, riez, dit Lady Annis avec un regard perçant de sous ses sourcils minces et gris. Mais sache ceci, l'impudente. Tu as pris ton tempérament de moi, plutôt que de ta douce mère, alors tu ferais bien de prendre un peu de mon bon sens également. Tu es impétueuse aussi bien qu'impudente, jeune fille, et tu peux être aussi obstinée.

Catriona savait mieux faire que de donner une réponse impertinente à cette observation, surtout du fait que cela était vrai. À la place, elle dit d'un ton enjôleur :

— Vous êtes devenue jolie, grand-mère, et je vous ai pour me montrer comment faire pour la suite.

— Oui, si tu m'écoutes. Maintenant, montons-nous à l'étage, ou pas ?

———◦∞◦———

Toujours réticent à risquer de se déclarer membre du clan Cameron, ce qui, trêve ou pas, allait vraisemblablement porter préjudice à son hôte contre lui, Fin dit :

— C'est avec plaisir que je vous parlerai de moi, monsieur. Mais je dois vous avertir, je ne suis pas à mon meilleur et ferais peut-être mieux de vérifier avant si vous avez des questions concernant l'organisation de la réunion de Rothesay.

— Je resterai ici jusqu'au retour de Shaw, répondit le Mackintosh. Si Davy Stewart désire que sa réunion ait lieu avant, nous la ferons ici. Rothiemurchus a été mon siège jusqu'à il y a quelques années seulement, et il est aussi sûr que Moigh le serait pour ce genre de réunion.

— Il paraît suffisamment sûr, approuva Fin. Mais Lady Catriona a parlé de troubles dans les environs..., suffisants pour vous attirer ici, hors de la paix et de la sécurité du château Moigh. Rothesay devrait-il se méfier de tels troubles?

Mackintosh grogna.

— Se méfier des vauriens Comyn? Pourquoi le devrait-il? Ce clan s'accroche à sa propre existence, tout en réclamant un titre de propriété qui est dans les mains des Mackintosh depuis un siècle. Ils ne sont rien d'autre qu'une nuisance. L'un d'eux a même osé offrir de l'argent pour notre Catriona. Et certains, dont mon petit-fils James, disent que nous pourrions laisser les troubles tranquilles, si son père et moi approuvions cette union.

L'idée de la franche Lady Catriona impliquée dans un tel mariage lui semblait absurde, mais Fin dit simplement :

— De tels mariages peuvent parfois réussir à allier autrement des clans inamicaux.

— Oui, c'est sûr, dit Mackintosh. Mais Rory Comyn est un idiot trop imbu de lui-même pour son propre bien ou celui de quiconque, et trop rapide, pour chercher l'offense où il n'y en a pas. De plus, l'alliance proposée ne bénéficierait qu'au clan Comyn, car ils veulent le château Raitt en plus de la dot de Catriona, ce qui est une chose que je ne ferai *pas*.

— Ainsi, Raitt est situé sur le territoire que les Comyn réclament.

— Oui, mais nous nous écartons du sujet principal, jeune homme, alors dites-m'en plus sur Davy Stewart.

J'admets que l'Écosse semble plus tranquille, depuis qu'il a pris la gouvernance.

Avec un gloussement lui rappelant sa petite-fille, il ajouta sèchement :

— Mais je doute que la vie du roi soit plus paisible.

— Il y a eu des disputes, admit Fin.

Sachant qu'il serait imprudent d'ajouter que les disputes avaient eu lieu le plus souvent entre des hommes dont les jolies épouses avaient attiré l'attention de Rothesay, il dit :

— C'est sans doute une des raisons pour lesquelles il cherche des alliés qui au moins donneront l'apparence de le soutenir contre Albany.

— Oui, eh bien, je veux réfléchir un peu plus à cette affaire, dit Mackintosh. Vous voyez, le type n'est rien, mais il est entêté. Mais finissez de boire, Fin des Batailles. Ils vont servir le dîner, après avoir sonné la cloche pour les vêpres.

— Gardez-vous ici un aumônier, monsieur, ou procédez-vous à un service dans la salle ?

— Ni l'un ni l'autre. Je laisse les affaires de l'Église presbytérienne à des pasteurs, des évêques et autres semblables. Mais je veux savoir l'heure qu'il est. Ils vont sonner cette cloche bientôt, et je parie que vous voudrez vous laver, avant que nos dames vous revoient.

— Je le voudrais, oui, dit Fin, sentant une bouffée de soulagement à ce répit.

— Vous n'aurez pas le temps de vous rendre à l'étage, alors utilisez simplement le broc et le bassin dans le coin là-bas, ajouta Mackintosh en pointant du doigt. La porte dérobée à côté de la table de toilette donne sur l'escalier de service. Si vous voulez la penderie, elle se situe trois marches plus haut, à votre droite.

S'apercevant qu'il remettrait à plus tard l'inévitable s'il ne poursuivait pas, Fin dit :

— Vous avez mentionné que vous vouliez en savoir plus à mon sujet, monsieur.

— Oui, en effet, mais maintenant je veux réfléchir. Bientôt, les femmes vous demanderont tout cela au dîner, et je me dis que je n'ai pas besoin de vous entendre cracher les détails deux fois.

⌒○⌒

Revenue à la salle avec sa grand-mère et sa mère, tandis que Morag se précipitait en haut pour chercher un châle, Catriona avait juste commencé à se dire que son grand-père avait peut-être donné l'ordre de reporter l'heure du repas, lorsque la porte de la chambre intérieure s'ouvrit et que son grand-père apparut dans l'embrasure de la porte. Fin le suivit, fraîchement frotté, mais fatigué.

Se sentant immédiatement et de nouveau coupable d'avoir essayé de le gifler, Catriona sourit et sentit un accès de plaisir, lorsqu'il sourit en retour. Le sourire n'était pas petit comme celui qu'elle avait vu plus tôt sur la colline, mais plus large et plus naturel, illuminant ses yeux et révélant ses dents blanches et régulières.

Le Mackintosh marcha à grands pas jusqu'à la chaise centrale à la longue table haute faisant face à la salle inférieure, et fit signe à Fin de prendre le siège à sa droite. Morag entra précipitamment, pendant que les trois autres femmes prenaient leurs places. Lady Annis s'assit à la gauche de son mari, avec Ealga à côté d'elle, Morag à côté d'Ealga et Catriona au bout.

Pendant un certain temps, l'attention de tous fut portée sur les serveurs, qui offraient des plateaux de nourriture ainsi que des cruches de whisky et de bordeaux rouge. Mais une fois que Lady Annis, assise en face de son mari, eut accepté tout ce qu'elle voulait, elle se pencha en avant et dit à leur invité :

— J'ai confiance que vous avez trouvé tout ce dont vous avez besoin, monsieur. Vous ont-ils conduit à votre chambre ?

— Pas encore, madame, répondit-il. Nous avons parlé trop longtemps.

Catriona s'était penchée vers l'avant en même temps que sa grand-mère, et son regard avait croisé le sien assez long-temps pour qu'elle sourie, avant qu'il ne ramène poliment les yeux vers Lady Annis.

— De quoi avez-vous parlé ? lui demanda madame la comtesse.

Si la question déconcerta Fin, il n'en laissa rien voir. Mais le Mackintosh dit sèchement :

— Ce dont nous avons discuté concerne d'autres per-sonnes, madame, et *restera* entre nous.

L'accent mis sur ce seul mot fit que Catriona regarda sa mère, espérant qu'Ealga pourrait comprendre ce qu'il vou-lait dire. Mais Ealga regardait sa propre mère.

Lady Annis garda un regard perçant sur son mari, mais se tourna finalement vers Fin et dit :

— Ces sujets de discussion incluaient-ils vos origines, Fin des Batailles ?

— Actuellement, madame, je viens des frontières écos-saises, déclara-t-il.

— Vous n'êtes pas un frontalier de naissance, je crois, dit-elle. Vous n'avez pas leur accent ni leurs manières. À vous entendre, il semble que vous êtes originaire d'un endroit plus proche de Glen Mòr.

— J'ai habité aux frontières pendant des années, mais je connais le Great Glen, dit-il. J'ai passé mon enfance à Lochaber, près de la rive ouest du loch Ness. Mais je regrette d'admettre, ajouta-t-il avec aisance, n'avoir jamais vu le monstre qui y demeure.

Ignorant cette tactique, si cela en était bien une, Lady Annis dit :

— Mon père était Hugh Fraser de Lovat, sur la rive est du loch Ness. Je connais bien la plupart des gens depuis Inverness, puis le long des deux côtes jusqu'à Loch Lochy. Qui sont vos parents ?

— Mon père était connu sous le nom de Teàrlach MacGill, ma mère sous celui de Fenella Nic Ruari, répondit-il. J'ai aussi passé quelques années à Fife, madame, près de sa côte est.

Un mouvement de son grand-père — presque un sursaut — détourna l'attention de Catriona, pendant que Fin parlait. Mais elle ne put lire l'expression sur le visage du Mackintosh, car il avait fixé son attention sur Fin et demeurait silencieux.

— Le nom de votre père ne semble pas en être un que je devrais connaître, mais MacGill est un genre de patronyme général, n'est-ce pas ? dit sa grand-mère. Je m'attends à ce que votre affaire avec le Mackintosh ait plutôt trait à votre venue ici depuis les frontières. Mais je suppose que je ne devrais pas vous questionner sur ce que vous y avez fait ou...

Elle s'arrêta, espérant à l'évidence qu'il l'inviterait à le questionner. Mais Fin sourit simplement, comme s'il attendait qu'elle termine sa phrase.

— Que faisait votre père à Fife qui exigeait qu'il éloigne votre famille aussi loin de Lochaber ? demanda-t-elle dans un soupir.

Fin parut alors effrayé, comme s'il ne s'était pas attendu à la question, mais Catriona ne pouvait comprendre pourquoi, puisqu'il avait lui-même mentionné Fife. De toute évidence, ils n'allaient pas poursuivre cette discussion, car le Mackintosh dit :

— Pardonnez-moi, jeune homme, si je ne vous ai pas demandé dans combien de temps vous attendez que vos hommes vous rejoignent.

— Ses hommes ?

Lady Annis tourna son regard vers son mari, puis de nouveau vers Fin.

— Vous avez aussi des hommes à vous dans les parages ? Où sont-ils ?

— Je ne peux me vanter que d'en avoir deux, madame, et ils devraient me rejoindre demain ou le jour d'après. Mais maintenant que vous parlez d'eux, monsieur, il me vient à l'esprit qu'ils me chercheront au château Moigh, à moins que je puisse leur faire parvenir un mot leur disant de venir ici à la place.

Le Mackintosh se mit à rire.

— D'ici à demain matin, il n'y aura pas un seul homme à Strathspey qui ne saura que Catriona vous a emmené ici. Je demanderai à nos gens de surveiller plus intensément que d'habitude s'il y a des étrangers, mais j'ai confiance que vos gars vous trouveront.

La conversation devint ensuite décousue, même si Catriona avait espéré que sa grand-mère insisterait plus fort auprès de Fin pour obtenir des renseignements sur lui et sa famille, car elle avait senti peu de temps après l'avoir rencontré qu'il gardait des secrets. De plus, même si ses antécédents semblaient courants, il avait plus voyagé que la plupart des Highlanders et s'exprimait même mieux que la majorité des nobles.

Et son épée était celle d'un guerrier.

Toutefois, le Mackintosh le ramena de nouveau à la chambre intérieure une fois que les deux eurent terminé leur repas, disant de façon énigmatique qu'il avait pris sa décision.

La déclaration éveilla sa curiosité. Quelle décision, et pourquoi ne pas la partager avec eux tous ? Sans doute qu'ils seraient mis au courant à un moment donné, mais elle voulait la connaître maintenant.

Suivant le Mackintosh jusque dans sa chambre, Fin fut content de voir qu'il n'avait pas pris la cruche de whisky. Il avait mal à la tête, et il était certain que la cause provenait autant du whisky qu'il avait bu avant le dîner que de l'entaille faite plus tôt. La douleur avait un manque de vivacité familier et une profondeur qui lui rappelaient des matins dans sa jeunesse arrivés trop tôt après qu'il eut bu du truc fort trop librement.

Il aurait aimé une grande tasse d'eau de source, mais il décida qu'au lieu d'embêter son hôte, il demanderait à un porteur d'aller lui en chercher lorsqu'il se retirerait.

Mackintosh retourna à sa chaise, mais fit signe à Fin de rester debout.

— À vous voir, vous feriez mieux d'aller au lit, jeune homme, alors je ne vous retiendrai pas, dit-il. J'accepte d'organiser la réunion de Rothesay ici avec les seigneurs des Îles et du Nord.

— Merci, mon seigneur.

— Eh bien, je les connais tous les deux. Donald des Îles et Alex de Lochindorb sont tous deux des hommes de parole, alors je leur accorderai des sauf-conduits pour venir ici. Mais je voudrai leur parole, *ainsi* que celle de Davy Stewart, comme quoi ils viendront ici sans de grandes files d'hommes.

— Rothesay leur a dit la même chose, monsieur, car il ne veut pas qu'ils attirent l'attention comme ce serait le cas s'ils venaient accompagnés de leur entourage habituel. Mais Donald aura besoin de votre sauf-conduit, vu qu'il n'est pas le bienvenu dans la partie ouest des Highlands, où il convoite beaucoup de territoires. Lorsque mes gars arriveront, j'en enverrai un à Perth pour qu'il annonce à Rothesay que vous avez accepté.

— Oui, c'est bien. Maintenant, criez simplement depuis l'escalier de service pour que vienne mon homme Conal, et demandez-lui de vous montrer votre chambre. Il saura où ils vous ont installé, et ainsi vous n'aurez plus besoin de continuer à parler avec les femmes, mais pourrez aller dormir directement.

Fin, ressentant de nouveau sa lassitude, était plus que désireux d'obéir.

*Château Stirling*

Robert Stewart, autrefois comte de Fife et maintenant duc d'Albany, leva les yeux du document qu'il était en train de lire, lorsque, d'un simple petit coup sec, un porteur ouvrit la porte de son sanctuaire et recula pour laisser passer un visiteur.

Toujours efflanqué et en santé à soixante et un ans, ses cheveux foncés avec des mèches blanches à certains endroits, mais sinon montrant peu de signes de vieillissement, le duc continuait comme toujours à préférer des habits noirs et des favoris obéissants. Avec sa manière brusque habituelle, une fois que le porteur eut de nouveau fermé la porte, Albany dit :

— Quelles nouvelles avez-vous, Redmyre ?

— Nous en savons peu pour l'instant, dit Sir Martin Lindsay de Redmyre. Il est toujours à Perth, mais j'ai trouvé quelqu'un de la région en question pour nous aider.

— Ici, vous pouvez parler librement, dit Albany en lui versant un gobelet de bordeaux rouge.

Les deux hommes se connaissaient et se faisaient confiance depuis des années, car même si le trapu Redmyre était plus jeune de plus de dix ans, ils partageaient des avis semblables sur le droit au pouvoir d'Albany. Tous les deux vouaient également une haine pour l'héritier au trône d'Écosse.

Redmyre accepta le vin en disant :

— Bien. J'ai trouvé un homme pour surveiller Rothesay au cas où il se dirigerait vers les Highlands. Et mon garçon Comyn a de la parenté qui nous aidera, s'il faut causer des ennuis au seigneur du Nord. Je sais bien que vous avez partout des hommes qui tendent l'oreille, mais êtes-vous certain que Rothesay se dirigera vers Strathspey ?

— Oui, car Davy boit trop et ensuite parle trop.

— Et court trop la gueuse au nom de Dieu, grogna Redmyre.

— C'est juste, mais votre sœur est maintenant en sécurité, et son mari n'osera pas l'abandonner. Je ne sais pas si Davy ira à Lochindorb, mais il veut l'aide d'Alex. En tout cas, Davy est inapte à diriger ce royaume en tant que gouverneur et doit être détrôné.

— Eh bien, dans ce cas, nous avons un accord. Je vous ferai un rapport, lorsque j'en saurai plus.

Albany savait qu'il le ferait et que Redmyre exercerait tout son pouvoir pour amener Rothesay à conclure. Il y en avait aussi d'autres comme Redmyre qui aideraient.

---

Lorsque Catriona, sa mère et Morag montèrent à leurs chambres à coucher, elles se rendirent ensemble aussi loin que le palier à l'extérieur de la chambre de Lady Ealga. Remarquant que la plus petite chambre en face ne montrait pas de lueur de bougie sous la porte, Catriona espéra que son grand-père avait envoyé Fin se coucher. Il avait eu l'air terriblement fatigué.

Lorsqu'elle et Morag eurent souhaité bonne nuit à Ealga et continué à monter l'escalier, Morag murmura :

— J'espère que ta mère sera en sécurité, avec cet homme qui dort là.

— Dieu du ciel, pourquoi ne le serait-elle pas? dit Catriona. Il est blessé et épuisé, alors je garantis qu'il ne veut que dormir.

— Sans doute que James serait d'accord avec *moi*, dit Morag obstinément.

— Alors, j'aimerais que James soit ici, car s'il l'*était*, peut-être que tu cesserais d'être aussi morose tout le temps, répondit Catriona, qui se sentit immédiatement désolée.

Sa belle-sœur n'était pas une amie proche, mais Catriona savait que Morag n'était pas heureuse à Rothiemurchus. En effet, sa tristesse avait depuis longtemps persuadé Catriona qu'*elle* n'avait jamais voulu se marier et avoir à vivre parmi des étrangers.

— Je suis désolée, Morag, dit-elle avec sincérité. Je n'aurais pas dû dire cela.

— Non, effectivement, dit Morag en passant devant elle pour se rendre à sa propre chambre.

La laissant aller, Catriona alla au lit et resta allongée, imaginant l'homme qu'elle avait rencontré ce jour-là et se demandant comment il se faisait que, ne le connaissant que depuis si peu de temps, elle avait l'impression de bien le connaître à certains moments et pas du tout à d'autres, et comment il avait si facilement provoqué un mouvement d'humeur qu'elle croyait avoir appris à garder bien enfoui.

Elle s'endormit finalement, et lorsqu'elle se réveilla, le ciel à l'extérieur de sa fenêtre sans volets était gris. Depuis son lit, il était difficile de savoir l'heure qu'il était, mais elle eut l'impression qu'il était plus tôt que d'habitude, alors elle se leva, s'enveloppa dans son édredon pour se protéger du froid et se rendit à la fenêtre.

Sa vue s'étendit au-delà de l'extrémité nord boisée de l'île jusqu'au lac, et elle put voir au-delà du mur jusqu'au nord-est de la rive et plus loin encore à sa droite.

Une silhouette marchait là, une silhouette masculine bien bâtie, complètement nue. Ressentant encore plus le froid seulement à la regarder, elle ramena l'édredon plus près d'elle. C'est alors que l'homme se tourna et leva son visage vers le ciel gris de l'Est. Elle s'était doutée de celui dont il s'agissait dès l'instant où elle l'avait vu, mais maintenant elle ne pouvait plus se tromper.

Tandis qu'elle l'observait, son regard à lui passa du ciel gris et de nouveau à l'eau du même gris devant lui, puis il fit quelques pas de course et plongea.

Jetant l'édredon à côté d'elle, Catriona saisit sa vieille tunique bleue sur le crochet où Ailvie l'avait accrochée, la passa par-dessus sa tête, tira fort sur le lacet de devant et l'attacha rapidement. Sans une seule pensée pour ses cheveux, sans parler de se laver le visage ou les mains, elle descendit l'escalier à toute vitesse, pieds nus, et traversa la grande salle jusqu'à l'entrée principale.

Là, elle s'arrêta. Prenant une profonde inspiration, elle ouvrit la porte et descendit avec plus de dignité l'escalier en bois, puis traversa la cour jusqu'à la porte.

# Chapitre 4

*L*'eau était si froide à cause des affluents de la fonte des neiges que Fin en eut le souffle coupé. Il eut une intense envie de ressortir à toute vitesse, comme s'il pouvait ensuite retraverser l'eau en courant jusqu'à l'endroit où il avait laissé sa tunique et ses manches sur la rive rocailleuse. Le choc de l'eau fut si glacé au moment du plongeon qu'un tel exploit parut presque devenir possible.

Lorsqu'il revint à la surface, haletant, il se mit à nager rapidement et avec force.

La lumière grise de l'aube réfléchissant sur le lac, avec les spectaculaires arêtes et pics de granite des Cairngorms coupés au couteau et encore recouverts de neige donnant un fond vers l'est, l'eau avait paru si argentée et sereine qu'il s'était senti coupable juste à l'idée de déranger ce calme. Mais il voulait se sentir de nouveau propre et voir si l'eau rouvrirait sa blessure.

Il ressentit rapidement l'agréable conscience d'explorer de l'eau vierge, et son sens de l'humour s'éveilla. Il était en train de poser sa marque sur le lac, conquérant un nouveau territoire.

Si sa blessure s'était rouverte, l'eau froide engourdit tout signe.

La jeune fille n'avait plus reparlé de suturer l'entaille, mais lorsqu'ils étaient arrivés à Rothiemurchus, sa famille lui avait laissé peu d'une toute petite occasion précieuse de lui dire quoi que ce soit. Par contre, en vérité, il ne trouvait pas nécessaire que quiconque le recouse.

La seule pensée de la voir plonger une aiguille sur son front douloureux…

Il ferma brièvement les yeux.

Se concentrant de nouveau, et ayant plus chaud, il fit de puissants mouvements de bras vers la rive est, à moins de quatre cents mètres de distance. Malgré la calme apparence de l'eau jusqu'à présent, il sentit un courant essayant de le tirer vers l'extrémité nord du lac. Cela ne fut pas assez fort pour l'inquiéter, mais suffisant pour le faire travailler plus vigoureusement. Il irait explorer plus tard et voir où l'eau du lac se déversait. Peut-être que cela donnait une belle chute d'eau.

Il avait un faible pour les cascades, surtout quand elles étaient aussi pleines que d'autres qui le devraient dans cette région à cette époque de l'année, quand la neige continuait à fondre.

Il s'était suffisamment réchauffé pour respirer normalement et savoir qu'il n'allait pas geler. Alors, lorsqu'il approcha de la rive est, il se tourna vers le château sans s'arrêter. Continuant ses puissants et rapides mouvements de bras, il prit plaisir à cet exercice, jusqu'à ce qu'il se rende compte qu'il se rapprochait du bord de l'île. Il savait que s'il était imprudent, il pourrait se cogner contre une roche avec un pied ou le bout de ses doigts.

Regardant plus loin devant pour juger jusqu'où il pourrait s'approcher en sûreté en nageant avant de sentir le fond, il vit Catriona marchant sur la rive avec son chien-loup. Elle regardait le sol devant elle.

Malgré un terrain plus rocailleux, elle avait marché avec assurance la tête relevée le jour précédent, alors il se demanda si quelque chose l'ennuyait. Ou peut-être qu'elle l'avait vu, qu'elle avait remarqué sa nudité et qu'elle se sentait gênée de le lui faire savoir.

Il eut un soudain désir de tester cette possibilité.

Elle portait la même vieille tunique bleue qu'elle avait remontée la veille. Alors, soit elle appréciait les randonnées très matinales comme lui, soit elle était sortie à la hâte parce qu'elle l'avait vu nageant ou marchant nu sur la rive.

Le chien jeta un regard dans sa direction, mais resta à ses côtés.

Sa confiance dans le fait de naviguer avec un bateau surchargé lui avait assuré qu'elle pouvait nager, parce que lui avait aussi passé son enfance sur l'île d'un lac. Lui et ses frères et sœurs avaient appris à nager comme des poissons presque avant de pouvoir marcher. Il supposa qu'elle avait joui d'un genre d'entraînement similaire, tout au moins pour des besoins de sécurité.

En tout cas, elle n'avait montré aucune peur de l'eau.

— Bonjour, dit-il tout fort en s'approchant.

À ce moment, il fut certain que soit elle s'était concentrée plus intensément sur ses pensées que toute autre femme qu'il n'ait jamais connue, soit elle avait de manière déterminée évité de regarder dans sa direction.

Elle se retourna quand il l'appela et elle s'avança jusqu'au bord de l'eau, le chien sur ses talons. Elle répondit à son accueil, puis ajouta :

— Vous vous êtes levé tôt, Fin des Batailles. À cette saison, il n'y a que les balbuzards et les poissons qui nagent aussi tôt. Est-ce pour cette raison qu'ils vous appellent Fin, parce que vous nagez aussi bien ?

— Non, ils m'appellent ainsi parce que mon prénom est Finlagh, répondit-il.

Puis, parce qu'elle continuait à le regarder, il ajouta :

— Je vais sortir de l'eau, jeune fille. Si vous allez regarder, eh bien, regardez. Mais si vous voulez protéger votre pudeur, vous feriez mieux de vous retourner. Mes vêtements sont déposés là-bas, sur ce gros rocher, à quelques mètres sur votre droite.

— Devrais-je aller vous les chercher ? demanda-t-elle discrètement.

Il gloussa, avala de l'eau et battit des pieds avec force vers la rive. Quelques instants plus tard, il toucha une pente de granite qui fournit une traction suffisante pour qu'il puisse se tenir debout, de l'eau jusqu'à la taille, sans qu'il se produise d'incident. Il ne voulait pas glisser maladroitement dans l'eau pendant qu'elle regardait.

Tout en secouant l'eau sur sa tête et lissant ses cheveux vers l'arrière à l'aide de ses deux mains, il sortit de l'eau en marchant, se demandant pendant combien de temps elle *regarderait*.

Dans la plupart des maisonnées des Highlands, les femmes assistaient les invités masculins pour leurs toilettes, si les hommes n'avaient pas emmené de domestiques. Mais les femmes qui le faisaient étaient généralement des ser-vantes mariées — pas des petites-filles de la noblesse ou de capitaines de confédération. Il remarqua avec un sourire que Catriona avait détourné rapidement les yeux avant qu'il ne soit totalement exposé.

Mais elle avait deux frères ainsi qu'un père et un grand-père, alors il supposa que l'anatomie masculine n'avait pas de secrets pour elle. Son modeste comportement l'amusa.

Boreas s'était avancé vers l'eau pour laper.

— Que faites-*vous* dehors de si bonne heure, jeune fille ? lui demanda Fin en enfilant sa tunique par-dessus sa tête.

Lui descendant jusqu'aux genoux, elle le recouvrait suffisamment pour respecter sa pudeur. Puis, il attrapa ses manches et les mit.

— Je pense que votre famille n'approuverait pas.

— Oui, dit-elle sans se retourner. Je suis venue m'excuser pour... d'avoir essayé de vous gifler hier.

— Pardonnez-moi si je doute qu'ils soient même au courant de cela, dit-il. Ne vous tracassez pas à ce sujet, mais ne recommencez plus. Un tel comportement est toujours imprudent.

Ses bottes de cuir brut étaient déposées tout près, car il les avait portées pour descendre puis traverser la cour rocailleuse jusqu'à la rive. Mais il décida de ne pas les remettre. Après avoir porté des bottes et des chaussures pendant si longtemps dans la plaine, ses pieds avaient besoin de s'endurcir. De plus, les bottes étaient encore humides, à cause de la veille. Les laissant où elles se trouvaient, il fit abstraction de la sensation de douleur causée par de nombreuses petites roches en marchant vers elle nu-pieds.

Lorsque finalement elle se retourna, ses yeux s'écarquillèrent. Leurs pupilles s'étendirent tellement que ses iris parurent noirs, plutôt que noisette doré.

— Dieu du ciel ! s'exclama-t-elle. Vous ne... frissonnez... euh... même pas !

---

Catriona n'avait pas remarqué ses vêtements, avant d'en avoir parlé, mais elle s'attendait à ce qu'il ait apporté son plaid, au moins, pour se tenir chaud. Au lieu de cela, il portait simplement une mince tunique safran et des manches en tissu encore plus fin. Ainsi, il s'était recouvert des épaules aux genoux, mais son corps étant toujours si mouillé, les vêtements ne cachaient rien.

Sachant qu'il ne pourrait s'empêcher de remarquer l'endroit où elle se tenait, et ne voulant pas montrer à quel point elle était impressionnée par son corps musclé et bien bâti, elle avait plutôt commenté à la hâte son manque de réaction par rapport à l'eau terriblement froide.

Ses yeux brillèrent, lorsqu'il dit :

— En fait, je craignais d'avoir plongé dans un bloc de glace à moitié fondu. Mais avec de l'exercice, l'eau est vite devenue supportable, bien que j'aie senti un courant. À quelle distance d'ici se trouve le ruisseau qui provient de ce lac ?

Elle haussa les épaules.

— À une demi-heure de marche le long de la rive ouest, ou on peut ramer jusque-là *avec* le courant dans la chaloupe. Ce serait beaucoup plus long de revenir à contre-courant.

— Est-ce que l'écoulement produit une chute d'eau ?

— Non, juste un ruisseau qui tombe en cascade et qui rejoint le Spey au nord d'ici. Vous avez dû le passer à gué, pour arriver où je vous ai trouvé, à moins que vous n'ayez pénétré dans les bois en venant du sud.

— Nous sommes en effet entrés dans les Highlands en passant par Glen Garry, mais j'ai rebroussé chemin lorsque mes gars et moi nous sommes séparés, à des kilomètres au nord de là, dit-il. Je ne me suis pas rendu compte que je ne trouverais pas un autre gué de ce côté. Je me souviens d'avoir passé à gué de nombreux ruisseaux, mais seulement le Spey semblait assez tumultueux pour produire de bonnes chutes d'eau.

— J'en connais un beau, sur la route vers le château Moigh, dit-elle. Si vous allez à Lochaber à partir d'ici et que vous prenez le chemin de droite, vous le verrez par vous-même.

— Je veux tout de même voir le ruisseau se jeter hors du Loch an Eilein, dit-il. J'aime explorer le paysage où je me trouve. Me montrerez-vous le chemin, après que nous aurons mangé ?

— Vous n'avez pas besoin d'un guide pour trouver ce ruisseau, dit-elle en redressant la tête. Si vous suivez simplement le bord du lac en allant vers le nord, il vous y mènera.

— Mais votre grand-père sera plus enclin à *vous* laisser prendre la petite chaloupe. Je ne veux pas avoir à nager jusqu'à la rive, puis revenir.

— La distance entre l'île et la rive ouest représente moins de la moitié de celle que vous venez de nager, signala-t-elle en croisant son regard et en ressentant immédiatement la même sensation de chaleur circulant en elle que le jour précédent.

— J'aurai besoin de vêtements secs, en arrivant à la rive, dit-il sans détourner son regard.

— Dans ce cas, demandez à un porteur de vous emmener en bateau de l'autre côté et de vous ramener ensuite.

— Je ne veux pas de porteur. Je préférerais y aller avec une jolie jeune fille et son chien.

Consciente qu'elle rougissait, mais déterminée à gagner, elle dit :

— Mon grand-père serait encore moins enclin à vous laisser *m*'emmener que son bateau.

— Le Mackintosh sait bien qu'il peut me faire confiance avec vous, car il n'a rien dit à propos de nous deux ayant été ensemble aussi longtemps hier. Il pourrait ne pas être aussi certain à propos du bateau. Allons donc, il connaît sa taille et la mienne. Il aurait peur que je le coule, si je le traitais avec insouciance.

— De même, il se dirait aussi que vous mériteriez un trempage, et pas plus, pour votre négligence, rétorqua-t-elle. Ce serait le cas, aussi.

— Vraiment ? demanda-t-il en s'approchant et en soutenant son regard ainsi.

Catriona avala sa salive, sentant une nouvelle vague de chaleur traverser son corps et luttant pour ignorer la sensation. Lorsqu'il mit une main sur son épaule, elle réussit à rassembler suffisamment ses esprits pour dire :

— Allez le voir simplement comme vous êtes, monsieur. Demandez-*lui* ce qu'il pense de votre projet. Même si vous changez d'habits avant et que vous vous séchez, vous feriez mieux d'espérer que personne nous voyant ici ne lui dise de quoi vous avez l'air en ce moment.

Il se regarda et gloussa.

— Vous avez raison sur ce point, jeune fille. Je garantis qu'il aurait plusieurs choses à me dire. Mais, s'il nous accorde la permission, m'accompagnerez-vous à pied jusqu'à ce débouché ?

— Oui, bien sûr, *s'*il donne la permission.

Tout en prononçant ces mots, elle se posa des questions sur sa confiance. Peut-être n'avait-il pas encore pris la pleine mesure de son grand-père. Mais s'il croyait pouvoir agir avec autant d'audace avec la petite-fille du Mackintosh, il apprendrait vite son erreur, que le Mackintosh en fasse une exception ou pas.

Les rougeurs de Lady Catriona lui allaient bien, se dit Fin. Elle était, de façon attrayante, différente des femmes qu'il avait rencontrées en compagnie de Rothesay. La plupart étaient plus compétentes dans l'art du badinage que Fin lorsqu'il était entré au service de Rothesay.

Avant ce jour-là, Fin se croyait *bien* expérimenté. Il avait alors vingt-trois ans et n'avait pas vécu comme un moine. Mais peu de gens iraient contre l'opinion du Mackintosh, qui disait que le jeune gouverneur du royaume était un extravagant et un insouciant.

Rothesay avait maintenant le même âge que Fin avait alors, mais où que se rende Rothesay, il croyait que toute femme qu'il rencontrait serait sensible à ses avances — de la noblesse ou non, mariée ou pas, elle l'accueillerait dans son lit ou ailleurs. Jusqu'à présent, la plupart du temps, il avait eu raison, même si le mari de la dame risquait d'être à la maison. Tel était le privilège royal, comme le déclarait souvent Davy Stewart lui-même.

Même si de nombreux chevaliers à son service avaient quelques années de plus que lui, ils apprenaient vite qu'il n'appréciait pas les moqueries amicales, sans parler de ses avertissements de se tenir loin de sa proie. Mais la plupart des gens l'aimaient, malgré son comportement. Il avait hérité de tout le charme des Stewart, qui faisait défaut, entre autres, à son oncle Albany.

Les femmes se soumettaient au plus petit sourire de Rothesay, ce qui rendait Fin souvent perplexe au sujet d'elles. Mais il n'avait jamais prétendu connaître les femmes. Ses sœurs avaient été des mystères pour lui et, au moment où il aurait pu être assez âgé pour les comprendre, il avait quitté la maison pour être scolarisé à St. Andrews.

Catriona demeura silencieuse pendant qu'il ramassait ses bottes, puis aussi lorsque les deux se tournèrent vers la porte du château.

— À quoi pensez-vous, jeune fille? demanda-t-il.

— Je me demandais ce que mon grand-père vous dirait peut-être, répondit-elle.

— Il me donnera la permission de marcher avec vous autour du lac, dit Fin.

— Vous êtes excessivement confiant, dit-elle d'un ton acide.

— Aura-t-il déjà pris son petit déjeuner?

Elle lui jeta un coup d'œil.

— Pensez-vous que je connais chacun de ses gestes?

— Je crois qu'un homme qui sonne les cloches pour dire aux gens quand manger est probablement plus régulier dans ses habitudes. Il ne m'a pas paru être une limace.

Ses yeux brillèrent, et elle détourna la tête pour dire :

— Non, il ne l'est pas.

— Alors, je vais revêtir des vêtements adéquats et l'approcher à sa table du petit déjeuner.

Ils se séparèrent à sa porte, puis elle se rendit à sa chambre en se disant que Fin des Batailles était sur le point d'en perdre une et en se demandant pourquoi elle n'en était pas du tout certaine.

Ailvie l'attendait, avec à la main une tunique propre en tissu raffiné jaune.

— Où êtes-vous allée aussi tôt, m'dame ?

— Dehors, marchant sur la rive, répondit Catriona en se débarrassant de sa tunique bleue et en acceptant la jaune. Brosse simplement mes cheveux, Ailvie, et confine-les dans un filet, ajouta-t-elle. Je n'ai pas encore pris mon petit déjeuner.

Une fois que la servante eut terminé, Catriona retourna en bas en vitesse. Sa mère et sa grand-mère étaient assises à la table haute, ainsi que son grand-père.

Fin entra peu après et s'arrêta pour parler brièvement avec un des porteurs, avant de prendre sa place.

Remarquant l'air interrogateur que son grand-père lança à Fin, Catriona se douta que le Mackintosh savait qu'ils s'étaient rencontrés sur la rive.

Elle s'installa pour attendre les événements.

---

Tout en s'approchant de l'estrade, Fin avait observé le Mackintosh, essayant de jauger l'humeur du vieil homme sans le fixer ouvertement.

— Bonjour, mon seigneur, dit-il en arrivant à l'estrade. J'espère que je n'ai pas abusé de ma place d'invité. J'ai demandé à votre porteur d'aller me chercher une grande tasse de bière d'Adam, au lieu de la bière et du whisky que contiennent les cruches sur cette table. D'après mon expérience, de telles boissons n'aident en rien un mal de tête. Et même si la mienne est en train de guérir rapidement, elle ne cesse de me rappeler que la guérison prend du temps.

— Pour l'amour, jeune homme, d'après *mon* expérience, du bon whisky ne guérira rien qui fasse souffrir un homme. En ce qui a trait à l'eau, même s'ils l'appellent la bière d'Adam, cela n'a rien fait pour garder Adam dans son jardin, n'est-ce pas?

Tout en souriant au vieil homme plein d'entrain, Fin dit :

— Comme vous dites, monsieur. Je crois que vous avez bien dormi.

— Plus longtemps que vous, à ce qu'on m'a dit, rétorqua Mackintosh.

— Alors, vous avez entendu parler de ma nage, répondit Fin tout en s'asseyant, tandis que son hôte faisait signe à ses porteurs de le servir. Votre lac est merveilleusement rafraîchissant.

— Tout autant que votre discussion avec notre Catriona, je crois.

— Cela aussi fut agréable, approuva Fin. Elle a été assez gentille pour me parler du lac et elle est d'accord pour m'en montrer plus. Juste tout près d'ici et avec le chien pour la protéger, comme, j'en suis sûr, vous l'exigeriez. Elle a dit que nous avions besoin de votre permission, monsieur. Pour ce qui est de vous le demander, je le fais moi-même, tant qu'à y être.

Mackintosh regarda Catriona.

— Serais-tu d'accord pour l'accompagner, jeune fille?

Fin savait qu'elle ne s'attendait pas à cette question, car ses yeux s'écarquillèrent. Elle garda son regard fixé sur son grand-père et ne jeta même pas un coup d'œil à Fin.

— Je lui montrerais volontiers ce qu'il y a à voir, monsieur, si vous approuvez un tel projet. Il veut voir le ruisseau qui se jette hors du lac. Nous prendrions la chaloupe pour traverser de l'autre côté.

— As-tu assez confiance en toi pour ne pas la renverser, avec l'homme et le chien dedans? demanda-t-il.

Quand elle fit oui de la tête, il dit :

— J'ai entendu dire que tu avais emmené les deux ici dans cette petite chose. Je t'avoue que j'ai été surpris que vous ne l'ayez pas coulée. Tu pourrais prendre un des plus gros bateaux et laisser une paire de nos porteurs ramer.

— Ramer ne me dérange pas, et nous savons nager tous les trois, dit-elle, confirmant la déduction antérieure de Fin.

Mackintosh se tourna vers lui.

— Ne pourriez-vous pas vous débrouiller vous-même avec une paire de rames, dans ce cas?

Fin sourit.

— Elle ne m'a pas laissé faire.

— Avec Boreas à l'arrière où il doit être, Fin est trop lourd pour… dit-elle.

— Tu devrais appeler l'homme «Sir Finlagh», comme il se doit, je t'assure, l'interrompit Mackintosh.

Puis, il se tourna de nouveau vers Fin :

— Vous *avez* gagné votre titre de chevalier, n'est-ce pas? Votre maître ayant son estime de lui-même aussi gonflée, je doute qu'il fasse confiance à un homme moindre pour faire porter ses messages.

— Qui est son maître ayant une estime de lui aussi gonflée? demanda Lady Annis à son mari.

— Je te dirai cela plus tard et je te dirai tout. Maintenant,
chut, et laisse l'homme parler.

— J'ai en effet l'honneur d'avoir un titre de chevalier,
admit Fin.

— Et, sans aucun doute, vous avez gagné cet honneur
sur le champ de bataille, dit Mackintosh, et ainsi gagné le
nom par lequel les autres vous appellent.

— C'est juste, monsieur, dit Fin, se demandant si le vieil
homme lui demanderait une liste des batailles auxquelles
il avait participé.

Il souhaitait dévotement qu'il ne le fasse pas.

Avant que le Mackintosh ne réponde, Lady Ealga dit :

— Si vous avez tous les deux l'intention de marcher sur
la rive du lac, vous devriez demander à quelqu'un d'aller
vous chercher des pommes et d'autre nourriture, pour vous
permettre de tenir jusqu'à notre repas de midi. On finit toujours par avoir faim, en se promenant.

— Je n'ai pas dit que j'approuvais cette sortie, rappela le
Mackintosh à tous.

À la surprise de Fin, Catriona dit :

— Vous savez que vous pouvez faire confiance à Boreas
pour me protéger, monsieur. Si Sir Finlagh démontrait être
dangereux, cela dit.

Mackintosh gloussa.

— Ma foi, tu te protèges assez bien toi-même.
Vous pouvez y aller, oui. Tenez simplement compte, jeune
homme, du fait que je vois plus et sais plus que vous ne le
croyez.

— Oui, j'en avais déduit ainsi, monsieur, dit Fin en se doutant de plus en plus que le vieil homme *savait* exactement qui il était.

— J'ai fait passer le message d'envoyer vos gars ici lorsqu'ils se montreront, dit Mackintosh. Sans doute qu'ils arriveront d'ici à l'heure du dîner, sinon plus tôt.

Fin le remercia et ramena son attention à sa nourriture.

Pendant qu'il finissait son repas, il tenta de se souvenir de tout ce qu'il avait entendu sur le capitaine du clan Chattan. Des hommes l'avaient qualifié de rusé et de perspicace. D'autres avaient dit beaucoup de bien sur son intégrité. Tous avaient mentionné que sa parole était son engagement et que personne ne l'avait vu manquer à sa parole. Mais il en allait de même avec la plupart des lairds des Highlands.

Un Highlander qui manquait à sa parole perdait la confiance de ses voisins, d'amis et de sa famille, sans parler de quelconque clan ennemi avec qui il pourrait éventuelle-ment être en pourparlers.

Personne non plus n'avait suggéré que le Mackintosh jouait à des jeux de langage comme le faisaient certains hommes lorsqu'ils donnaient leur parole, formulant par exemple leurs mots avec soin afin de pouvoir ressortir le libellé plus tard pour prouver que ce qui *semblait* être un bris de promesse ne l'était pas. De tels hommes étaient enclins à gagner plus de mépris que de respect.

Fin décida que Mackintosh serait juste avec lui, lorsqu'il apprendrait qu'il était un Cameron. S'il était juste, il n'éclate-rait pas de colère ni n'ordonnerait qu'il soit pendu ou jeté dans une fosse (sans doute remplie d'eau, si elle se trou-vait dans un donjon à Rothiemurchus).

Se souvenant de son sauf-conduit remis par Rothesay, Fin soupira. Il ferait mieux de se fier à la réputation du vieil homme, considérant ce que Mackintosh pensait de Davy.

— Voulez-vous y aller immédiatement, Sir Finlagh ?

Perdu dans ses pensées, conscient de peu au-delà d'un bourdonnement de conversation à voix basse, Fin sursauta au son de la voix de Catriona. Il ne s'était pas aperçu qu'elle s'était levée de son tabouret et qu'elle marchait derrière les autres pour lui parler.

— Je dois aller chercher mon épée, dit-il. N'avez-vous rien à faire, avant que nous partions ?

— Seulement aller chercher des pommes et Boreas. Il sera dans la cuisine, car notre cuisinier est son ami préféré. Mais je n'ai qu'à l'appeler en criant depuis le bas de l'escalier.

— Cette mince robe ne vous protégera pas du froid, lui signala-t-il.

Il remarqua que la gaie tunique jaune lui allait de façon élégante et semblait douce au toucher. Elle soulignait ses courbes charmantes encore mieux que sa robe vert mousse ne l'avait fait le soir précédent.

— Ce tissu raffiné, monsieur, c'est de la bonne laine, dit-elle. Mais je vais demander qu'on m'apporte un châle. Le vent pourrait se lever.

Tout en parlant, elle fit signe à quelqu'un dans la salle inférieure.

Prenant son épée et le ceinturon dans sa chambre, Fin descendit dans le hall d'entrée, mais trouva le jeune porteur Tadhg qui attendait là au lieu de Catriona.

— Je me suis dit que vous pourriez avoir besoin de moi pour surveiller le chien, monsieur, dit Tadhg. Vous voyez, j'aimerais moi-même être un chevalier, un jour. Je sais nager, je suis un bon coureur et je veux devenir un grand bretteur aussi. Vous pourriez m'en apprendre beaucoup, je parie.

Fin lui sourit.

— Tu dois d'abord grandir de plusieurs centimètres, jeune homme.

— Oui, bien sûr, je grandirai. Et Sir Ivor dit que je dois aussi apprendre à utiliser ma tête.

Se souvenant qu'Ivor était le frère de Catriona, Fin lui dit :

— À ce sujet, il a raison, jeune homme. Tu ne peux pas venir avec nous aujourd'hui, mais nous en reparlerons plus longtemps bientôt.

Affichant un large sourire, Tadhg fila, et Catriona rejoignit Fin peu après. Mettant le bateau à l'eau comme ils l'avaient fait le jour précédent, ils rirent ensemble en entendant le bruyant soupir que fit Boreas en s'enroulant à l'arrière et en posant sa tête sur ses pattes de devant.

Une fois qu'ils arrivèrent sur la rive, Fin lança son ceinturon vers l'arrière, afin que l'arme soit sur son dos et dans sa sangle. Ensuite, lui et Catriona marchèrent vers le nord le long de la piste.

Lorsqu'elle leva son visage vers le ciel nuageux et qu'elle prit une profonde inspiration, il sourit. Malgré le fait qu'elle soit plus petite, il avait à peine besoin de raccourcir ses enjambées pour l'accommoder. De plus, la piste était presque toujours assez large pour qu'ils marchent côte à côte.

— Connaissez-vous les Cairngorms ? demanda-t-elle dix minutes plus tard.

— Nous les avons entrevues à quelques reprises en venant ici, répondit-il. Je ne peux pas dire que je les connais, mais elles ont effectivement l'air aussi difficiles que des hommes le disent.

— Oui, elles peuvent être très dangereuses, dit-elle.

Elle demeura de nouveau silencieuse pendant un moment, puis dit :

— Je veux vous demander autre chose.

— Demandez-moi ce que vous voulez, dit-il imprudemment. Si je peux vous répondre, je le ferai.

— Hier, vous avez mentionné Lochaber et avez dit à ma grand-mère que vous y aviez passé votre enfance. Le premier siège du Mackintosh se trouve à Lochaber, bien qu'à une certaine distance du loch Ness. Connaissez-vous le château Tor ?

— Oui, bien sûr, répondit-il en espérant que son ton de voix dissimulerait sa réticence à discuter plus longtemps de ce sujet pour l'instant. Je parie que quiconque venant de Lochaber a entendu parler du château Tor, même s'il se trouve haut dans les montagnes à Glen Arkaig.

— Mon grand-père veut y être enterré. Il s'y rend tous les Noëls.

Fin faillit admettre qu'il savait cela aussi, mais il réussit à tenir sa langue. Après une période de silence, il lui fit part de sa rencontre avec Tadhg et de ce que le garçon lui avait dit.

Elle gloussa.

— Oui, Ivor dit qu'il fera un bon chevalier, mais s'il ne réussit pas, Tadhg a déclaré qu'être un porteur coureur serait presque aussi bien.

Fin rit.

— Je doute qu'il trouve que porter des messages soit aussi amusant qu'une cour inclinée.

Elle sourit de nouveau, et le soleil fit son apparition. C'était une belle journée.

Boreas trotta devant eux. Gardant son museau en l'air, le chien allait de l'avant à l'arrière et d'un côté à l'autre de la piste en captant les odeurs.

Ils approchèrent un rétrécissement de la piste où des arbustes fournis fermaient les deux côtés. Du côté de la rive, les arbustes recouvraient une bonne partie de la pente escarpée jusqu'à une zone boisée. Fin ralentit, pour laisser Catriona passer devant lui.

Alors qu'elle le faisait, Boreas s'arrêta et se retourna pour regarder vers le haut de la pente tout en reniflant, les oreilles en alerte.

Catriona fit une pause. Fin, inévitablement, fit de même.

Le grognement du chien commença doucement et profondément dans sa gorge. Mais il était suffisamment fort pour que Fin l'entende. Posant une main sur chacune des épaules de Catriona et sentant son sursaut à son toucher, il murmura :

— Laissez-moi passer, jeune fille.

◦◦◦

Catriona s'était concentrée si intensément sur Boreas qu'elle ne s'était pas rendu compte à quel point Fin s'était approché. Lorsque ses chaudes mains avaient saisi ses épaules, même si elle avait sursauté, elle avait ressenti un sentiment de sécurité immédiat.

— Je vous en prie, monsieur, restez aussi près que possible des arbustes de la pente en passant devant moi, dit-elle doucement. Je dois surveiller Boreas, afin de pouvoir lui donner des ordres si nécessaire.

Elle fut heureuse qu'il ne lui pose pas de questions et qu'il tienne compte de sa requête, contrairement à ce qu'auraient fait beaucoup d'hommes. Il déplaça simplement sa main gauche sur son épaule droite et passa avec aisance devant elle, se frottant contre les arbustes qui lui montaient jusqu'au niveau de la taille.

Son corps frôla le sien, si près qu'il pressa le poignard dans sa gaine qu'elle portait sous sa jupe contre sa hanche et sa cuisse. Ce n'est qu'une fois qu'il fut devant elle qu'elle remarqua qu'il avait sorti son poignard à lui. Son épée resta dans sa gaine.

Boreas bloqua le passage, la tête toujours relevée.

Claquant deux fois des doigts, Catriona observa le chien tourner son corps et sa tête, jusqu'à ce que les deux soient alignés dans la direction de l'odeur perturbante.

Lorsque Fin se retourna pour lui jeter un coup d'œil, elle releva un sourcil en murmurant :

— Quoi qu'il sente, cela se trouve directement devant lui.

— Homme ou bête ?

— Je ne saurais le dire de façon certaine, mais humain, je crois. Si c'était un loup ou un cerf, il montrerait de l'excitation, plutôt que de la prudence. Son attitude ressemble beaucoup à celle qu'il avait hier matin avec vous, quoique avec plus d'intensité à cause du sang. Il est probable qu'un homme, ou plus, se cache devant. S'ils étaient à découvert, à la pêche ou quelque chose du genre, Boreas ne serait pas si prudent. Son comportement indique qu'il est curieux, mais aussi protecteur.

— Alors, il n'a pas confiance en moi pour vous protéger, c'est cela ?

— Il ne pense pas à *vous* ; seulement à ce qui se trouve devant lui, et devant moi.

— Dans ce cas, nous ferions mieux de découvrir ce que c'est, dit Fin.

Tout en le regardant marcher à grands pas vers le chien, Catriona glissa sa main dans la pochette droite de sa tunique pour saisir la poignée de son poignard. Leurs pommes rangées dans un petit sac en tissu avec le long bout enroulé autour de sa gaine rattachée ne l'incommodaient pas.

Boreas n'avait pas bougé. Mais tandis que Fin l'approchait, Catriona mit deux doigts dans sa bouche et siffla tout bas. Au signal, le chien se mit à courir et bondir en montant la colline, allant de l'avant à l'arrière et jappant profondément.

Si des archers attendaient là, tapis, ils pourraient tirer. Mais le chien qui se déplaçait d'un côté à l'autre était une pauvre cible, pour tout homme dissimulé dans la zone boisée ou dans des arbustes.

Fin en était une meilleure.

Catriona était sur le point de lui crier de faire attention, lorsqu'un homme sortit des arbustes. Tout en retirant sa casquette, révélant des cheveux roux, épais et frisés, il cria :

— Rappelle ton fichu chien, jeune fille ! Ce n'est que moi !

# Chapitre 5

Fin jeta un coup d'œil en arrière à Catriona, qui parut énervée.

Lorsqu'elle libéra sa main de la fente dans la tunique jaune, il se demanda si elle portait une arme. Il n'avait pas considéré cette possibilité, mais cela aiderait à expliquer sa confiance le jour précédent, quand elle n'était accompagnée que de Boreas.

Elle ne dit rien, pendant qu'ils regardaient l'homme à la tête rousse bondir en bas de la pente vers eux, sautant pardessus des buissons en faisant son chemin vers la piste.

— Qui est-ce? demanda Fin.

— Rory Comyn, répondit-elle, ses yeux restant fixés sur l'autre homme. Boreas, vers moi, dit-elle ensuite, si doucement que Fin l'entendit à peine.

Le chien bondit en arrière. Juste avant qu'il n'arrive jusqu'à elle, elle fit un geste brusque avec sa main droite. S'arrêtant, le chien se retourna, fixant son regard sur Rory Comyn.

— Arrêtez là, dit Fin lorsque l'homme atteignit la piste à un peu plus de trois mètres devant lui.

Comyn saisit son épée dans sa sangle sur son dos et la tint prête, disant d'un ton brusque :

— Qui *êtes*-vous, et où croyez-vous emmener madame la comtesse ?

Fin observa chaque mouvement, mais ne prit pas son épée. Il tenait son poignard vers le bas. Un pli de son plaid le cachait de l'autre homme.

Comyn avait quelques centimètres de moins que Fin, quoique aussi large d'épaules et plus épais à la taille. Il portait un plaid vert et bleu, plissé à la taille avec une large ceinture en cuir, et des bottes de cuir brut lui montant aux genoux. Il tenait son épée d'une main stable. Son poignard resta gainé à sa taille.

En réponse à sa question, Fin dit à voix basse :

— On m'appelle Fin des Batailles.

Les sourcils de Comyn se relevèrent subitement, suggérant qu'il reconnaissait le nom. Mais il dit avec un sourire insolent :

— Le savent-ils ? Vous donnent-ils aussi la permission de prendre des libertés avec les femmes d'autres hommes ?

— Je ne suis la femme d'*aucun* homme, dit Catriona d'un ton brusque en se tenant derrière Fin.

— Eh bien, tu *seras* la mienne, jeune fille, aussitôt que nous aurons réglé les choses.

— Non, je ne le serai pas.

— Attends simplement que James et ton père reviennent, jeune fille. Alors, nous verrons.

Ayant remarqué que Comyn s'était adressé aux deux comme s'ils étaient inférieurs, Fin dit :

— Vous seriez sage de vous adresser à madame la comtesse avec plus de courtoisie, triste sire.

— Je m'adresserai à elle comme il me plaît, dit Comyn en écartant les pieds et en étendant son épée vers Fin. Ou pensez-vous que vous pouvez me *faire* parler doucement ?

— Je pense que vous feriez mieux de ne pas me mettre au défi, dit Fin.

— Pour l'amour, j'ai entendu parler de vous, mais maintenant que je vous vois, je me dis que quelqu'un a déjà essayé de vous enseigner vos manières. Il ne semble pas que vous soyez mieux que *lui*.

Le petit sourire suffisant sur son visage en disait long. Fin espéra que si Catriona en venait à la même déduction que lui — que Comyn avait tiré la flèche lui-même ou qu'il avait donné l'ordre à quelqu'un d'autre de la lancer —, elle garderait le silence.

Il était toujours plus sage, croyait-il, de laisser un ennemi penser qu'on en savait moins que lui, jusqu'à ce que vienne le moment de lui montrer son erreur. Il se doutait néanmoins que Comyn était le genre qui prétendait toujours en savoir plus qu'en vérité.

Catriona demeura silencieuse, et Fin tint sa langue aussi pour voir ce que Comyn dirait ou ferait ensuite. Pendant un moment, un silence tendu domina.

Comyn avança de deux pas.

Puis, de derrière Fin vinrent un tapage de cailloux et un faible grognement.

— Combien d'hommes as-tu emmenés, Rory Comyn ? demanda Catriona. Sont-ils si lâches qu'ils n'osent pas se montrer eux-mêmes, ou est-ce l'ordre que tu leur as donné ?

Ainsi, le chien avait-il senti la présence de plus d'hommes plus haut ? Fin se demanda si les hommes sur le mur de

Rothiemurchus pouvaient les voir ou si cela aiderait s'ils le pouvaient.

— Tu sais bien que ton propre frère James a dit qu'il serait plus que temps que tu te maries, jeune fille, dit Comyn. Je ne sais pas si ton père est d'accord avec lui comme quoi je devrais être ton homme, mais James exerce, avec Shaw MacGillivray, une forte influence.

— Le penses-tu ? dit Catriona.

Son ton de voix monotone ne donna aucune indication, même à Fin, quant à savoir si l'influence possible de son frère sur son père l'ennuyait.

Dans un éclat de rire, Comyn fit un autre pas en avant, en disant :

— Tu es une amatrice, jeune fille, mais tu ferais mieux de parler avec plus de chaleur, quand tu t'adresses à moi.

— Faites venir vos hommes, Comyn, ou partez avec eux, dit Fin. À vous de choisir.

Comyn fit un grand sourire.

— Ou quoi ? Tu penses que tu peux tous nous avoir, jeune homme ? Pour l'amour, tu n'as même pas dégainé ton épée.

— Tu devrais t'en estimer heureux, répondit Fin. Que j'arrive à vous avoir tous dépend du nombre d'hommes que tu as avec toi. Je sais que je peux te tuer *toi* avant que tout autre homme ne nous rejoigne. Non, ne bouge pas, ajouta-t-il en levant son poignard.

— *Cela* contre mon épée ? Tu es idiot !

Il avança encore de deux pas vers Fin.

— Si tu regardes en direction de l'île, Rory Comyn, dit Catriona sur un ton aussi calme que celui qu'avait Fin, tu verras deux bateaux partir de Rothiemurchus. Tu ne te fais pas de bien, en menaçant un invité de notre maisonnée.

Un sifflement perçant de deux notes se fit alors entendre au-dessus d'eux depuis la colline.

En l'entendant, Comyn bondit en avant avec la nette intention d'abattre Fin.

L'épée de Fin fut dégainée en un clin d'œil. Parant adroitement le coup, il envoya l'arme de l'autre homme tournoyer haut dans les airs, puis atterrir loin dans le lac.

Surpris, fixant l'épée qui volait puis Fin, Comyn prit son poignard.

— Non, jeune homme, ne sois pas idiot, dit Fin en souriant.

Sans le quitter des yeux, il ajouta :

— Ton babillage est terminé pour aujourd'hui. Regarde là-bas, sur la colline.

Comyn fronça les sourcils et jeta un coup d'œil par-dessus son épaule vers la pente, d'où venaient deux hommes sortant des bois presque au même endroit que lui. Mais ils avaient chacun les mains serrées sur la tête, et deux autres suivirent avec un poignard à la main.

Le plus jeune et plus grand des deux hommes armés cria en écossais prononcé :

— Nous avons trouvé ces types cachés là-bas, monsieur, vous observant !

— Qui diable sont-*ils* ? demanda Comyn.

— Mes hommes, répondit Fin. Mais je te dis sans me vanter, triste sire, que si c'est *cela*, ton armée, vous abattre les trois aurait été pour moi un léger exercice.

Comyn grimaça et regarda de nouveau le lac, sur lequel des ondulations continuaient à refluer depuis l'endroit où son épée était tombée dans l'eau.

— C'est vrai, dit Toby Muir, l'écuyer élancé de Fin, d'un ton bourru en gaélique. Ces deux ne sont plus bons à rien, maintenant, monsieur. Ils ne vous ont pas quitté des yeux, même pour regarder derrière eux, jusqu'à ce que notre Ian que voici leur demande gentiment s'ils aimeraient rencontrer leur Fabricant aujourd'hui.

— Bien sûr, vous les avez cherchés, dit Fin.

— Oui, bien sûr, répondit Toby, *et* nous avons confisqué les armes qu'ils avaient.

— Tu n'avais aucun droit de prendre nos armes ni de nous menacer! dit Comyn d'un ton brusque.

— Expose tes griefs au Mackintosh, dit Fin. Cela ne signifie rien pour moi.

— Je m'entretiendrai sous peu avec Shaw MacGillivray. Ensuite, tu verras.

— Reviens avec nous, Rory Comyn, lui dit Catriona pour le provoquer. Le Mackintosh se trouve au château, alors tu pourras *lui* adresser ta plainte maintenant.

— Je sais bien qu'il y est. Mais je n'ai aucune envie de me quereller avec lui. J'attendrai mon heure, jusqu'à ce que ton père revienne. Dis à ton ami ici de rendre à mes hommes leurs armes, et nous partirons. Tu m'en devras une pour la mienne, ajouta-t-il en regardant Fin d'un air de défi.

— Tu devrais m'être reconnaissant d'avoir volontairement épargné à madame la comtesse la vue de ton sang, déclara Fin. C'est par votre propre folie que vous avez tous perdu vos armes. Fais en sorte que cela t'apprenne une leçon. Mais maintenant, partez hors d'ici, tous les trois.

— Allez, file, Rory Comyn, dit Catriona. Si mon père veut te voir, il t'enverra chercher. Il ne sera pas content d'apprendre que tu as attaqué un de ses invités de Rothiemurchus.

— Nous verrons cela, dit-il.

Mais après avoir lancé un autre coup d'œil à Fin, il fit signe à ses hommes de le suivre et remonta en colère la pente d'où il était venu.

Remettant son épée dans sa sangle, Fin donna une tape sur l'épaule à chacun de ses hommes, tout en disant :

— Vous avez bien calculé votre arrivée, les gars. Lady Catriona, permettez-moi, je vous prie, de vous présenter mon châtelain Ian Lennox et mon écuyer Toby Muir. Ian parle un peu le gaélique.

— Je peux me débrouiller, si vous parlez lentement, dit Ian tout en faisant sa révérence.

Catriona accueillit les deux hommes avec sa grâce habituelle, mais Toby surveillait étroitement Boreas.

— Avec tout mon respect, m'dame, cette grosse bête est-elle amicale ?

— Oui, elle l'est, répondit-elle en souriant. Boreas, donne une patte à l'homme.

Le chien s'assit, sa queue donnant des coups, et il leva une patte de devant vers Toby, qui souriait.

Fin tourna les yeux vers le lac.

— Allons-nous attendre vos bateaux ?

— Non, je leur ferai signe de s'en aller, à moins que vous ne vouliez repartir, dit-elle.

— Je veux voir ce ruisseau, dit-il. Mes gars pourraient nous suivre, mais nous n'entrerons pas tous dans votre chaloupe, lorsque nous reviendrons. Toutefois, je m'attends à ce qu'ils soient capables de nager jusqu'à l'île.

— Alors, non, maître, à moins que vous n'ayez développé un goût pour les vêtements mouillés, rétorqua Toby. Nous avons laissé notre poney sauvage chargé de votre matériel dans les bois là-haut.

Riant en levant une main, Catriona dit :

— Dans tous les cas, ils voudront de la nourriture et du repos. Nos hommes peuvent les emmener maintenant de l'autre côté avec votre matériel, monsieur.

— Cela me convient, dit Fin.

Regardant pensivement Ian puis Toby, il ajouta :

— Toby, après que tu te seras reposé, je veux que tu retournes à Perth. Le Mackintosh a approuvé la requête, mais il attend son heure ici à Rothiemurchus et il y restera encore pendant quelques semaines, je crois.

Remarquant sans doute la curiosité de Catriona, Toby lui jeta un coup d'œil, puis reporta ses yeux sur son maître, avant d'approuver d'un signe de tête. Il ne posa aucune question, mais Fin n'en attendait pas, de toute façon.

---

— De quoi s'agissait-il ? demanda Catriona lorsqu'elle et Fin furent hors de portée de voix.

Ils n'avaient pas attendu les autres pour s'occuper du poney et des bagages.

— Maintenant, jeune fille, si je pouvais vous le dire, ne croyez-vous pas que j'aurais parlé plus simplement à Toby ? dit Fin sur un ton régulier.

Catriona était habituée aux hommes qui gardaient des secrets, mais l'habitude ne les rendait pas plus acceptables.

— Je le saurai, vous savez, dit-elle en grimaçant.

— Oui, en effet, mais pas avant que vous ne le deviez. Et avant que vous m'assuriez que je peux vous faire confiance pour garder le silence, je vous dirai que je crois que je le peux. Mais je ne veux pas risquer même la plus infime possibilité que vous puissiez jacasser. De plus, vous êtes suffisamment sensible pour admettre que si je prenais le risque, *vous* pourriez penser que je suis quelqu'un qui fait trop facilement confiance.

Elle resta calme pour lui dire sèchement qu'elle n'était pas une jacasseuse, mais sa dernière déclaration la rendit coite. Elle *pourrait* dire ou penser une telle chose à son sujet, dans un tel cas.

Avait-il simplement manipulé ses sentiments pour que son silence à lui semble adéquat?

— Votre intention est-elle que nous nous promenions tout le long? demanda-t-elle. Ou pourrions-nous aller plus vite?

Il lui fit signe de passer devant. Lorsqu'elle obtempéra, envoyant Boreas se placer devant elle, Fin dit :

— J'espère que vous comptez refuser ce rustre Comyn.

— Oui. Mais en fait, je n'ai l'intention d'épouser aucun homme encore, et peut-être jamais.

— Pourquoi pas? La plupart des jeunes filles veulent se marier aussitôt qu'elles le peuvent, non?

— Peut-être, mais même si j'étais d'accord pour partir d'ici, j'ai connu trop de jeunes hommes qui sont morts — trois cousins et un oncle seulement au cours des deux dernières années. Et il y a quatre ans et demi, les maudits Cameron ont tué dix-huit des meilleurs hommes du clan Chattan, lors d'une seule bataille à Perth. Vous en avez peut-être entendu parler, monsieur.

— Oui, en effet, dit-il doucement. Une terrible affaire.

— Eh bien, pas pire que les autres. Mais j'adore ma famille, et je ne veux *pas* vivre comme une étrangère dans une autre et être aussi misérable que ma belle-sœur. Mais, en vérité, si je trouve un homme qui ne ressente aucune ardeur pour la bataille, je pourrais bien l'épouser, *lui*.

— Vraiment ?

Elle sourit avec une ironie désabusée, sachant qu'il ne pouvait voir son visage.

— Lorsque je m'allonge sur mon lit, le soir, imaginant une vie parfaite, j'aime croire que je l'aurais.

— Mais ?

— En fait, j'admire la bravoure et pourrais vraisemblablement penser qu'un tel homme soit un lâche, dit-elle. Voyez-vous, la simple vérité est que j'aime me faire ma propre opinion et agir selon mes propres pensées. Et je souhaite continuer à le faire pendant un bon bout de temps encore, avant de devoir subordonner mes souhaits aux ordres d'un mari.

— Mais votre famille ne peut pas vous obliger à épouser *Comyn*.

Elle aurait aimé pouvoir répondre à cette déclaration avec autant de force qu'il l'avait dite. Elle soupira, puis dit :

— Je ne le ferai pas, mais Comyn avait raison sur une chose. Mon frère James a dit qu'il est *plus* que temps que je me marie. Avant que lui et les autres ne partent aux frontières, il a menacé d'arranger un mariage pour moi lui-même.

— Mais sûrement votre père...

— Il *est* celui qui importe, oui. Et il *peut* être plus indulgent, mais...

— Qu'en pense votre autre frère ?

Souriant de nouveau en pensant au plus jeune de ses deux frères, elle dit :

— Voyez-vous, Ivor me surnomme « chatte sauvage », alors il se moque simplement de James et dit que jusqu'à ce qu'ils trouvent quelqu'un qui puisse dompter mes manières sauvages, tout effort aboutira fatalement à un désastre.

— Alors, vous êtes donc sauvage, et pas uniquement possédée par un esprit indépendant ?

— Certains me qualifient effectivement de sauvage, oui, dit-elle tout en mordillant sa lèvre inférieure, regardant où elle mettait les pieds et se demandant pourquoi elle lui en disait autant sur elle.

— J'ai vu à quel point vous aimez beaucoup parcourir seule les bois, même si vous devez savoir que de telles zones boisées abritent des bandits, dit-il.

Son ton de voix la fit frémir et lui rappela avec quelle rapidité il avait désarmé Rory Comyn — presque aussi rapidement que l'aurait peut-être fait Ivor. Le tremblement dans sa voix lui rappela aussi Ivor. Espérant détourner le sujet qui portait sur elle, Catriona dit :

— Alors, vous suspectez, comme moi, Rory Comyn ou un de ses hommes d'avoir envoyé cette flèche.

— Ce petit sourire satisfait m'en a convaincu, dit-il. Ne vous est-il pas venu à l'esprit que s'il rôdait, surveillant Rothiemurchus, lui ou un de ses gars vous avait peut-être vue traverser le lac à la rame hier et vous avait suivie, prenant soin de faire en sorte que le chien ne sente pas son odeur ? Si, en faisant une telle chose, votre Comyn m'a vu, n'aurait-il pas soupçonné que je sois venu pour vous rencontrer ?

— Il n'est *pas* mon Comyn, rétorqua-t-elle.

— Il croit l'être.

— Eh bien, il ne l'est pas ! Ma foi, vous ne croyez pas que j'allais le rencontrer *lui*, non ?

Fin ne répondit pas, alors elle se retourna pour lui faire face, s'assurant qu'il avait compris sa haine pour Rory Comyn avant qu'ils n'avancent d'un autre pas. Ayant déduit qu'il avait osé ne pas la croire, elle fut étonnée de le voir sourire.

Sa main, indépendante, s'était levée pour frapper. Elle l'abaissa rapidement.

∽∽∽∽

Sa réaction fit comprendre à Fin que son silence avait, d'une certaine façon, déclenché sa colère. Mais ses yeux brillants et ses joues rouges ne firent que provoquer un fort désir de l'embrasser, malgré certaines règles qui s'appliquaient aux chevaliers qui escortaient de jeunes femmes de la noblesse. La première et plus importante règle interdisait au chevalier de tirer un avantage injuste de la dame.

Et, aussi, un homme sage prendrait d'abord en compte son grand-père... et Rothesay. S'aliéner du Mackintosh ou rendre furieux le prince serait au mieux imprudent.

Il y avait également le fait qu'il était un des « maudits Cameron ».

Ses lèvres s'entrouvrirent, et Fin sentit son sexe se lever.

De la colère envers lui-même surgit alors en lui. Comment pouvait-il penser à elle d'une manière sensuelle, alors qu'il avait juré de chercher vengeance contre... non, de *tuer* son père ?

— Y a-t-il quelque chose qui cloche, monsieur ? demanda-t-elle. Vous souriiez, et maintenant vous froncez les sourcils, mais je ne crois pas que vous soyez en colère contre moi. Avez-vous de nouveau mal à la tête ?

Sa préoccupation éveilla en lui une sensation de chaleur en sommeil depuis longtemps. Il essaya de se souvenir de la dernière fois où quelqu'un lui avait fait ressentir la même chose. Souhaitant mériter son inquiétude, il dit doucement :

— Ma tête va bien. Je me demandais si votre amour des promenades ou le fait de vous emporter facilement vous avait menée à vous voir comme une créature sauvage.

Semblant soulagée, puis triste, elle dit :

— Comme vous venez juste de le remarquer vous-même pour une seconde fois, monsieur, mon tempérament s'enflamme rapidement. Mes frères se moquent de moi à ce sujet. Ivor dit que je crache comme un chaton féroce. Mais en fait, je dis simplement ce que je pense.

Il opina de la tête.

— Je me suis rendu compte de cela, mais le tempérament d'une jeune fille me trouble rarement. Cela m'ennuie plus lorsqu'elle risque sa vie ou sa sécurité sottement. J'ai confiance que vous tiendrez compte de l'ordre de votre grand-père qui demande à ce que vous cessiez de vous promener en solitaire jusqu'à ce que nous puissions être sûrs que vos bois soient libres de Comyn et de toute autre vermine similaire.

— Oui, bien sûr, dit-elle.

Puis, elle sourit.

— Grand-père a aussi un tempérament. Il est la personnification de la devise de notre clan : « Ne touche le chat qu'avec un gant. »

Satisfait d'avoir émis son opinion, il dit :

— J'essaierai d'éviter les charbons ardents avec l'un ou l'autre d'entre vous. Devrions-nous descendre vers votre ruisseau, maintenant ?

Elle fit un signe de tête affirmatif et passa de nouveau devant lui.

Tout en marchant, il ajouta :

— Je doute que je vous livre un grand secret, en vous confiant qu'il semble peu probable que votre grand-père soutienne le vœu de Comyn.

Elle se retourna pour lui lancer un coup d'œil.

— Dieu du ciel, je sais qu'il a peu de considération pour les Comyn en général, et il ne permettra à aucun Comyn — même à un marié avec moi — d'habiter au château Raitt, qui est ce qu'ils veulent vraiment. Aussi, le comportement d'aujourd'hui de Rory va l'agacer. Mais Grand-père est en faveur de la paix, alors comment pouvez-vous être sûr de ce que vous dites ?

— Parce que hier soir, lorsque lui et moi avons discuté, je me suis souvenu que vous aviez fait part de troubles ayant lieu ici et lui ai demandé de m'en parler. En décrivant les Comyn, il a traité Rory d'idiot. Je parierais que l'idée de vous unir à un quelconque idiot lui déplaît.

— J'espère que vous avez raison sur quoi que vous ayez pensé plus tôt. Je déteste Rory Comyn. Grand-père ne sortira pas son épée pour ce qui concerne plutôt les affaires de mon père, mais mon père est obligé de lui demander son avis.

— Jeune fille, dit-il, je n'ai jamais pensé que vous étiez dans ces bois pour rencontrer Comyn.

— Cela aussi, c'est bien. Voici l'écoulement. Devrions-nous le suivre pendant un moment ?

Il approuva, et ils commencèrent à descendre en silence la pente le long du ruisseau qui coulait. Le chemin jonché de cailloux était étroit et raide, et exigeait d'être très attentif.

Fin vit que l'eau qui grondait et qui coulait rapidement avait sculpté une profonde crevasse entre deux des pentes abruptes qui formaient le bassin du lac. Même si l'écoulement vomissant ne produisait pas le genre de chutes d'eau qu'il admirait le plus, le ruisseau bondissait bruyamment par-dessus de gros rochers. Il était apaisant et magnifique à regarder.

— Avez-vous du saumon ici, en haut ? demanda-t-il.

— Non, nous sommes trop loin de la mer. Ils remontent le Spey seulement jusqu'à Aviemore. Les truites brunes de mer rejoignent parfois le Loch an Eilein, mais les balbuzards les attrapent avant que les hommes n'y arrivent — ou c'est du moins ce qu'Ivor me dit. Êtes-vous prêt à rebrousser chemin ?

— Je veux d'abord boire et prendre une pomme, pas vous ?

— Oui, bien sûr, répondit-elle en remontant sa jupe et en se frayant un chemin jusqu'au bord de l'eau.

S'agenouillant en s'appuyant d'une main sur un rocher pour garder l'équilibre, elle se pencha bas et utilisa son autre main comme tasse en faisant une louche pour amener de l'eau jusqu'à sa bouche et la boire.

Lorsqu'elle se releva et essuya sa main mouillée sur une jupe déjà humide à cause des éclaboussures, des gouttes perlèrent sur ses lèvres et ses joues. Passant une de ses mains sur une joue, elle sourit, ressemblant à une enfant joyeuse même si elle n'était en aucune autre façon enfantine. Elle était complètement *non* enfantine — une femme adulte, une femme qui pouvait éveiller...

Fin détourna son regard, avança jusqu'à l'eau et s'age-nouilla pour prendre à boire. Il éclaboussa de l'eau glacée sur son visage, même si ce n'était *pas* la partie de son corps qui avait le plus besoin d'être rafraîchie.

Elle lui tendit sa pomme une fois qu'il l'eut rejointe. Mais, alors qu'ils s'en retournaient vers le sommet de la colline, mâchant leurs pommes, il la vit s'arrêter pour remonter sa jupe plus haut, sous sa gaine rattachée, afin d'avoir les deux mains libres, en marchant sur le chemin rocailleux et inégal. Il s'émerveilla devant son habileté à marcher pieds nus sur un tel chemin, mais il se souvint du temps où il arrivait aussi à le faire.

Dans ce silence aimable, un souvenir moins aimable fit irruption : le jour où il s'était jeté dans la rivière Tay. Son dilemme demeurait non résolu, et en des moments de telle paix, il pouvait resurgir dans son esprit comme s'il avait le sien propre. Il en avait discuté uniquement avec un prêtre, qui lui avait dit de prier pour des conseils, l'assurant que Dieu lui répondrait ou que, le bon moment venu, il trouve-rait la réponse à travers ses propres réflexions.

Dieu ne lui avait pas encore répondu, et en ce qui avait trait à ses pensées...

— Si vous êtes venu ici en provenance des frontières, dit-elle, qu'y faisiez-vous ?

— Me battre, la plupart du temps, répondit-il en lançant le trognon de sa pomme en haut de la colline, où des oiseaux lui régleraient vite son cas.

— Le roi Henri d'Angleterre a de nouveau organisé une invasion et a essayé de prendre Édimbourg, comme vous devez le savoir.

— Oui, bien sûr que je suis au courant. C'est la raison pour laquelle nos hommes se trouvent toujours dans les plaines, parce que même si les Anglais sont partis lorsque leur ravitaillement s'est épuisé, ils pourraient revenir. Vous êtes très rapide et habile, avec une épée. Je l'ai vu de mes propres yeux. Aimez-vous vous battre ?

— J'aime les défis, je suppose, mais personne n'aime...

Se rappelant ce qu'elle avait dit à propos du type imaginaire qu'elle avait pensé peut-être épouser, il dit :

— Pensez-vous réellement que tout homme qui déteste la guerre soit un lâche ?

— Pas pour la détester, dit-elle. Toutes les personnes sensibles détestent la guerre, ce que je souhaitais vous entendre dire. Mais un homme qui refuse de défendre ce qu'il aime *doit* être un lâche. Pour l'amour, je penserais la même chose de toute femme qui n'*essaierait* pas au moins de protéger les siens.

— Mais parfois des gens disent ou font des choses précipitamment sans savoir pourquoi.

— Pour l'amour, les gens agissent *souvent* ainsi — nous tous. Cela s'appelle agir sans réfléchir d'abord et, de manière générale, ne doit pas être encouragé.

— Il arrive parfois que quelqu'un n'ait pas le temps de réfléchir.

— On a toujours le temps de réfléchir, dit-elle. Parfois, il faut juste réfléchir plus rapidement qu'à d'autres occasions.

— Mais si une personne réfléchit *trop* rapidement, ses pensées deviennent confuses, ou bien elle néglige de prendre en compte toutes les conséquences possibles de ses actions ou de ses paroles.

Elle avait atteint le sommet de la colline où le chemin s'élargissait et, tout en se déplaçant sur le côté pour faire de la place pour qu'ils puissent marcher côte à côte, elle lui lança un regard perspicace.

— Voilà un sujet de conversation intéressant, monsieur. Mais je commence à me demander si cela n'a rien à voir avec la raison de votre venue ici.

Fin chercha dans sa tête une réponse qui serait vraie sans toutefois révéler plus qu'il voulait lui en dire pour l'instant.

Dans ce silence, elle dit :

— Est-ce qu'une telle chose vous est arrivée à *vous*, quelque chose qui vous trouble en ce moment ?

◦◦◦

Le silence de Fin en dit beaucoup à Catriona sur ses pensées. Sans doute croyait-il son visage impénétrable, un visage de guerrier. Mais ses frères, son père et son grand-père étaient tous des guerriers, et elle avait appris depuis l'enfance à lire certains signes.

Elle pouvait le ressentir quand ils avaient des secrets, lorsqu'ils se préparaient à la guerre, lorsqu'ils étaient en colère et lorsqu'ils ne voulaient tout simplement pas parler.

Il semblait maintenant montrer de la consternation, comme s'il ne s'était pas rendu compte qu'elle pourrait déduire une telle conclusion à la suite de ses commentaires.

— Si vous vous rendez à Lochaber à partir d'ici, rappelez-moi de vous dire où trouver cette splendide cascade sur le chemin, dit-elle avec désinvolture.

— Je ne me souviens pas d'avoir émis la possibilité que j'aille à Lochaber.

— Peut-être pas, mais c'était la maison de votre enfance, alors j'ai supposé que vous deviez y avoir de la famille et que vous leur rendriez visite pendant que vous êtes dans les Highlands. Et hier, nous avons parlé de chutes d'eau, lui rappela-t-elle. Voyez-vous, j'ai simplement cru, vu votre réaction devant ma question, que vous préféreriez peut-être que nous changions de sujet.

— Pour l'amour, jeune fille, nous ne faisions que discuter, dit-il. J'aime m'entretenir de sujets sur lesquels les gens ont des opinions divergentes, et je cherchais à en apprendre quelques-unes des vôtres. Je ne vois pas pourquoi vous pourriez penser que je suis ennuyé. Je voulais simplement savoir si vous êtes d'accord sur le fait que certains événements peuvent se produire si vite qu'une personne n'a pas le temps de tout évaluer comme elle le devrait avant d'agir... ou de parler.

— Je vois.

— Alors, que diriez-vous ?

— Sans un évènement spécifique, il est difficile d'imaginer comment une personne pourrait manquer de temps pour évaluer au minimum les conséquences *vraisemblables* d'un acte, quel qu'il soit.

— Oui, eh bien, vous avez une vie plus paisible que la plupart des hommes, dit-il. Je peux vous dire que sur le terrain d'une bataille, un homme n'a *pas* le temps de penser. Pour simplement survivre, il doit agir rapidement, se fiant uniquement à ses instincts et à son entraînement.

— L'entraînement d'une personne n'est-il pas ce qui crée ces instincts ?

— Pas toujours. En fait, il arrive que l'entraînement d'une personne, même son sens de la loyauté et du devoir, puisse obstruer la pensée rationnelle. Par exemple, les hommes obéissent souvent aveuglément, sans réfléchir, quand un supérieur donne un ordre. Ou bien quelqu'un approuve quelque chose simplement parce qu'il respecte et fait confiance à celui qui a demandé l'approbation.

Il tendit le bras pour prendre dans le creux de sa main son coude gauche, alors que la piste plongeait dans une déclivité. La chaleur de son toucher à travers la manche de tissu raffiné envoya un frémissement le long de son bras et une sensation plus chaude dans tout son corps, qui atteignit des endroits où elle n'avait jamais ressenti cela.

Elle se tourna vers lui.

— Aviez-vous peur que je puisse trébucher par-dessus mes pieds ?

Il ne répondit pas, mais continua de soutenir son coude en posant doucement sa main gauche sur son épaule droite et de garder ses yeux dans les siens. Les sensations qui parcoururent son corps étaient devenues troublantes, ainsi que le regard dans ses yeux.

Elle savait exactement ce qu'il ferait ensuite.

─◦◦─

*Idiot !* Le mot explosa dans la tête de Fin, mais n'eut aucun effet sur la réaction de son corps. Elle se trouvait trop près de lui, était trop désirable et trop séduisante. De plus, elle était trop rapide pour lire les vérités dans ses paroles, et lui, de son côté, était *beaucoup* trop facile à faire parler.

Elle avait dit qu'elle avait tendance à dire tout haut ce qu'elle pensait. L'idée qu'une telle chose puisse être contagieuse le troubla. Il avait rarement fait part de ses pensées, même lorsqu'il était enfant. Plus tard, il avait appris qu'il était plus sûr de les garder pour soi.

D'une part, il était au service d'un prince royal puissant qui n'acceptait pas avec bienveillance que ses actions ou ses paroles soient discutées hors de sa présence. D'autre part, son ennemi aussi puissant que lui avait des oreilles dans des endroits inattendus, alors on ne discutait pas des plans de quelqu'un ou de quoi que ce soit d'autre ayant de l'importance, même en agréable compagnie, à moins que la personne ait confiance en ce compagnon.

Mais maintenant, Fin ressentait un fort désir de lui dire exactement ce à quoi il pensait et une envie encore plus forte de l'embrasser vraiment. Il s'en tint à embrasser sa joue.

Ses yeux s'écarquillèrent alors, mais il détecta aussi du regret. La combinaison envoya une vague de satisfaction le long de son corps, et autre chose aussi de moins agréable.

— Ne me regardez pas ainsi, jeune fille, dit-il. En fait, j'avais envie de vous embrasser depuis le moment où je suis sorti de l'eau ce matin. Mais je n'aurais pas dû faire cela.

— Eh bien, ne le refaites plus !

Puis, plus gentiment, elle ajouta :

— J'ai apprécié cette promenade avec vous, monsieur. Mais s'il venait aux oreilles de mon grand-père ne serait-ce qu'un soupçon de mauvaise conduite de notre part, il ne me laisserait plus hors de sa vue jusqu'à ce que vous soyez véritablement parti.

Le moment dangereux était passé. Il ne pouvait pas l'accabler de ses problèmes — non plus le voulait-il, mais il ne ressentit aucun soulagement. Au lieu de cela, une forte idée le frappa, selon laquelle avant peu de temps, il faudrait qu'il lui dise la vérité.

Elle le traiterait de lâche en apprenant qu'il avait fui à la nage le champ de bataille à Perth, car toute personne sensée le ferait.

Au moins, si elle le méprisait, il n'aurait jamais besoin de lui révéler le legs sacré qu'il avait juré d'accepter.

# Chapitre 6

$\mathcal{L}$ orsqu'ils revinrent au château, le repas de midi était terminé, et il restait quelques heures jusqu'au dîner. Se séparant de Fin à l'entrée et pensant qu'il devait avoir aussi faim qu'elle, Catriona descendit à la cuisine. Boreas la suivit.

Du fait que ses promenades se terminaient presque toujours de la même façon, le cuisinier avait l'habitude de ses pillages dans sa cuisine. Il avait préparé un sac rempli de succulentes tranches des restes d'un rôti, deux miches de pain pour manger avec, et des restes pour Boreas.

— Ceci devrait empêcher la famine jusqu'au dîner, dit Catriona en le remerciant.

Puis, voyant Tadhg attiser le feu dans la cuisine, elle dit :

— Va vite dans l'entrée, jeune homme, et dit à Sir Finlagh que j'ai de quoi manger, s'il a faim. Il me trouvera dans les bois vers le nord.

— Oui, je vais le lui dire, m'dame, dit le porteur en enlevant des cendres sur ses hauts-de-chausse. Est-ce qu'ils vous ont dit là-haut qu'une personne spéciale viendra ici bientôt ?

De l'espoir bondit en elle.

— Mon père, le seigneur, et mes frères ?

— Non, non, ce sera quelqu'un d'autre, répondit Tadhg. Tout le monde garde cela secret, mais il va vraisemblablement arriver bientôt, à ce qu'ils disent.

— N'ont-ils rien dit d'autre à son sujet? demanda-t-elle, amusée par la capacité du jeune homme de glaner des renseignements qu'il n'était pas censé connaître.

— Oui, bien sûr, dit-il. Il vient de Perth accompagné d'une foule d'hommes. Cela ne plaira pas à Lui-même, disent-ils, car il a dit que l'homme ne devrait pas en emmener autant.

— Alors, celui qui vient ici est-il un ennemi?

— Non, car les domestiques se remuent tellement les moignons pour ranger et nettoyer l'endroit qu'on croirait que c'est Sa Majesté le roi qui s'en vient. Mais j'ai demandé, et ce n'est pas lui.

Tout en souriant, elle le remercia, mais il avait éveillé sa curiosité. Se rappelant que Fin avait envoyé son écuyer à Perth porter un message, elle avait l'impression que son homme avait dû laisser échapper quelque chose. Dans tous les cas, elle était certaine que Fin savait qui venait.

Claquant deux fois sa langue, elle appela Boreas, qui termina à la hâte le dernier reste que le cuisinier lui avait donné, puis trotta derrière elle.

———⋄∘⋄———

— J'ai rencontré vos deux hommes, dit le Mackintosh lorsqu'un porteur fit entrer Fin dans la chambre intérieure. Votre Ian Lennox m'a dit que vous avez une nouvelle histoire à narrer.

— Vraiment, monsieur ? demanda Fin en tirant le tabouret jusqu'à la table où le Mackintosh était assis, comme plus tôt.

— Oui, mais il a dit que ce n'était pas à lui de raconter cette histoire. Et vu qu'il a dit qu'effectivement, notre Catriona était en sécurité, et que je sais bien que deux bateaux ont été mis à l'eau après que des hommes postés sur notre mur ont vu des visiteurs s'approcher de vous. Je parie que vous deux avez eu une aventure.

— Nous avons rencontré Rory Comyn et deux de ses hommes, raconta Fin. Il était mécontent de me trouver avec madame la comtesse et assez idiot pour dégainer son épée.

— Je vous ai dit, n'est-ce pas, que l'idiot s'attend à l'épouser ?

— Elle dit qu'elle ne le veut pas.

— Oui, elle dit cela, en effet, dit le Mackintosh. Mais une jeune fille n'a pas toujours son mot à dire, même si elle le dit franchement comme le fait notre Catriona.

— C'est ce que je lui ai dit, dit Fin en l'observant avec attention.

— Mais ce serait une chose idiote de marier cette impertinente jeune fille à un idiot.

— En effet, approuva Fin, satisfait de l'avoir bien jaugé plus tôt.

— Vous ne l'avez pas tué, dit Mackintosh. Mais je parie qu'il aurait aimé vous transpercer avec cette épée.

— Il aurait peut-être aimé faire cela, mais je l'ai lancée dans le lac. Ensuite, mon écuyer Toby Muir et Ian Lennox sont arrivés, avec les hommes de Comyn derrière eux. Toby a dit qu'ils étaient très imprudents et faciles à attraper. Il y a aussi encore une chose.

— Vous pensez que Rory Comyn a quelque chose à voir avec votre blessure d'hier.

— Oui, je le crois.

— Oui, eh bien, je m'en doutais tout autant que vous. Il s'est déjà montré sur notre territoire auparavant sans invitation. Mais même s'il prend plaisir à causer des ennuis…

— Avec votre respect, monsieur, l'interrompit Fin, s'il s'est déjà montré importun, pourquoi n'avez-vous pas gardé madame la comtesse sur cette île, plutôt que de la laisser se promener seule sur les collines ? Si Comyn la veut, qu'est-ce qui l'empêche de la prendre ?

— Il sait que le clan Chattan anéantirait tous les Comyn jusqu'au dernier, s'il osait une telle chose, dit Mackintosh d'un air sévère. Leur clan est faible et n'est protégé par aucun autre. J'ai attendu mon heure pour voir si notre jeune seigneur du Nord les protégerait, mais Alex Stewart leur fait moins confiance que moi. Mais vous n'avez pas besoin de vous inquiéter pour notre Catriona. Pour autant qu'elle garde Boreas tout près, elle est suffisamment en sécurité.

— La flèche qui m'a atteint aurait facilement pu tuer le chien, déclara Fin.

— Je suppose que oui. Mais ceci nous ramène tout simplement à la faiblesse des Comyn. Ils espèrent gagner du pouvoir en s'alliant avec nous. Pour l'amour, si je croyais qu'ils avaient changé leurs manières de faire, je les accueillerais, parce qu'une confédération qui grossit est plus forte qu'une qui ne s'agrandit pas. Vous devez vous-même savoir ce fait, je parie.

— Vous croyez ? demanda Fin, devenant de plus en plus tendu.

— Oui. J'ai passé presque tous les Noëls de ma vie au château Tor, jeune homme. Pensez-vous que je ne reconnais pas le fils de Teàrlach MacGillony quand je le vois ? MacGill ! Il renifla.

— Votre père vous frapperait bien comme il faut, s'il vous entendait l'appeler MacGill. Pourquoi étiez-vous sur le point de dire une telle chose de lui à mon épouse ?

— En fait, monsieur, il me paraissait imprudent de révéler ma véritable identité, alors que j'étais ici pour Rothesay. Cela aurait pu éveiller *notre* vieille inimitié et compliquer ses arrangements avec vous. Ma présence est uniquement en tant que son représentant et n'a rien à voir avec le clan Cameron.

— Mais c'est ce que vous diriez, qu'importe la vraie raison de votre venue. Rothesay n'a-t-il pas considéré la probabilité que votre seule présence puisse compliquer les choses ?

On en arrivait au cœur, avec une vengeance, se dit Fin avec une admiration réticente. Mais les faits suffiraient.

— Rothesay et moi, nous nous sommes rencontrés lorsque nous avons été deux des chevaliers gagnants du tournoi de Sa Majesté la reine d'Édimbourg il y a deux ans, monsieur, peu de temps après qu'il eut gagné son titre de duc. Il ne me connaît que sous le nom de Fin des Batailles.

— Ce ne sont que des bêtises. Vous ne me ferez pas croire que ce jeune vaurien prudent n'a pas demandé chaque détail de votre passé avant de vous prendre à son service. Il le ferait juste pour s'assurer que son oncle diabolique ne vous ait pas envoyé pour l'espionner.

— Vous sous-estimez Rothesay, monsieur, dit Fin. Il connaît certains en qui il fait *vraiment* confiance, et j'ai été en mesure de lui fournir trois excellentes références.

— S'il ne vous a pas questionné, elles devaient être bonnes. Qui vous a recommandé à lui, alors? De qui a-t-il tenu compte de la parole? Je pourrais vouloir *les* questionner moi-même.

— Sa Majesté le roi, Sa Majesté la reine et le révérend évêque de St. Andrews ont tous été assez aimables pour me recommander à son service.

Mackintosh leva les sourcils.

— L'évêque Traill lui-même? *Et* Leurs Majestés?

— Tous les trois, oui, je vous le jure, monsieur.

Mackintosh plissa les yeux.

— Lequel des trois vous a recommandé en premier, alors?

— L'évêque Traill.

— Je vois.

Croisant ce regard intelligent, Fin eut la sensation qu'il en voyait trop. Mais il ne voyait pas comment le vieil homme rusé pouvait en savoir plus que ce qu'il lui avait dit.

— Vous ne m'avez donné jusqu'à présent aucune raison de douter de votre parole, dit alors Mackintosh. Mais ne croyez pas que le sauf-conduit royal que vous a donné Davy Stewart vous protégera de son oncle Albany, si celui-ci découvre ce dont est capable Davy. Écoutez, vous aviez raison de dire qu'Albany n'a aucun scrupule. Mais j'ai une autre question à vous poser.

— Oui, bien sûr, dit Fin en se demandant ce qui l'attendait.

— C'est au sujet de notre Catriona. Malgré ses manières sauvages, elle est une jeune fille innocente. Alors, je veux savoir si vous avez déjà été intéressé par une autre femme quelque part. Je vous donne environ vingt-cinq ans, donc ce serait tout à fait naturel si tel est le cas.

— Non, monsieur, dit Fin, effrayé. Et je ne cherche pas une épouse non plus. Je n'ai pas vu ma propre famille depuis des années, et mon frère Ewan est maintenant notre chef. Jusqu'à ce que je le voie et discute avec lui, je ne dois pas *faire* de tels projets.

— J'ai été triste d'apprendre la mort de votre père, dit Mackintosh. Je l'ai rencontré à plusieurs reprises au château Tor. Mais vous dites que votre frère est maintenant à la tête de la famille.

— Il l'est, en effet, confirma Fin en espérant ne donner aucun signe de son embarras, vu la tournure qu'avait prise leur conversation.

Le vieil homme sourit.

— Je vois que j'ai touché un point sensible avec ma question, jeune homme, mais je suis aussi curieux. Je sais bien que je peux vous faire confiance avec elle, et je vous aime bien.

Fin ne répondit rien à cela. Si le vieil homme lui faisait confiance quand il était avec Catriona, c'était plus que le faisait Fin lui-même. La jeune fille était trop séduisante pour qu'un homme lui résiste bien longtemps.

---

Catriona s'était rendue à son endroit préféré, une minuscule clairière juste à l'orée des bois à l'extrémité nord de l'île. Il y avait là un gros rocher, d'une forme parfaite pour s'y asseoir et s'y appuyer, qui donnait une vue splendide de l'étendue nord du lac et de la forêt verte luxuriante de pins, d'aulnes et de bouleaux qui recouvraient les pentes abruptes qui l'entouraient.

Boreas était allongé et enroulé à ses pieds, les nuages s'étaient dissipés et le soleil réchauffait son visage. Elle adorait s'asseoir et poser son regard sur l'eau, aujourd'hui vert foncé aux endroits où les bois se réfléchissaient à la surface. Elle ferma les yeux et les ouvrit seulement lorsqu'elle entendit les pas de Fin qui s'approchaient.

Il était venu doucement, alors il était presque au-dessus d'elle lorsqu'elle les entendit. Il s'arrêta quand elle ouvrit les yeux.

— J'espère que je ne vous ai pas réveillée, dit-il avec un sourire qui la réchauffa.

— Non, je ne faisais que paresser, lui dit-elle en lui souriant en retour. Mais j'ai apporté de la nourriture.

— C'est ce que m'a dit le jeune Tadhg. Court-il réellement un peu partout ?

— Oui, pour ficher la frousse, à ce qu'il dit. Il m'a dit que quelqu'un d'important en provenance de Perth va venir ici. Il ne sait pas de qui il s'agit, mais je parie que vous, oui. Dites-moi.

Il fronça les sourcils, manifestement troublé par ce qu'elle savait.

— Je ne peux pas vous dire qui c'est, répondit-il. Mais votre grand-père le sait, et il est d'accord. Je viens juste de le quitter.

— A-t-il parlé de notre promenade ? demanda-t-elle en ouvrant le sac que le cuisinier lui avait donné et en lui tendant une des miches.

— Il m'a répété sa faible opinion des Comyn, répondit-il en acceptant le pain.

— J'ai aussi du bœuf, déclara-t-elle en lui en donnant, puis en le regardant enrouler deux tranches ensemble. Est-ce tout ce qu'il a dit à propos de notre rencontre avec eux? demanda-t-elle un moment plus tard, lorsqu'il prit place sur un des rochers ayant le dessus plat et qu'il commença à manger voracement.

Prenant une pause pour avaler, il sembla pensif.

— Il en a dit plus, mais cela voulait dire presque la même chose. Nous avons aussi discuté de confiance. Il m'a dit me faire confiance, lorsque je suis avec vous.

— Dieu du ciel, quelqu'un vous a-t-il vu m'embrasser?

— Non, jeune fille. Il n'a rien dit qui me l'aurait fait croire.

Mais en disant cela, il paraissait avoir un doute.

— Quoi? demanda-t-elle.

Ses joues devenues plus rouges la rendirent encore plus curieuse, mais il dit :

— C'est juste que… il *pourrait* en avoir entendu parler, mais si c'est le cas, cela lui est égal.

— Même si quelqu'un nous a vus, je pense que nous étions trop loin pour qu'il soit certain de ce qu'il a vu, dit-elle avec fermeté.

Malgré tout, elle se demanda si son grand-père pourrait être en train de se demander si Fin lui conviendrait. Si le Mackintosh le pensait, et s'il en parlait à James ou à Ivor, ou même à son père, elle n'en verrait jamais la fin.

Rejetant cette idée, elle dit :

— Qu'a-t-il mentionné d'autre à propos de la confiance?

— C'est juste un sujet qui a surgi comme ça, mais cela me rappelle ce baiser impulsif d'avant. Je ne sais pas pourquoi, puisque rien de plus n'en est sorti, et il *peut* faire confiance…

— Avant de m'embrasser, vous étiez en train de dire que parfois, les hommes obéissent aveuglément…, par exemple lorsqu'ils obéissent à un officier supérieur qui donne un ordre ou qu'ils approuvent quelque chose simplement parce qu'ils respectent et font confiance à la personne qui leur demande de l'approuver.

— Surtout lorsqu'il leur manque suffisamment de temps pour réfléchir à fond à l'affaire, oui, dit-il en se rappelant. Je… je connais un type qui s'est retrouvé exactement dans cette situation en plein milieu d'une bataille. Voyez-vous, il a trouvé son… son parent mourant parmi les hommes à terre.

— Comme c'est affreux !

— Oui, alors quand le parent a demandé que mon ami jure vengeance contre ses meurtriers, mon ami était douloureusement en deuil, comme vous pouvez l'imaginer.

— Oui, bien sûr, et il était aussi exténué, je parie.

———◦◦◦———

— Oui, il l'était, dit Fin.

Sa sympathie rendit plus difficile qu'il ne l'aurait cru le fait de raconter cette histoire. Son intention était de relater le minimum de détails. Non seulement il était encore réticent à admettre que la bataille était celle de Perth entre son clan et celui des « maudits Cameron », mais il désirait aussi son opinion objective, plutôt que colorée par leur amitié naissante ou des querelles de longue date de leurs clans.

— Quelle sorte de vengeance votre parent a-t-il demandée ?

— L'habituelle, répondit-il. Mais tout le monde a prêté serment au début de ne pas chercher revanche après contre tout adversaire, quel qu'il soit. Dans sa douleur…, oui, et dans son épuisement, comme vous le suggérez…, mon ami a oublié son premier serment et a juré le second juste avant que ne meure son parent.

— Mais il ne pouvait en respecter aucun sans briser l'autre, non?

— Non, alors que pensez-vous qu'il aurait dû faire?

— Pour une femme, cette question est facile à répondre, monsieur. Toutefois, connaissant mon père, mon grand-père et mes deux frères, je suis bien consciente que les hommes ne réfléchissent pas comme les femmes. Leur sens de l'honneur idiot vient bien trop souvent leur barrer la route.

— L'honneur n'est pas idiot, dit-il plus sévèrement qu'il ne le souhaitait. L'honneur est tout, jeune fille, parce que sans lui, les hommes ne pourraient jamais se faire confiance les uns les autres. Si un homme sacrifie son honneur, il perd son estime de lui-même et tout ce qu'il vaut la peine d'avoir.

— Je sais que les hommes pensent ainsi, dit-elle avec un signe de tête affirmatif. Mais je pense tout de même que le dilemme de votre ami est facile à résoudre. La vie doit toujours primer la mort, monsieur. Et certainement qu'un homme d'honneur tue uniquement en cas d'autodéfense ou pour en défendre d'autres, jamais par méchanceté ou colère. Un homme honorable ne peut *pas* tuer uniquement pour protéger son honneur.

— Tous les Highlanders ont ce devoir sacré de vengeance qui leur est légué, Catriona. Vous le savez certainement.

— Oui, en effet. Mais Dieu du ciel, monsieur, dans un monde civilisé, tuer un autre homme n'a certainement rien d'honorable, quelle qu'en soit la raison.

— Imaginez que Rory Comyn nous avait tués tous les deux ce matin, dit-il. Que croyez-vous que le Mackintosh, votre père et vos frères feraient?

Elle haussa les épaules.

— Ils le tueraient, bien sûr, et probablement aussi ceux de leur clan qui resteraient. Mais cela ne rend pas l'acte juste.

— Vous ne trouvez pas? Son clan ne ferait-il pas la même chose, si vous ou moi l'avions tué? Vous savez qu'ils le feraient. Et, avant que vous disiez que vous regarderiez en bas depuis le paradis et condamneriez vos hommes pour vous avoir vengée, dites-moi comment vous vous sentiriez, s'ils ne le faisaient pas.

— Pour l'amour, je serais morte, non? Comment saurais-je ce qu'ils ont fait?

— Nous ne savons pas ce qui se passe de l'autre côté. J'aime à croire que mon père veille sur moi. Par moments, je le jure, j'ai senti sa main sur mon épée, qui la guidait, sur le terrain de la bataille.

— Vraiment?

Ses yeux s'écarquillèrent, et ensuite elle sourit et le regarda droit dans les siens.

— Que ce doit être rassurant!

Il n'avait pas ressenti cela comme rassurant, seulement comme bienvenu. Cela s'était produit au moins deux fois depuis la mort de Teàrlach MacGillony, chaque fois juste au moment où Fin avait craint de s'évanouir d'épuisement. Chaque fois, la sensation de la main de son père aidant la sienne lui avait permis de continuer à se battre jusqu'à la victoire.

— Vous n'avez pas répondu à ma question, jeune fille. Comment vous sentiriez-vous ? Je parie que vous vous attendriez à ce que quelqu'un *veuille* vous venger.

— Mon Dieu, je suis aussi rapide que quiconque pour défendre ma famille. Nous le sommes tous, alors avec mes premiers sentiments de rage envers la personne qui m'a tuée, je pourrais bien m'attendre à ce que mon père et mes frères me vengent. Mais si j'avais le temps de réfléchir à cette affaire, j'espère que je serais plus sage. *Quel que soit* l'événement, je crois que la vie est préférable à la mort.

Décidant qu'elle ne comprenait simplement pas l'honneur d'un homme, Fin fut tenté d'essayer d'expliquer plus clairement. Mais elle marquait un point concernant le fait de réfléchir d'abord. De plus, une brise froide s'était levée.

— Devrions-nous marcher jusqu'à cet endroit là-bas et revenir ? lui demanda-t-il.

Elle approuva, et ils marchèrent jusqu'à la pointe de l'île. Sur le chemin, elle lui indiqua un radeau fait de bûches, incliné à une extrémité contre un arbre et attaché à lui avec une longue corde.

— Ivor et James l'ont fabriqué quand ils étaient jeunes, dit-elle. Nous avons souvent ramé à partir d'ici jusqu'à la rive ouest et pour le retour, surtout en été, et même lors de nuits calmes. Le calme produit ici un doux écho, alors nous hululions pour le réveiller.

— Pour l'amour, est-ce que cette chose vous portait tous les trois ?

Elle gloussa.

— Généralement, un ou deux d'entre nous finissaient, d'une façon ou d'une autre, par nager, car si quelqu'un tombait à l'eau, ceux sur le radeau refusaient de le laisser remonter dessus, de peur que nous tombions tous. C'est une des raisons pour laquelle nous avons tous appris à bien nager.

Ils bavardèrent et rirent ensemble tout en marchant. Quand vint le temps de rentrer, Fin essaya de se souvenir de la dernière fois où il avait passé la majeure partie de la journée à simplement marcher et parler avec une jeune fille d'une manière aussi désinvolte. Il n'était pas certain que cela lui était déjà arrivé.

⊰◦⊱

Catriona observa Fin, tandis qu'ils revenaient au château à pied afin de changer d'habits pour le dîner. Il semblait en profonde réflexion, et elle répugna à le déranger. Elle soupçonnait que son ami était apocryphe. Ivor avait souvent parlé d'« amis » qui avaient des problèmes précis, alors que le problème énoncé était le sien.

Elle se doutait que Fin avait fait la même chose, mais elle ne le connaissait pas encore suffisamment bien pour en être certaine. Dans tous les cas, elle se demandait ce que son « ami » avait finalement fait. Sans doute, décida-t-elle, qu'il le lui dirait lorsqu'il aurait choisi le moment opportun.

Se séparant de lui sur le palier devant sa porte, elle monta, pour trouver Ailvie prête à l'aider à changer de robe pour le dîner.

— Je commençais à me dire que je devrais envoyer quelqu'un pour voir si vous étiez tombée à l'eau, dit la servante.

— J'étais avec Sir Finlagh, dit Catriona.

— Oui, bien sûr, et qui ne sait pas ça ? dit Ailvie en pressant Catriona vers le tabouret afin qu'elle puisse brosser ses cheveux. Je vais faire une tresse et l'enrouler sous votre voile, vous voulez bien ? De quoi avez-vous parlé, pendant aussi longtemps ?

— De tout, répondit Catriona. Nous semblions passer simplement d'un sujet à un autre comme si nous nous connaissions depuis toujours. C'est un homme intéressant.

— Alors, vous devez tout savoir sur lui, maintenant, dit Ailvie.

— Je suis sûre de n'en savoir encore que peu. Il aime discuter de choses. Cela, je le sais, et il aime débattre sur des sujets, même sur les opinions d'une personne. Il me contredit souvent.

— Ah, cela semble très discourtois, m'dame.

— Je suppose, mais à ce moment-là, cela ne paraissait pas ainsi. C'est comme s'il ne pouvait pas entendre une idée sans entendre des contradictions dans sa tête. Si je dis que l'herbe est verte, il dira : « Plus loin, elle paraît être jaune, mais peut-être que ce n'est que de la nouvelle orge qui change tôt de couleur. »

— Il semble un petit peu particulier, dit Ailvie avec un froncement de sourcils.

Catriona rit.

— Pour cela, j'imagine que oui. Je ne veux pas cette robe grise, Ailvie. Je t'en prie, sors plutôt la rose avec la tresse rouge sur ses manches.

Fin appréciait une semaine paisible, en attendant d'entendre des nouvelles de Rothesay. Il nagea presque tous les matins, souvent avec Tadhg, qui s'était lancé le troisième matin et qui demanda de savoir si Fin pourrait lui apprendre à nager aussi bien que lui.

Fin marcha aussi à plusieurs reprises avec Catriona, bien que seulement sur l'île. Ils discutèrent de nombreux sujets, et avec aise ; à son étonnement, elle s'abstint de le questionner, lorsqu'il ressentait de la réticence à explorer un sujet en particulier. Il savait qu'elle était curieuse, mais elle parut ressentir sa réticence et la respecter.

Curieusement, sa capacité à le faire augmenta son sentiment qu'il devait tout lui dire. Il crut qu'elle ne le respecterait plus, s'il gardait le silence, mais aussi que cela engendrerait un nouveau dilemme. Son besoin qu'elle pense du bien de lui augmentait quotidiennement.

Le neuvième jour de sa visite, un mardi, ils eurent vent d'une nouvelle selon laquelle une grande armée en provenance de Perth avait atteint les Cairngorms à l'est. Certains dirent qu'il devait s'agir du seigneur du Nord, car il préférait la route plus en hauteur que celle plus facile qui passait par Glen Garry, sachant bien que les cols immenses et glacés décourageaient quiconque de poursuivre depuis le sud. D'autres suggérèrent que l'armée pourrait être celle du roi des Écossais.

Fin était certain qu'il s'agissait de Rothesay et que le Mackintosh était au courant de l'armée qui approchait. Mais le vieil homme n'avait pas exprimé son irritation, sinon de la franche colère, qu'il ne manquerait pas de ressentir en apprenant que Rothesay avait ignoré ses souhaits.

Dans une région où la plupart des gens voyageaient à pied ou sur de petits poneys des Highlands, il fut étonné de voir que des nouvelles de l'armée s'étaient rendues bien plus loin devant que l'armée elle-même, jusqu'à ce qu'il se souvienne avec quel acharnement tous les Highlanders étaient assoiffés de nouvelles. Des frères mendiants étaient les bienvenus partout, simplement parce qu'ils apportaient des nouvelles d'ailleurs.

Le vendredi après-midi, Fin se promena avec Catriona à l'extrémité nord de l'île, qui était devenue leur promenade préférée. Lorsqu'ils rebroussèrent chemin, Boreas se plaça comme d'habitude devant eux, jusqu'à ce qu'ils surgissent hors des bois. Puis, s'arrêtant brusquement, le chien fixa son regard sur un point à quelque distance sur le lac.

Fin s'arrêta de parler au milieu de sa phrase.

— Que voit-il, jeune fille ?

Avant qu'elle ait eu le temps de répondre, Boreas se précipita dans l'eau et nagea vers ce qui avait attiré son attention. Fin put voir qu'il y avait quelque chose troublant la surface, mais ce n'était pas assez grand pour qu'il devine ce que ce pourrait être.

Lorsque Boreas plongea sa tête sous l'eau et qu'il la remonta en vitesse, il tenait quelque chose dans sa gueule.

— On dirait qu'il a trouvé un vêtement ou... Pour l'amour, qu'est-ce que cela *peut* bien être ? dit Catriona.

Lorsque le chien émergea de l'eau, Fin vit que ce qu'il transportait était un sac de tissu qui se tordait furieusement et qui émettait de petits cris aigus frénétiques.

Boreas posa doucement le sac sur le sol et se mit à le renifler comme s'il espérait qu'il s'ouvre, pour finalement reculer abruptement en glapissant de surprise.

La tête d'un petit félin passa par l'ouverture du sac en crachant bruyamment.

Catriona s'agenouilla et ouvrit brusquement le sac. Trois chatons gris sortirent, dont celui qui continuait à cracher avec colère. Les autres détalèrent vers la porte ouverte, et Fin afficha un grand sourire lorsque les deux partirent en toute hâte pour éviter un homme d'armes courant à leur rencontre.

— Arrêtez, Aodán! cria Catriona. Que *faites*-vous?

— J'ai pensé noyer des chatons pour le cuisinier, m'dame. Je ne sais pas comment ces petits vauriens ont regagné de nouveau la rive.

En un clin d'œil, Catriona fut sur ses pieds, et, la regardant, Fin décida qu'elle n'avait besoin que de la foudre dans chaque main pour égaler une quelconque furie mythique.

— C'était cruel! dit-elle, confrontant Aodán. Si les chatons ne peuvent pas laper et que personne n'en veut, vous devez les noyer pour être sûr — mais *pas* en les jetant dans le lac pour qu'ils se noient dans la terreur. Utilisez un seau, la prochaine fois, triste sire, et enterrez-les décemment.

— Je devrai d'abord les attraper, m'dame, dit Aodán en se retournant.

Boreas se mit devant lui en grognant.

— Non, laissez-les vivre, dit Catriona. Ces trois ne souffriront *plus*. Ils semblent assez grands pour laper, alors dites à Tadhg de trouver des gens prêts à les prendre, mais ne refaites plus *jamais* une chose pareille. Imaginez à quel point ils ont dû être terrifiés!

Aodán regarda Fin, le regard d'un mâle impuissant à un autre. Mais Fin luttait pour dissimuler son amusement, et il reporta son regard sur Boreas.

Le chien continua de porter un vif intérêt au malheureux homme d'armes.

Fin n'avait jamais eu à noyer des chatons, mais il savait avec quelle facilité quelques-uns pouvaient se transformer en des centaines de chats affamés sur n'importe quel domaine, sans parler d'une île. La jeune fille ne le remercierait pas pour un quelconque commentaire de sa part, alors il garda le silence.

— Allez, maintenant, Aodán, et dites à Tadhg qu'il doit leur mettre de la nourriture jusqu'à ce qu'il leur trouve de bonnes maisons, dit Catriona, toujours en colère. Il peut demander parmi nos gens dans les collines. Dites-lui de faire savoir que je compterai une telle adoption comme un avantage pour moi.

— Oui, m'dame, j'y veillerai, dit Aodán précipitamment en prenant la fuite.

Catriona se tourna alors vers Fin, les yeux toujours en feu.

— Vous !

— Non, maintenant, ne me volez pas dans les plumes, dit-il. Je n'ai rien à voir avec tout cela.

— Vous trouviez cela *drôle* !

— Non, maintenant...

Voyant ses lèvres se resserrer, il dit :

— Oui, eh bien, en fait, oui. Le chien s'avançant pour arrêter l'homme m'a presque achevé. Maintenant, regardez là-bas, ajouta-t-il avec un grand sourire en montrant la porte.

À l'évidence satisfait de l'issue, Boreas se dirigea vers la cuisine avec le troisième chaton bondissant contre et entre ses pattes avec des sauts qui le faisaient décoller.

Lorsqu'elle rit enfin, Fin dit :

— Voilà qui est mieux.

Il se retourna suffisamment longtemps pour ramasser le sac mouillé qui était resté à l'endroit où elle l'avait laissé après avoir libéré les chatons.

— Nous devrions rentrer, dit-elle. Nos visiteurs vont bientôt arriver, qui qu'ils soient.

— Vous n'avez toujours pas appris qui vient ?

— Non, même si j'ai entendu que ce pourrait être le seigneur du Nord revenant à Lochindorb. Mais vous, *vous* savez de qui il s'agit.

Puisqu'il ne répondait pas, elle ajouta :

— J'ai entendu qu'ils ne brandissent aucune bannière, monsieur. Mais personne ne semble s'alarmer.

— Je vous l'ai dit, votre grand-père est content de les laisser venir.

— Oui, en effet, vous l'avez dit, dit-elle en le regardant et en fronçant les sourcils pensivement.

---

Catriona savait que les personnes que son grand-père accueillerait le plus volontiers seraient son père et ses frères, mais ils brandiraient la bannière Mackintosh, exactement comme Alex Stewart brandirait la sienne en tant que seigneur des Îles. Elle était certaine que Fin les connaissait, qui qu'ils soient, et qu'il avait persuadé son grand-père de les laisser venir.

Après avoir pris congé de lui, elle trouva Ailvie et dit :

— Je veux prendre un bain, avant le dîner, Ailvie, alors je t'en prie, demande de l'eau chaude pour moi.

— Oui, bien sûr, m'dame. Puis, je monterai immédiatement vous aider.

Avec l'aide d'Ailvie, Catriona lava ses cheveux, prit son bain et revêtit la robe jaune de tissu raffiné rafraîchie à l'air. Lorsqu'elle redescendit, ses cheveux encore humides, mais bien tressés sous son voile, elle apprit que le Mackintosh, malgré sa ponctualité habituelle, avait donné l'ordre de retarder le dîner d'une heure dans l'attente d'invités.

Décidant de sécher ses cheveux près du feu dans la salle, elle tira un tabouret près du foyer, retira son voile et défit ses tresses. Elle était encore en train de passer ses doigts dans ses cheveux pour laisser la chaleur du feu les sécher, quand Fin l'y retrouva.

— J'ai su que le Mackintosh attend des visiteurs, dit-il. N'avez-vous pas peur qu'ils puissent entrer et vous trouver occupée à votre tâche?

— Non, parce que nous les entendrons, lorsqu'ils crieront pour demander des bateaux. Les fenêtres sont ouvertes, monsieur, et de tels cris font de l'écho sur une longue distance, à cette heure, quand le lac est calme.

— Je pense que votre grand-père a déjà envoyé des bateaux de l'autre côté pour les attendre.

— Ma foi, pourquoi personne ne m'a avertie?

Elle se mit à tresser de nouveau ses cheveux en vitesse, consciente qu'il l'observait attentivement pendant ce temps, car son regard éveilla la sensation de frémissement qu'il provoquait si souvent en elle. Elle était encore surprise de la rapidité et de la facilité de son corps à réagir à sa présence.

Entendant les premières arrivées venant de la cour, elle enroula les deux tresses ensemble au bas de sa nuque.

Elle était en train de mettre son voile en place, lorsque Fin l'arrêta.

— Vous l'avez épinglé de travers, jeune fille, dit-il en tendant la main pour placer son voile correctement.

L'air les entourant sembla tout à coup crépiter, lui rendant la respiration difficile, et la grande salle lui parut plus petite. Elle n'avait conscience que de lui.

— Merci, murmura-t-elle à l'air entre eux lorsqu'il eut terminé.

Mais il ne répondit rien et ne retira pas sa main. Et l'air, au lieu de crépiter, se remplit d'une tension nouvelle. Elle s'aperçut en le regardant qu'il fixait l'entrée, le visage blême. Suivant son regard, elle vit d'abord son père et James, puis Ivor. D'autres hommes se trouvaient sur l'escalier derrière eux, mais Ivor s'était arrêté, leur bloquant ainsi le chemin. L'expression sur son visage était la même que celle sur celui de Fin.

— Dieu du ciel, vous connaissez Ivor ! s'exclama-t-elle. Pourquoi ne l'avez-vous pas *dit* ?

## Chapitre 7

Ayant à peine tenu compte des paroles de Catriona, tandis qu'il fixait Hawk avec consternation, Fin lança un coup d'œil à la jeune fille, tout en se rendant compte qu'il avait encore le bout de ses doigts sur son voile. Il ramena sa main vers lui en disant :

— Cet homme dans l'embrasure de la porte est votre frère Ivor?

— Oui, bien sûr qu'il l'est. Ne faites pas semblant de ne pas vous connaître, car il est clair que c'est le cas.

— Ma chère, je dois vous quitter pour un certain temps, dit Fin en reprenant ses esprits lorsqu'il vit Rothesay passer devant Hawk. Mon propre maître est là, à côté de votre frère…

— Mais pourquoi ne m'avez-vous pas dit que vous connaissiez Ivor?

— J'expliquerai tout cela dès que je le pourrai, mais je vous en prie, n'en faites pas toute une histoire. Votre frère ne vous remerciera pas plus que moi pour cela. Vous pourriez même mettre l'un de nous deux ou les deux en danger.

— Donnez-moi votre parole que vous m'expliquerez, ou, je le promets, j'en parlerai à mon père dès qu'il s'approchera de moi.

— Je vous expliquerai tout ce que je pourrai plus tard. Mais maintenant, faites une révérence, jeune fille, et très rapide, à l'approche du duc de Rothesay.

— Davy Stewart? Le gouverneur du royaume et héritier du trône d'Écosse? *Il* est l'homme duquel vous êtes au service?

— Oui, dit Fin en faisant sa révérence à Rothesay, qui l'emmena immédiatement.

L'homme plus jeune avait le teint clair et des yeux bleus de Nordique, la même belle apparence que presque tous les Stewart, la première exception étant son oncle Albany, qui était aussi foncé, disaient certains, que le diable en personne. Des hommes avaient souvent émis le doute quant au fait qu'Albany, n'ayant aucune ressemblance avec ses parents, ne soit pas du tout un Stewart, mais avait été échangé, ou pire encore.

Personne ne disait de telles choses à propos de Rothesay, même s'il était certainement le sujet de bien des commérages. Il ressemblait beaucoup à son grand-père Robert II lorsqu'il était dans la fleur de l'âge, et Rothesay semblait déterminé à damer le pion à son grand-père au lit. Feu le roi avait engendré plus de vingt progénitures illégitimes et presque autant d'enfants légitimes.

Mais jusqu'à présent, Rothesay n'avait engendré aucun enfant légitime.

— Une sublime jeune fille, celle-là, dit-il à Fin en écossais lorsque Catriona s'excusa et partit. Je t'en prie, dis-moi qu'elle a un penchant pour le flirt et que tu as cultivé sa connaissance pour moi. J'ai eu quelques journées diaboliques, jusqu'à présent.

— Vraiment, mon seigneur ? répondit Fin. Je croyais qu'aujourd'hui était une bonne journée.

— As-tu *vu* ces fichues Cairngorms ? demanda Rothesay sans prendre la peine de baisser le ton. Je te dis que c'était cruel d'envoyer des chevaux marcher dans ces montagnes. Mais ce fut encore pire de me faire marcher jusqu'ici depuis le tournant vers Lochindorb.

— Ils ont dû vous proposer un poney des Highlands à monter, dit Fin.

— Oui, bien sûr, un «garron», comme ils l'appellent, et ils m'ont assuré qu'il avait le pas très sûr. Mais mes pieds traînaient presque sur le sol, Fin. J'ai *préféré* marcher.

— Comment avez-vous fait la connaissance du laird de Rothiemurchus ? demanda Fin.

— Shaw et ses hommes étaient avec mon cousin Alex, le seigneur du Nord, lorsque je les ai rencontrés à Perth. Ils avaient voyagé ensemble au nord depuis les frontières. Mes gars et moi, nous nous sommes joints à leur groupe, afin que je puisse pénétrer dans les Highlands sans faire de bruit.

— Où se trouve Alex, à présent ? demanda Fin.

— Il a continué vers Lochindorb en prenant nos chevaux avec lui, le bête homme. Il a dit que nous serions mieux ici sans eux. Mais il devrait arriver demain.

— Cela explique pourquoi des rumeurs à propos d'une armée venant ici n'ont pas troublé le Mackintosh, dit Fin. Il devait savoir que vous vous étiez joint à Alex. Vous voyez, il a été clair à propos de vous et des autres, n'emmenant que quelques hommes à cette réunion. Ainsi, je craignais qu'il soit furieux, si vous *emmeniez* une armée.

— Shaw a dit la même chose. En fait, il a renvoyé la moitié de ses propres hommes, sinon plus, à la maison vers leurs familles, disant qu'il n'aurait pas besoin d'eux pendant un certain temps. Alex fait la même chose et n'en emmène que quelques-uns. Mais si mon oncle Albany entend parler de cette réunion, nous aurons besoin de tous les hommes qu'ils ont renvoyés à la maison, et très rapidement.

— Oui, peut-être, mais la coutume ici ressemble beaucoup à celle des frontières. Si besoin est, des Highlanders allument des feux d'avertissement ou envoient des porteurs coureurs pour faire venir les clans. Et les hommes de Mackintosh *ont été* loin de leurs familles pendant des mois, n'est-ce pas?

— Oui, bien sûr, et alors?

Rothesay regarda dans la direction de Catriona, qui discutait avec sa mère et sa grand-mère pas très loin. Derrière elles, sa belle-sœur Lady Morag parlait à son mari, James, avec plus de vivacité que Fin n'avait encore jamais vue chez elle.

— La jeune fille qui vous attire est Lady Catriona Mackintosh, mon seigneur, dit-il tout bas. Elle est la petite-fille du Mackintosh et la fille de Shaw.

— Ne l'est-elle pas, vraiment? dit Rothesay dont les yeux bleus brillaient.

— Oui, monsieur, et une servante. Les deux femmes avec elle sont sa grand-mère Lady Annis de Mackintosh et la mère de Lady Catriona, Lady Ealga.

— Je me fiche des autres, Fin. Mais puisque tu *vas* me présenter la jeune fille, il vaut mieux que tu me présentes toutes les trois.

Fin avait commencé à ressentir le malaise qu'il ressentait souvent en présence de l'homme plus jeune. De plus, en scrutant du regard les autres hommes dans la salle, quoique

Rothesay ait emmené deux nobles flagorneurs avec lui, il se rendit compte qu'il n'avait personne avec lui qui avait le don, si tel était le cas, de le garder hors d'ennuis.

— Je ne vois pas vos gardiens habituels, dit-il avec un sourire.

— Tu ne les vois pas ni ne les verras, dit Rothesay sèchement. Lorsque mon beau-père était vivant, je devais les supporter. Maintenant, il est mort, alors ce n'est plus nécessaire.

Fin avait eu du respect pour les deux soi-disant gardiens *et* pour le beau-père de Rothesay, Archie « le Grim », troisième comte de Douglas. Il avait été d'accord avec Archie que, ayant épousé la fille d'Archie, Rothesay devait honorer sa promesse envers elle. Et, n'ayant pas la capacité des gardiens de réfréner ses impulsions, il regrettait maintenant leur absence, car Rothesay avait été clair sur le fait qu'il voulait que les choses se passent à *sa* manière à Rothiemurchus.

Avec un soupir mental, sinon audible, Fin dit :

— Je vais vous présenter toutes les dames, mon seigneur. Mais peut-être devrais-je d'abord vous emmener rencontrer le Mackintosh.

— Où diable se trouve-t-il ? Je m'attendais à ce qu'il soit sur le palier.

— Accueilleriez-vous *vos* invités sur le palier, monsieur ?

— Non, je ne le ferais pas ! Mais *je*…

Il s'arrêta net de parler et fit un grand sourire.

— Tu cherches à me dire que le Mackintosh est aussi arrogant que moi, n'est-ce pas ? Ta fichue impudence, Fin.

— Oui, monsieur. Dois-je vous mener à lui, ou désirez-vous que je lui dise que vous demandez à ce qu'il vienne ici pour vous accueillir ?

— Non, non, j'ai compris. Je ne veux pas en venir aux mains avec le vieil homme avant que nous ne commencions cette réunion. Je veux qu'il soit de mon côté, alors mène-moi à lui sans délai, ne serait-ce que pour simplement me présenter cette beauté au plus vite.

— Oui, monsieur, dit Fin.

Il le mena à la chambre intérieure. Il jeta un coup d'œil à Tadhg alors qu'il courait pour leur ouvrir la porte, et il vit Catriona, toujours en train de bavarder avec des membres de sa famille. Elle se tenait debout à côté de son père, aux cheveux foncés, et près de Hawk, dont les siens étaient couleur fauve — Sir Ivor, comme il se devait maintenant de l'appeler, en tout cas quand ils se trouvaient avec d'autres.

Il se demanda si Hawk parlerait à Catriona de leur réunion à Perth avant qu'*il* en ait l'occasion. Et si Hawk lui en faisait part, ferait-elle le lien, grâce à son esprit rapide, avec ce que Fin lui avait dit à propos du dilemme de son «ami», et ainsi déduirait-elle plus que ce qu'il voulait lui en dire pour le moment?

Fin se rassura lui-même en se disant que si Hawk n'avait pas parlé de l'incident depuis quatre ans, il était peu probable qu'il le fasse dans l'immédiat. Fin se plaça de côté et laissa Rothesay le précéder dans la chambre pour rencontrer le Mackintosh.

⸎

Catriona, même si elle était prise par une agréable réunion de famille, regarda Fin suivre Rothesay dans la chambre intérieure.

Lorsqu'elle reporta ses yeux sur sa famille, son regard heurta celui d'Ivor, qui était bien plus intense.

Elle n'ouvrit la bouche que pour la refermer, en remarquant un léger tremblement de sa tête. Reportant son attention sur les autres, elle prit part à l'échange de nouvelles générales.

Le Mackintosh, son invité royal et Fin sortirent de la chambre peu après. Les personnes près du feu qui devaient s'asseoir à la table haute commencèrent à se diriger vers l'estrade, et Ivor rejoignit Catriona.

Lui offrant son bras, il pencha la tête vers la sienne et dit :

— Je vois que tu t'es trouvé un nouveau petit gars à charmer, ma Catkin. Mais tu ne devrais pas le laisser jouer si impudemment avec ton voile alors que d'autres peuvent vous voir. Cela est des plus inconvenants.

— Ne joue pas à l'idiot, monsieur. J'ai vu par la façon dont tu l'as regardé et dont lui l'a fait que vous vous connaissez. Je t'en prie, dis-moi tout sur lui.

— Non, jeune fille, la balle est dans l'autre camp. Je veux que tu *me* parles de lui.

— Ivor, si tu ne cesses pas de te comporter comme si je n'avais pas de tête du tout, je fais le vœu que je devrai… lui dit-elle en le fixant.

— Parle doucement, ma chatte sauvage. Souviens-toi que le laird, notre père, se trouve derrière nous. Après notre longue journée, il n'est pas d'humeur à supporter une quelconque querelle. J'ajouterais que moi non plus. Je peux être une âme vraiment joyeuse, quand je suis content, mais…

— Mais tu es un diable lorsque tu es en colère, exactement comme père, intervint-elle. Je le sais très bien, monsieur. Même si…

— Assez, Cat. Nous poursuivrons cette discussion plus tard, et pas pendant que nous sommes entourés de notre famille et d'invités. Je dois d'abord parler avec Lion…

— Lion! Quel genre de nom est-ce cela?

— Chut. C'est le seul nom que je lui connaisse, et c'est tout ce que je dirai. Nous expliquerons plus en détail ultérieurement. Du moins, je crois que nous le ferons. D'abord, je dois savoir pourquoi il est ici.

— Lorsque je l'ai rencontré, il m'a dit qu'il était venu pour discuter avec le Mackintosh, dit-elle en gardant la voix basse. Et ce soir, il m'a appris qu'il est au service de Rothesay. Alors, je parie que la venue ici du duc est une conséquence de cette discussion que ton Lion a eue avec grand-papa.

— N'en dis pas plus pour le moment, marmonna Ivor à la hâte, tandis que James s'approchait d'eux.

— L'art de dire des secrets, mes enfants? dit le plus âgé des deux frères de Catriona. Pensez seulement à ce que dira notre grand-mère, si elle vous surprend. Manières, manières! Qui diable est ce type qui a emporté Rothesay aussi rapidement, Cat? Morag m'a dit qu'il a pris des libertés avec toi. Y a-t-il là un intérêt de ta part, petite fille?

— J'étais justement en train de lui poser des questions à ce propos, déclara Ivor en lançant un regard d'avertissement à Catriona.

— Et, comme je te le disais, dit Catriona gentiment, je sais que les hommes le surnomment Fin des Batailles. Mais Grand-père lui a fait admettre qu'il se nomme *Sir* Finlagh, et notre grand-mère a appris qu'il est un MacGill. Il nous a dit qu'étant enfant, il a vécu à Lochaber et ensuite dans la partie est de Fife, et aussi qu'il est venu à Rothiemurchus depuis les frontières.

— J'ai entendu parler de Fin des Batailles, dit James avec un respect grandissant. Ils disent qu'il est un des meilleurs bretteurs d'Écosse, et aussi un bon archer. Mais je ne savais pas qu'il était l'homme de Rothesay. Tu dis qu'il a habité pendant un temps dans la partie est de Fife? ajouta James en portant son regard de Catriona à Ivor.

Ivor croisa ce regard perspicace sans ciller. Mais même si la curiosité toujours en éveil de Catriona se réveillait, elle souhaita dévotement que James ne la questionne plus longtemps sur Fin et ainsi ne le pressa pas de lui dire pourquoi le temps qu'avait passé Fin à Fife semblait si important.

Il se passait quelque chose d'inhabituel, et, même si elle pensait que Fin saurait se défendre lui-même, elle ne voulait pas rendre les choses encore plus difficiles pour lui en essayant de l'expliquer à ses frères. Si elle essayait, inévitablement, elle ou Fin, ou les deux, et peut-être Ivor aussi, se retrouveraient dans l'eau chaude.

Lorsque les deux groupes se rencontrèrent sur l'estrade, le Mackintosh présenta ses dames et Morag à Rothesay, qui fit un signe de tête en souriant et adressa un mot agréable à chacune des dames plus âgées. Puis, accueillant Catriona, il afficha un large sourire, et elle comprit pourquoi les autres le trouvaient charmant. Il y avait quelque chose d'attirant chez lui, mais il n'était pas aussi grand que Fin ni aussi large d'épaules. Ses yeux pétillaient, mais étaient d'un bleu ordinaire.

— Je peux voir que ma visite sera des plus agréables, dit-il toujours en souriant, l'aidant à se relever de sa révérence.

Sans relâcher sa main ni détourner son regard chaleureux d'elle, il ajouta :

— Je vous remercie tous de votre hospitalité.

Sentant les doigts de sa grand-mère donnant une poussée d'encouragement sur sa taille, Catriona retira doucement sa main et se tourna docilement pour prendre sa place à la table haute.

Tandis qu'elle se tenait à côté de Morag, elle entendit le Mackintosh inviter Rothesay à prendre la chaise au centre, réservant la place à la droite du prince pour lui-même. Ensuite, il dirigea Shaw vers la chaise à gauche de Rothesay, ajoutant avec aisance que les dames accepteraient de s'asseoir un siège plus loin que d'habitude pour faire de la place.

— En fait, il n'y aura que les quatre d'entre vous, dit-il à son épouse, alors que nous avons plus que quelques hommes supplémentaires. De plus, nous, les hommes, désirons discuter.

Puis, comme s'il concluait l'affaire, il ajouta :

— Aussi, c'est le droit de Shaw autant que le mien de s'asseoir aux côtés de son invité royal. Rothiemurchus appartient à Shaw, après tout.

Rothesay fit la révérence à Lady Annis et dit avec son sourire étincelant :

— Je vous dirais, madame la comtesse, que dans toute autre circonstance, je protesterais fortement d'être privé de votre charmante présence à mes côtés. Vous et moi devrons discuter plus tard.

— Je me réjouis de cela, mon seigneur, dit-elle avec un sourire désabusé bien à elle.

Tandis que Catriona se déplaçait pour permettre le changement, elle se demanda si le retour de son père mettrait fin à ses promenades avec Fin. Elle les appréciait, et la brusque conscience que Shaw pourrait dorénavant les interdire lui fit comprendre à quel point cela lui était agréable.

Lorsque les serviteurs commencèrent à présenter des plateaux de nourriture, Ealga se pencha plus près de Lady Annis. Cependant, Catriona l'entendit clairement, lorsqu'elle dit :

— Pensez-vous que ce jeune homme s'adresse toujours aux dames d'une manière aussi familière ?

— Je crois, répondit Lady Annis en regardant Morag et Catriona derrière elle. Je suppose que vous avez toutes les deux entendu cela, n'est-ce pas ?

— Oui, madame, dit Catriona.

— J'ai remarqué que tu as une ouïe rapide, jeune fille, lui dit sa grand-mère. J'ai confiance que tu auras le bon sens de ne pas devenir aussi amicale avec Rothesay que tu l'as fait avec Sir Finlagh.

— Elle ne doit pas être impolie avec Rothesay, maman, dit Ealga. Il est notre invité.

— Il en est un qui répondra à de l'encouragement quand il le voudra, dit Lady Annis en regardant Catriona sévèrement. Si tu es sage, tu ne lui en donneras *aucun*. Et toi non plus, Morag. Je me dis que le fait que tu sois l'épouse de James dissuadera ce type-*là*.

— Ma foi, maman, dit Ealga. À t'entendre, Rothesay pourrait se comporter d'une manière inconvenante avec elles. Il est certain qu'il ne le ferait pas dans notre propre château !

— Balivernes, rétorqua Lady Annis. Ce jeune vaurien a osé flirter avec moi, n'est-ce pas ? Ils disent qu'il flirterait — oui, et encore plus que flirter, s'il en a envie — avec n'importe qui portant une jupe. Tu tiendras compte de mon avertissement, Catriona. Toi aussi, Morag.

Catriona fut heureuse que son père soit en train de parler à son grand-père à ce moment-là, mais elle dit docilement en même temps que Morag :

— Je ferai attention, madame.

Le dîner fut sans fin, même si elle savait que c'était uniquement parce qu'ils avaient plus d'hommes à nourrir qu'ils en avaient eu depuis des mois.

À cause des hommes de Rothesay et de ceux de son père dans la salle inférieure, ainsi que de ses frères et des nobles de Rothesay à la table haute, le vacarme des conversations rendit difficile aux quatre femmes de s'entendre parler les unes avec les autres. Son grand-père en particulier avait une voix de plus en plus forte.

L'entendant alors s'élever, Catriona se rappela en souriant que Fin avait pensé que le Mackintosh devait être décrépit. Elle se demanda ce qui lui avait donné cette idée.

—◦◦◦—

Fin avait espéré trouver l'occasion de parler avec Ivor pendant le repas, mais James l'avait invité à s'asseoir plutôt entre eux, avec Ivor à la droite de Fin.

— Écoutez, dit James, notre grand-père voudra discuter avec Rothesay et aussi poser des questions à mon père sur tout ce que nous avons fait dans le Sud. Alors, voici un bon moment pour nous d'en apprendre sur vous. Ma sœur a dit que vous êtes originaire de Lochaber. De quelle partie?

— Pour l'amour, James, ne le questionne pas pendant qu'il essaie de manger, dit Ivor depuis la droite de Fin. Bien vite, tu auras grand-père qui se plaindra de ne pas pouvoir entendre dans cette pièce, et comme tu es assis à côté de lui...

Il fit un grand sourire.

— Oui, c'est vrai, dit James à Fin. Grand-père aime brailler, de temps en temps, et on fait attention à ne pas être la cible la plus proche. Nous pouvons parler de l'art de l'épée. J'ai entendu des hommes parler de vos prouesses à la fois sur le champ de bataille et dans la cour inclinée, Sir Finlagh. N'étiez-vous pas un des douze chevaliers choisis avec Rothesay pour le tournoi de la reine?

Cette tactique en était une à laquelle Fin était habitué : faire dévier le sujet en saisissant la première occasion pour porter la discussion sur les compétences d'autres hommes. Vu que les deux autres avaient combattu dans la partie est des frontières avec le comte de Douglas pendant que Fin avait passé son temps avec Rothesay près d'Édimbourg ou de Stirling, ils avaient beaucoup à se dire.

À un moment donné, James dit :

— Je vois pourquoi nous ne nous sommes jamais rencontrés aux frontières. Rothesay prend bien soin de rester hors du chemin de Douglas, n'est-ce pas?

Fin était doué pour éviter ce sujet également. Le fils d'Archie le Grim, le quatrième comte de Douglas, étant le beau-frère de Rothesay et aimant beaucoup sa propre sœur, n'avait même pas la tolérance limitée de feu leur père pour les manières extravagantes de Rothesay.

— Rothesay est l'homme de lui-même, monsieur, dit Fin à voix basse. Un homme dans ma situation ne met pas en doute ses motivations ni ne les discute, comme vous le comprendrez, j'en suis certain.

— Oui, en effet. J'ai entendu dire qu'il avait un tempérament diabolique et aussi que nous serons ses hôtes pendant encore un certain temps.

— Si vous vous attendez à ce que je vous dise combien de temps, je ne peux pas vous aider, dit Fin avec un sourire. Il fait part rarement de ses intentions exactes.

Ils parlèrent de manière décousue, jusqu'à ce que le Mackintosh leur indique que le repas était terminé et qu'il propose à Rothesay et à Shaw de se joindre à lui dans sa chambre intérieure.

Lorsque Shaw fit signe à James de venir avec eux, Ivor dit à mi-voix à Fin :

— Je t'interdis d'aller où que ce soit jusqu'à ce que nous ayons parlé, mon gars.

— J'allais justement vous dire la même chose, bien que de manière plus courtoise, lui dit Fin avec un sourire contrit. Après tout, j'apprécie l'hospitalité de votre famille.

— Si cela constituait un commentaire sur mes manières, nous pouvons sortir dans la cour pour déterminer lequel d'entre nous a les meilleures, rétorqua Ivor avec une étincelle dans les yeux.

— Hawk, j'ai déjà déduit d'où vient le tempérament de votre sœur, dit Fin. Vous n'avez pas besoin de me le rappeler.

— Qu'avez-vous fait exactement pour découvrir qu'elle *a* un tempérament? demanda Ivor.

— Ne rien faire pour hérisser son frère, comme vous qui me connaissez mieux que quiconque le devrait, répondit Fin calmement.

— Je vous ai peut-être connu autrefois, *Lion*. Mais même à ce moment-là, je ne connaissais pas votre véritable nom. Et, de ce que je sais maintenant, des événements vous ont peut-être changé au-delà de ma connaissance.

— Je pourrais dire la même chose de vous, dit Fin en jetant un coup d'œil autour de lui pour s'assurer que personne d'autre ne s'était promené assez près pour entendre ce qu'ils disaient.

Il ajouta en baissant la voix :

— Ne serait-il pas mieux de discuter dans la cour ou ailleurs ?

— Nous irons à ma chambre, dit Ivor. Ce n'est qu'un trou dans le mur. J'en partageais une plus grande avec James, avant qu'il se marie, et cette option s'est évaporée.

— J'ose l'espérer, dit Fin avec un grand sourire. Alors, je vous suis.

⊸∞⊸

Malgré le fait que Catriona soit soulagée que le repas se termine, elle était énervée de se retrouver reléguée en compagnie de femmes et plus encore de voir Ivor emporter Fin en haut de l'escalier sans plus d'un mot de chacun pour elle.

Elle s'aperçut que Morag était tout aussi irritée lorsque James suivit leur père à la chambre intérieure, mais n'y trouva pas de consolation.

Même si Catriona voulait savoir ce que Rothesay cherchait à obtenir de la part des membres de sa famille, elle se souciait plus de ce que Fin et Ivor se disaient. Les deux ayant été d'accord pour expliquer leur type de relation, elle avait espéré qu'ils le feraient ensemble.

— Je vais au lit, déclara Morag à tous en général. Si tu vois James, je te prie d'être assez gentille pour lui dire que je serai impatiente de l'accueillir quand il viendra me voir.

Catriona fit un signe de tête affirmatif, mais n'avait aucune intention d'attendre que réapparaisse James.

Croyant que Fin la chercherait à l'extérieur plus tard si Ivor ne le faisait pas, elle essaya de réfléchir à la façon dont elle pourrait éviter de passer le temps jusque-là à coudre ou à déguster dans la pièce solaire des dames avec sa mère et sa grand-mère.

Si cela devait être son destin, elle savait qu'avec autant d'hommes au château, les femmes plus âgées insisteraient pour qu'elle aille se coucher en même temps qu'elles.

Mais son excuse pour s'évader devait être plausible, et elle n'osait pas leur mentir. Ce serait imprudent, par exemple, de dire qu'elle allait au lit, si son but était de se glisser par la poterne pour regarder les étoiles comme elle le faisait fréquemment. Dans tous les cas, ne pas faire cela serait sage, ce soir. Son père avait emmené suffisamment d'hommes pour remplir deux tables à tréteaux dans la salle inférieure pour le dîner, et beaucoup dormiraient dans la cour.

Après des mois à se sentir presque vide, le château était maintenant rempli au point de déborder.

Hawk avait raison. Sa chambre était trop petite, et elle le parut encore plus quand il se tourna vers Fin après avoir allumé un certain nombre de bougies.

Il tenait encore la bougie fine qu'il avait prise dans une boîte au pied de l'escalier et allumée avec un flambeau dans une de ses niches. Il éteignit la bougie et regarda Fin pensivement pendant un long moment, et sévèrement, comme si Fin était un écuyer errant.

Fin croisa le regard en silence, jusqu'à ce que Hawk saisisse ses épaules et les serre fort en disant :

— C'est *bon* de te voir, Lion. Je ne peux pas te décrire comment je me suis senti, quand j'ai vu la rivière Tay t'avaler et t'emporter vers la mer. Lorsque tu es allé sous...

Il se retourna et tripota la bougie la plus proche comme si elle avait crépité.

Fin savait que ce n'était pas le cas.

— J'ai laissé le courant me porter pendant un certain temps, de peur que quelqu'un ramasse une flèche et m'achève.

— Pour l'amour, tu ne penses pas...

— Non, non, même si tu *es* le seul homme que je connaisse qui aurait pu réussir un tel tir.

Un soudain souvenir de Catriona se vantant le fit glousser.

— Qu'y a-t-il de si drôle ?

— Ta sœur m'a dit que son frère Ivor était le meilleur archer de toute l'Écosse, et je l'ai informée farouchement que j'en connaissais un meilleur. Peut-être qu'à ce moment-là, j'aurais dû suspecter la vérité. Après tout, tu te battais aux côtés du clan Chattan contre nous.

— Oui, en effet. Mais je ne crois pas qu'aucun d'entre nous ne réfléchissait beaucoup, à la fin de cette bataille. Ce fut une affaire terrible.

— Oui, et c'est Albany qui a fait tout cela, selon Rothesay, lui dit Fin.

— Père s'est douté, vu le début, que pour tout cela, c'est Sa Majesté le roi qui avait donné l'ordre d'un jugement par combat. Albany n'aime pas nous voir ici, dans le Nord, surtout le clan Chattan. Nous étions, après tout, des alliés du dernier seigneur du Nord, et nous avons refusé de laisser son moins que rien de fils lui succéder à la place de son propre fils.

— Oui, c'est vrai. Personne dans le Nord ne pourrait vouloir que Murdoch Stewart prenne la place d'Alex à Lochindorb. Au dire de tous, Alex est un meilleur homme *et* guerrier.

— Donald des Îles pourrait préférer Murdoch, car il est le plus faible, dit Ivor. Mais oublie cela, Lion. Où es-tu allé, lorsque tu es sorti de la rivière Tay?

— Où, d'après toi?

— St. Andrews?

Fin fit un signe de tête affirmatif.

— Je vois. Tu as alors rencontré Sa Révérence. Lui as-tu raconté ce qui s'était passé?

— Oui, je l'ai fait. En ce moment, il est le seul homme à part toi qui puisse identifier le lâche qui a quitté le champ de bataille en se jetant dans la rivière.

— Lui as-tu dit que je t'ai *dit* de partir? demanda Ivor en lui lançant un regard sombre.

— Non, j'étais certain que tu lui dirais toi-même, si tu voulais qu'il le sache.

— Je te remercie pour cela, je crois. Mais cela soulève un autre problème. Tu sais, j'ai été au service d'Alex Stewart exactement comme tu es au service de Rothesay, et, pendant que nous étions aux frontières, Traill m'a envoyé chercher. Il m'a donné un message pour Alex lui demandant de se rendre à Moigh en disant qu'il n'osait rien mettre par écrit de peur que cela ne tombe entre de mauvaises mains. Lorsque nous avons rencontré Davy à Perth, quelqu'un venait juste de lui dire que nous allions plutôt nous rencontrer ici.

— C'était mon homme, Toby Muir, dit Fin. Rothesay m'a envoyé pour persuader ton grand-père d'organiser la réunion, et le Mackintosh voulait qu'elle ait lieu ici. J'ai aussi envoyé un message à Lochindorb, dans l'éventualité où Alex reviendrait pendant ce temps.

— Traill doit alors être lourdement impliqué dans ceci, n'est-ce pas?

— Oui, il m'a envoyé servir Davy il y a deux ans, dit Fin.

Deux petits coups bruyants frappés à la porte les dérangèrent tous les deux.

Lorsqu'Ivor dit « entrez » d'un ton sec, la porte s'ouvrit toute grande pour faire apparaître Catriona avec une cruche et deux gobelets dans sa main.

— Grand-mère s'est dit que vous aimeriez peut-être tous les deux boire du vin, dit-elle avec un sourire espiègle. J'ai apporté tout cela moi-même jusqu'ici, afin de préserver votre intimité. Un tel effort ne mérite-t-il pas un juste paiement?

## Chapitre 8

Catriona regarda Ivor avec méfiance tandis qu'il prenait la cruche de ses mains, essayant de décider s'il était en colère ou amusé. L'une ou l'autre de ces humeurs l'énerverait, mais la dernière serait plus sûre.

— Entre, Cat, pour que je puisse fermer la porte, dit-il. Mais je t'avertis, tu pourrais ne pas apprendre tout ce que tu veux savoir. Il y a certaines choses que tu ne dois pas entendre.

— Pour l'amour, toi plus que les autres devrais savoir que je peux garder un secret, dit-elle. Je tiendrai ma langue sur le fait que vous vous connaissez, ajouta-t-elle lorsqu'il fronça les sourcils. Mais seulement si tu me dis comment cela s'est produit.

— J'espère que ce n'est pas une menace, dit Ivor.

Le ton de sa voix envoya un frisson le long de sa colonne.

— Ne la gronde pas, Hawk, dit Fin. Je lui ai déjà promis de lui dire ce que je peux, mais je voulais parler de choses avec toi d'abord.

— Oui, eh bien, nous nous sommes rencontrés à St. Andrews, dit Ivor en prenant la cruche de ses mains, puis en enlevant le bouchon.

Tout en versant du vin dans un des gobelets, il ajouta :

— Tu te souviens que grand-père et père m'ont envoyé auprès de l'évêque là-bas, il y a quelques années.

— Pour étudier, oui, dit-elle en essayant de se rappeler ce qu'elle pouvait de ces jours-là. Quand tu es parti, je n'étais qu'une enfant, ayant six années de moins que toi.

Avec le rapide sourire inattendu qui la surprenait souvent après qu'elle l'eut agacé, il tendit le gobelet à Fin et dit :

— Je sais cela, jeune fille.

— Je voulais seulement dire que tu ne peux pas t'attendre à ce que je me souvienne de beaucoup de choses de cette période. Je devais avoir environ quatre ans, quand tu es parti. Et même si tu revenais chaque année en visite…, assez longtemps pour m'apprendre des choses telles que ramer sur notre radeau et nager…, tu étais loin, la plupart du temps, jusqu'à ce que j'aie presque 10 ans. Je ne sais rien à propos de St. Andrews, à part que tu y as appris à bien lire.

— Nous avons bien appris, oui, ainsi que beaucoup d'autres choses dans ce domaine, dit Ivor.

— Tu m'as aussi appris mes lettres et chiffres.

— L'évêque Traill croit en l'éducation de quiconque veut apprendre, ainsi qu'en de nombreux qui ne le veulent pas, dit Ivor d'un air désabusé. Il croit que si des hommes apprennent l'histoire d'endroits au-delà de ceux qu'ils connaissent, et à propos des uns et des autres, ils se comprendront mieux eux-mêmes ainsi que d'autres hommes — d'autres pays également, tels que l'Angleterre et la France, pour ne nommer que ceux-là.

— Mais si tu étudiais avec Fin… avec Sir Finlagh, corrigea-t-elle à la hâte, alors pourquoi ne savais-tu pas son nom ?

Elle jeta un coup d'œil à Fin, mais il ne dit rien.

— Pour la même raison qu'il ne connaissait pas le mien, dit Ivor. Les étudiants de Traill étudient à St. Andrews sur invitation. Il choisit surtout des plus jeunes fils de nobles puissants et d'hommes de clans, ainsi que d'autres types qui montrent des dispositions dans leurs études, ou avec des armes, ou dans d'autres domaines.

— Quels autres domaines?

Ivor sourit de nouveau.

— Un de nos amis avait déjà acquis beaucoup d'expérience dans la navigation de navires et de galères, lorsqu'il s'est joint à nous.

— Je peux voir comment les bateaux peuvent aider l'évêque à propager la compréhension, si c'est ce qu'il devait faire. Mais pourquoi un homme de l'Église presbytérienne vous a-t-il appris le maniement des armes?

— Parce que dans notre monde, de telles capacités suscitent le respect, lui dit Fin. Et quand un homme inspire le respect, les autres l'écoutent. Si ce n'est pas le cas, les hommes ne l'écoutent pas.

— Pourquoi de plus jeunes fils, alors?

Puis, elle ajouta rapidement, en s'adressant à Ivor:

— En fait, monsieur, je pense que James inspirerait le respect plus facilement, car il *héritera* de Rothiemurchus. Il pourrait même hériter du capitanat du clan Chattan.

— Oui, bien sûr, dit Ivor. Mais Traill préfère enseigner à des hommes plus enclins à entrer dans le monde. Tu vois, jeune fille, même si des fils aînés se voient conférer le titre de chevalier, tous ceux qui survivent assez longtemps finissent par devoir s'occuper de leurs domaines et de leurs gens.

— L'évêque Traill nous en a beaucoup dit, au fil des ans, dit Fin. Il cherche aussi de jeunes types qui sont moins enclins que les fils aînés à se retrouver complètement enfermés dans les rivalités de leurs clans. La raison pour laquelle votre frère et moi ne savions pas nos noms est que dès notre arrivée à St. Andrews, on nous a attribué nos noms d'étudiants...

— Hawk et Lion, dit-elle, se rappelant qu'Ivor l'avait appelé Lion.

— Oui, confirma Fin. Et les autres avaient des noms similaires. Nous devions jurer sur notre honneur de ne pas chercher à obtenir de renseignements sur les autres étudiants, leurs clans ou leurs demeures. Notre monde, pendant que nous vivions à St. Andrews, devait *être* St. Andrews, car nous venions de toute l'Écosse, et Sa Révérence ne voulait pas qu'une guerre de clans éclate au château.

— De toute façon, je le crains, j'aurais essayé de savoir, avoua Catriona.

Le sourire de Fin la réchauffa.

— L'évêque en a fait une question d'honneur, ma chère, et nous désirions tous vivement obtenir le titre de chevalier. Nous savions que si nous sacrifiions notre honneur pour satisfaire de la simple curiosité, ce but nous filerait entre les doigts. Traill croit aussi en la chevalerie. *Et* il a un fort bras droit avec un bouton.

— Alors, vous et Ivor ne vous êtes pas revus depuis, jusqu'à maintenant ?

Les deux hommes se regardèrent.

— Vous vous êtes vus ! s'exclama-t-elle. N'avez-vous pas alors appris vos véritables noms ?

—◦◦◦—

Comprenant en voyant le visage inexpressif d'Ivor qu'il laissait Fin répondre à cette question, celui-ci dit :

— Nous nous sommes revus une fois depuis. Mais seulement une fois, et dans des circonstances qui ne permirent
qu'une brève conversation.

Elle croisa son regard et sembla l'observer pendant un
long moment, avant de dire :

— Vous ne m'en direz pas plus, n'est-ce pas ?

— Pas tout de suite, dit-il. Votre frère et moi devons
encore discuter, avant de le faire.

— Alors, malgré toutes nos discussions ensemble, vous
n'avez pas encore confiance que je garderai le silence.

Il hésita, et voyant l'expression sur son visage, il sut qu'il
avait hésité trop longtemps. Un coup d'œil à Hawk... Ivor...
lui fit comprendre qu'il ne l'aiderait pas, alors Fin croisa et
soutint le regard de Catriona en disant :

— Je vous ai dit que je vous révélerais ce que je peux, et
je l'ai fait. Je vous promets que, même s'il y en a plus à dire, le
fait que je ne vous en dise *pas* davantage a peu à voir avec ma
confiance en vous et beaucoup à voir avec le fait que nous ne
savons pas encore si l'information pourrait vous mettre en
danger, ou même nous deux.

— Mais...

— Cela suffit, Cat, dit Hawk. Tu ne connais l'homme
que depuis un peu plus d'une semaine, alors tu ne peux pas
t'attendre à ce qu'il te fasse totalement confiance. Une telle
confiance ne fleurit pas si rapidement, mais doit grandir
avec le temps. De plus, si tu t'attends à ce qu'il te fasse
confiance, tu dois d'abord t'exercer à lui faire confiance.

Réfléchis, jeune fille ! Cette question en est une qu'il — et moi aussi — connaît bien mieux que toi. Si nous te disons que ce peut être dangereux pour toi d'en savoir trop, tu devrais nous faire confiance.

Fin put sentir qu'elle était réticente à accepter l'argument de Hawk. Alors, quand elle déplaça son regard vers lui, il le croisa et le soutint, jusqu'à ce qu'elle fasse la moue avec une ironie désabusée et qu'elle soupire. Il sut alors qu'elle céderait.

Tenté comme il l'était de lui promettre qu'il lui dirait tout dès que possible, il ne le ferait pas sans savoir qu'il pouvait tenir cette promesse. Il lui parlerait plus tard, de manière plus privée, et si elle voulait alors se quereller avec lui, elle le pourrait. Il put voir, à l'expression sur le visage d'Ivor, qu'il ne poursuivrait pas la discussion pour calmer sa colère et qu'Ivor avait encore des choses à lui dire.

Le silence se prolongea pendant encore un ou deux battements, avant qu'Ivor ne dise à la légère :

— Je pourrais te raconter de bonnes histoires sur Fin lorsqu'il était à St. Andrews, Cat, mais je crains qu'il n'en ait de pires à raconter sur moi.

Elle sourit alors.

— Un jour, je vous amadouerai tous les deux pour que vous me racontiez ces histoires.

— Bien sûr que oui, dit-il. Mais pour le moment, tu dois nous laisser à notre discussion. Nous te remercions pour le vin, même si je soupçonne fortement que c'était ta propre idée, et non celle de grand-mère, de nous l'apporter.

Elle gloussa, leur souhaita bonne nuit, puis quitta la chambre.

— Ne crois pas que tu vas aller quelque part, mon gars, dit Ivor.

— Non, répondit Fin en tendant son gobelet. Mais je veux encore du vin.

Ivor remplit les deux gobelets en disant :

— Il me vient à l'esprit que je ne sais pas encore exactement qui tu es. Ne crois-tu pas qu'il est temps que tu me le dises ?

— En effet, oui, dit Fin, plusieurs manières de le dire lui traversant l'esprit.

Optant pour le franc-parler, il dit :

— Mon père était Teàrlach MacGillony.

— Le roi des archers qui est mort à Perth. Ce devait être l'homme auprès duquel tu étais agenouillé quand je t'ai vu. Je n'étais pas sûr alors que c'était toi, jusqu'à ce que tu te relèves. Alors, tu es un vrai Cameron, et non pas quelqu'un appartenant à une des tribus mineures. As-tu révélé ce fait intéressant à mon grand-père ?

— Cela n'a pas été nécessaire. Il a dit que j'étais le portrait de mon père et m'a réprimandé sévèrement d'avoir dit à Lady Annis que son nom était Teàrlach MacGill. Il a dit que mon père m'aurait frappé dur pour avoir dit une telle chose. Il l'aurait fait, c'est certain.

— Ce fut un jour terrible, la bataille à Perth, dit Ivor d'un ton sérieux. Nous allons devoir leur avouer la vérité, tu sais.

— Que veux-tu dire ? demanda Fin en espérant que ses pensées plus profondes à propos de vengeance et de serments sacrés ne se voyaient pas. N'as-tu pas... ?

— Je crains de n'avoir pas été entièrement honnête après, avec mon père et d'autres du clan Chattan, et James n'y était pas. Il manie une épée habilement, mais il n'a pas gagné son titre de chevalier. Et, comme tu te souviendras, l'ordre royal exigeait trente champions de chaque côté, ce jour-là.

— Alors, tu es un meilleur bretteur que James. Cela ne me surprend pas, Hawk. Tu es plus habile que la plupart, mais pas autant qu'avec un arc.

— Pas assez adroit avec une épée pour te battre, Lion. Mais, pour l'amour, je me dis que nous ferions mieux de commencer à nous appeler Fin et Ivor, maintenant.

— Qu'as-tu *dit* à tes gens?

— Après que tu eus plongé, père a demandé ce que tu m'avais dit. C'était facile, puisqu'aucun de nous deux n'a dit grand-chose qui pouvait porter à conséquence.

— J'ai dit ton nom, lui déclara Fin. Je ne me souviens pas de ce que j'ai dit ensuite.

Puis, il se rappela effectivement d'autre chose.

— J'ai dit qu'ils t'écorcheraient, mais tu m'as dit que tu serais un héros. Ce n'est qu'après que j'ai compris que tu voulais dire qu'ils te traiteraient de lâche. Et je l'étais aussi, je crois. Mais je ne pouvais pas me battre contre toi.

— Ne sois pas idiot. Serais-tu entré dans cette rivière, si je ne t'avais pas pressé de le faire? Et ne fais pas semblant que je ne l'ai pas fait. Tu m'as clairement entendu et compris.

— Ah oui? Je doute qu'à ce moment-là, j'aie réfléchi, ne serait-ce qu'un peu.

— Dirais-tu en me regardant droit dans les yeux que je n'ai rien à voir avec ton départ?

Fin secoua la tête.

— Tu sais que je ne le ferai pas. Mais je ne suis pas d'accord non plus avec le fait que tu devrais leur dire que c'était ton idée. J'ai fait le choix, mon ami.

— Sommes-nous toujours amis, dans ce cas ? Rien n'a changé ?

— En ce qui me concerne, toi et moi sommes toujours aussi proches que des frères. Pour l'amour, je me sens plus proche de toi que je ne l'ai jamais été de Ewan.

Le rappel de la vengeance qu'il avait juré de revendiquer surgit alors si fort dans son esprit que c'est tout ce qu'il put faire pour ne pas grimacer en guise de réponse. Mais comment pourrait-il un jour tuer le père de son meilleur ami, le père de Catriona ? Il entendit alors sa voix dans sa tête. « La vie est toujours plus importante que la mort », avait-elle dit. « Un homme honorable ne peut tuer pour protéger son honneur. »

— Qu'y a-t-il ? lui demanda Ivor.

— Rien, répondit Fin. Si tu ne leur as pas dit la vérité, alors que leur as-tu *dit* ?

— Je leur ai dit la même chose qu'à toi, que j'avais assez tué pour une journée et que je pensais que quelqu'un de ton côté devait rester en vie pour donner sa version des faits. Père était certain que tu avais dû te noyer, mais nous devrons lui dire, ainsi qu'à grand-père, la vérité — oui, et à James aussi.

— Et à Catriona, dit Fin. Cette perspective ne me réjouit guère.

— Alors, tu ne lui as pas parlé de Perth, même pas que tu y étais ?

— Je ne lui ai pas mentionné Perth.

Il lui vint à l'esprit qu'à St. Andrews, Hawk aurait été la première personne à qui il aurait confié son dilemme. Ils en auraient parlé jusqu'à ce que les deux tombent d'accord sur la meilleure ligne de conduite à adopter. Qu'il ne puisse pas le faire maintenant s'ajoutait à la douleur que son indécision lui avait coûtée au fil des ans.

— Tu dois le lui dire, dit Ivor. Mais recule, quand tu le feras. Nous ne l'appelons pas « chatte sauvage » sans raison. Elle a des griffes, aiguisées, et même si elle les garde rentrées la plupart du temps, elle n'hésite pas à les utiliser lorsqu'elle est en colère.

— Comme je l'ai dit plus tôt, j'ai vu qu'elle est soupe au lait, mais elle semble généralement garder la maîtrise d'elle même, dit Fin.

— Attends seulement, l'avertit Ivor avec un grand sourire. Maintenant, je garde ici un cornet à dés. Es-tu d'humeur à lancer contre moi pendant un moment ?

— Oui, bien sûr, répondit Fin en tirant un tabouret, pendant qu'Ivor approchait une table près du lit étroit pour s'y asseoir ensuite.

Pendant ce temps, Fin eut soudain une vague idée que l'enfer pourrait simplement être un endroit où chaque résidant était confronté à un dilemme comme le sien, et où la seule façon d'en sortir était de trouver la bonne réponse à une question à laquelle il était impossible de répondre.

⚬⚬⚬

Catriona s'était arrêtée à l'extérieur de la porte d'Ivor, car en la refermant, elle avait entendu Ivor dire :

— Ne crois pas que tu vas aller quelque part, mon gars.

Mais une fois la lourde porte fermée, elle ne put entendre que le bourdonnement de leurs voix. Elle arrivait à différencier la voix de Fin de celle d'Ivor, mais ne put comprendre leurs mots.

De plus, elle savait qu'il pourrait venir à l'esprit d'Ivor qu'elle essaierait d'écouter. S'il l'attrapait, elle ne voulait pas penser aux conséquences.

Elle n'avait pas envie de se rendre à sa propre chambre, car elle n'avait pas sommeil, et Ailvie serait là. Elle ne voulait pas non plus rejoindre les dames âgées. Elle voulait réfléchir, ce qui demandait de la solitude, alors elle se dirigea sans bruit en bas, vers la cuisine.

Il faisait sombre, à part la lueur des braises dans l'immense foyer. Mais les braises diffusaient suffisamment de lumière pour lui indiquer le chemin jusqu'à l'arrière-cuisine et révéler Boreas enroulé près du feu avec le chaton qui l'avait adopté vautré sur son cou. Boreas ouvrit les yeux, puis les referma lorsque Catriona lui fit signe de rester.

Soulevant la barre à la porte de l'arrière-cuisine, elle l'entrouvrit et sortit. Puis, s'appuyant contre le mur, elle inspira l'air frais de la nuit et se détendit, regardant l'épaisse couverture d'étoiles dans le ciel sans lune, tout en réfléchissant à ce qu'Ivor et Fin lui avaient dit et en essayant d'imaginer leur vie à St. Andrews.

En faisant cela, elle s'aperçut que les deux hommes avaient beaucoup en commun. Tous deux arboraient un air de confiance tranquille, et de ce qu'elle avait pu voir concernant l'adresse de Fin avec une épée, il était presque aussi bon bretteur qu'Ivor. Elle sourit, se rendant compte qu'ils devaient tous les deux avoir pensé à Ivor, lorsqu'ils s'étaient disputés à propos des grands archers.

Elle avait toujours cru qu'Ivor était facile d'approche, et, comparé à James, il l'était. C'était encore plus facile de parler à Fin, car il montrait plus d'intérêt à ce qu'elle disait. Ivor était impatient et moins à même d'écouter aussi attentivement et de parler de sujets aussi en profondeur que Fin. Et Ivor n'avait jamais remué ses sens de la manière…

Sentant ses joues en feu devant la direction que prenaient ses pensées vaines, et imaginant la réaction outragée d'Ivor devant une telle comparaison, elle se rendit compte que Fin lui damait le pion d'une autre façon. Même si elle avait toujours essayé d'éviter de mettre Ivor en colère, la seule pensée de mettre Fin en colère la troubla encore plus.

Où Ivor rageait et pourrait même assouvir sa vengeance, Fin n'avait qu'à la regarder pour lui faire sentir son mécontentement. Réfléchissant alors à d'autres sensations que pourrait lui faire ressentir Fin, elle laissa son imagination s'attarder sur ces pensées.

Comprenant tout à coup que plus elle resterait longtemps, plus elle risquait d'être découverte, elle rentra à l'intérieur et remit en place la barre contre la porte, espérant qu'elle ne rencontrerait pas son père en montant. Avec autant d'hommes supplémentaires au château, Shaw n'accepterait pas l'excuse selon laquelle elle cherchait simplement de la solitude et de l'air frais. Grimaçant à l'idée de sa réponse la plus vraisemblable — qu'il lui donnerait toute la solitude dont elle avait besoin en la confinant dans sa chambre pendant une semaine —, elle se dépêcha.

— Il y a une autre chose que j'aimerais te demander, dit Fin après que lui et Ivor eurent parié des sommes exorbitantes, quoique imaginaires, en lançant les dés pendant un moment. Écoute, j'ai réfléchi encore à l'évêque Traill et à notre rencontre ici.

— Moi aussi, déclara Ivor en mettant les dés dans le gobelet.

Réprimant un bâillement, il ajouta :

— Traill pourrait avoir *beaucoup* plus à voir avec cette affaire que nous le croyions.

— Je commence à le penser, admit Fin. En tant qu'évêque de St. Andrews, il est écouté par la famille royale et ainsi exerce une influence sur le roi et la reine, ainsi que sur Rothesay, alors peut-être qu'il influence Albany également. Et peut-être…

Il fit une pause.

— Sais-tu déjà qui d'autre assistera à la réunion de Rothesay ici ?

— Je croyais qu'il n'y aurait que mon grand-père, mon père, Alex et les grouillots de Davy. Veux-tu dire qu'il y aura aussi une autre personne ?

Fin fit un signe de tête affirmatif.

— Le seigneur des Îles.

— Donald ? Mais tout le monde à Great Glen — oui, et à l'ouest aussi — fera tout ce qu'il pourra pour empêcher leurs navires d'atteindre la côte, encore moins lui permettre de traverser leurs territoires avec son armée pour se rendre ici. Pour l'amour, tout le monde sait qu'il désire régner sur la partie ouest des Highlands, et plus. Comment diable se rendra-t-il ici ?

— Il transportera des sauf-conduits donnés par Rothesay et le Mackintosh. Il n'amènera pas d'armée, mais seulement une petite file d'hommes, comme le fera Alex, dit Fin. Vois-tu, Rothesay a besoin des deux avec lui pour résister à Albany. Le Mackintosh suggère, et je suis d'accord avec lui, que Davy voudra probablement que les deux lui promettent leurs votes, lorsque son mandat provisoire comme gouverneur du royaume expirera, dans six mois. Après tout, s'ils approuvent cela, la plupart des hommes qui *les* soutiennent soutiendront également Davy.

— Alors, il est possible que quelqu'un d'autre de notre groupe soit au service de Donald, comme je suis au service d'Alex, et toi, de Davy. Un certain nombre d'entre nous peut être mêlé à ceci.

— Oui, approuva Fin, et si c'est le cas, nous devenons impliqués dans un bien plus grand complot contre Albany, n'est-ce pas ? Je m'inquiète du fait que plus Davy implique de gens, plus le risque qu'Albany l'apprenne augmente.

— Je parie que c'est déjà le cas. Est-ce que Davy se rend compte du danger qui pèse sur *lui* ?

— Il sait qu'Albany veut ravoir la gouvernance entre ses mains. En fait, Davy pense que son oncle convoite le trône.

— Albany n'est pas le prochain sur la liste, fit remarquer Ivor.

— Non, mais James, le frère de Davy, n'a que sept ans, et Albany est le prochain après lui.

— Certains diraient qu'Albany est mieux à même de prendre le trône que Davy. Beaucoup plus de gens sont d'accord que l'Écosse a besoin d'un roi plus fort.

— Oui, mais Davy est l'héritier, et je crois qu'il fera un roi fort. Vois-tu, il croit en les personnes. Albany ne croit qu'en l'acquisition du pouvoir pour Albany.

— Nous devrons attendre, alors, et voir qui triomphera, n'est-ce pas ?

— Oui, dit Fin.

Mais il sentit un frisson remonter le long de sa colonne en disant cela.

— Je suis prêt à aller me coucher, déclara Ivor. Je n'ai pas dormi une nuit entière depuis quatre mois.

— Alors, je vais te laisser dormir, dit Fin en lui tendant la main. Je suis content de t'avoir comme mon ami, Hawk, et serai heureux de parler de nouveau avec toi.

Saisissant fermement la main tendue, Ivor la secoua en disant :

— Moi aussi, Lion.

Fin s'en alla alors, espérant qu'ils seraient toujours amis lorsque les événements qu'ils avaient mis en marche seraient terminés.

Tandis qu'il prenait la courbe éclairée à la lueur des torches avant d'arriver à son palier, il rencontra Catriona, qui montait rapidement l'escalier. Elle s'arrêta, le fixa avec des yeux écarquillés, ses joues baignant de rouge.

Amusé, il demanda d'un ton sévère :

— Et quelle bêtise avez-vous faite, ma jeune fille, pour que vos joues soient aussi enflammées ?

Catriona resta bouche bée en regardant Fin, sentant son regard avec chaque fibre de son être.

Se tenant debout deux marches au-dessus d'elle, il parut plus grand et large que jamais, et il remplit l'escalier de façon qu'elle sache qu'elle devrait se frotter contre lui pour passer.

Elle sentit la chaleur sur ses joues se répandre ailleurs, quand la pensée de se coller contre lui se transforma en une image mentale qui incluait ses bras se glissant autour d'elle et la tirant vers lui. Elle prit une brusque inspiration, mais n'arriva pas à réfléchir.

— Cat a votre…

Il s'arrêta en gloussant.

— Je m'attends à ce que cette vieille scie ne trouve pas beaucoup de grâce auprès de vous, n'est-ce pas ?

— Non, en effet, même si mes frères ont pendant long-temps pris plaisir à trouver de nouvelles façons pour dire de tels propos. Une des préférées de James était de toujours promettre qu'il pourrait faire quelque chose avant que Cat ne puisse lui lécher l'oreille.

— Est-ce votre manière délicate de me dire qu'il serait plus sage de ne pas vous appeler Cat, comme ils le font ?

— Non, ce n'est pas ce que je voulais dire.

Consciente qu'elle se tenait à l'extérieur de la chambre de sa mère et se demandant si les autres femmes étaient mon-tées, ou les hommes, elle jeta avec méfiance un coup d'œil à la porte fermée.

Apparemment inconscient de son inquiétude, il dit sur un ton normal :

— Vous ne m'avez toujours pas dit ce qui est arrivé pour que vos joues soient si rouges.

— Peut-être que vous n'êtes pas au courant que vous me bloquez le chemin.

— Vraiment?

Il descendit une marche.

Une tension remplit l'air autour d'elle, dressant ses poils sur ses bras et asséchant ses lèvres. Elle les mouilla avec le bout de sa langue, jeta de nouveau un coup d'œil à la porte de la chambre de sa mère et tendit l'oreille pour voir si elle entendrait des pas qui pourraient être ceux de son père montant l'escalier. Levant les yeux vers Fin, elle murmura :

— Vous savez que vous le faites.

Ses yeux scintillèrent.

— Non, pourquoi le ferais-je? Nerveuse, jeune fille? Je parie alors que vous *avez* commis une bêtise. Si c'est le cas, et si je vous laisse passer, je crois que je devrai demander des frais de péage comme petite pénalité pour votre mauvaise conduite.

— Je ne me suis pas mal conduite.

— Ah, mais si. Pour quelle autre raison continuez-vous à regarder la porte comme si vous vous attendiez à ce qu'elle s'ouvre, et qu'un ogre bondisse hors de la chambre et vous appelle pour que vous vous expliquiez?

— Je vous en prie, monsieur, baissez le ton. N'importe qui sur cet escalier vous entendra.

Mais elle regarda de nouveau vers la porte, certaine qu'elle *était* sur le point de s'ouvrir brusquement.

— Si vous craignez une découverte, vous feriez mieux de vous rendre en haut, non? Je dirai simplement à toute personne qui viendra que je flirtais avec une servante qui depuis s'en est allée.

— Pour l'amour du ciel, flirtez-*vous* avec des servantes chez d'autres gens ? Je croyais qu'il n'y avait que votre maître royal qui faisait cela. Mais je suppose que j'aurais dû savoir que vous étiez exactement comme lui.

Ses yeux se plissèrent dangereusement, mais avant qu'elle n'ait eu le temps de comprendre que la sensation qui remontait dans sa colonne n'était pas de la peur, mais une grande joie de l'avoir ému devant un tel regard, elle disparut.

— Allez-vous me dire où vous étiez, ou pas ? demanda-t-il.

Faisant semblant de réfléchir à la réponse qu'elle lui donnerait, elle dit :

— Non, je pense. Pourquoi devrais-je vous faire confiance à propos d'une telle confidence, alors que vous ne me faites pas confiance ?

— Alors, cela vous reste encore sur le cœur, n'est-ce pas ?

Il descendit encore, afin de se retrouver debout sur le palier avec elle, la bousculant pour voir si elle reculerait.

Elle ne bougea pas, mais son corps frémit à cause de sa proximité.

— Je n'insisterai pas pour que vous me le disiez, dit-il doucement. Mais, comme Ivor et moi vous l'avons dit, si un mot concernant ce dont nous avons discuté sort au-delà de ces murs, cela pourrait mettre d'autres personnes en danger. Je parierais que vous seule, vous vous mettriez en danger en répondant à *ma* question.

— Peut-être, dit-elle, mais vous voulez savoir, et cela nous met à égalité.

— Vraiment ?

Il mit un doigt sous son menton, relevant ainsi son visage. Rapprochant suffisamment son propre visage pour qu'elle puisse sentir son souffle sur ses lèvres, il dit doucement :

— Êtes-vous certaine maintenant que nous sommes à égalité, petite Cat ?

Rien que le bout de ce doigt sembla brûler et traverser sa peau douce sous son menton, et elle pouvait sentir l'odeur subtile de vin sur le souffle qui caressait ses lèvres. Sans qu'elle en ait conscience, ses lèvres s'entrouvrirent.

Il se pencha plus près, lentement, si lentement qu'elle n'arrivait pas à penser, ni même à respirer. Elle ne pouvait qu'anticiper le moment où ses lèvres toucheraient les siennes.

L'instant s'étira jusqu'à ce que son corps entier frissonne et s'échauffe, puis sa bouche effleura la sienne…, légèrement et si doucement qu'elle aurait dit que ce n'était rien de plus qu'un vent chaud qui avait suivi son souffle sentant le vin et qui la caressait.

Il recommença, et elle se concentra si fort sur ce qu'il ferait après avec sa bouche que lorsque ses mains touchèrent ses épaules et les caressèrent légèrement en descendant, elle haleta et se pencha vers lui, sur la pointe des pieds, pressant ses lèvres contre les siennes.

Ses lèvres à lui étaient chaudes et douces, mais elle eut à peine le temps de laisser cette pensée entrer dans son esprit, avant qu'il ne glisse ses bras autour d'elle et que sa main droite remonte lentement le long de son dos, puis sous son voile, jusqu'à ce que ses doigts puissent se faufiler dans les tresses sous sa nuque. Il la tint ainsi, l'embrassa et goûta ses lèvres avec sa langue, d'abord doucement, puis de manière plus pressante, jusqu'à ce qu'elle les entrouvre et qu'il glisse sa langue à l'intérieur de sa bouche.

La main restée sur son épaule se déplaça lentement, d'une façon cruellement tentante vers le creux de ses reins, taquinant ses sens tandis qu'elle bougeait. Puis, il la pressa plus fort contre lui, jusqu'à ce qu'elle sente son corps à lui se mouvoir contre le sien. Sa bouche fit des mouvements de manière plus possessive alors que sa langue explorait la sienne, et elle put sentir ses seins gonfler contre son corps. Ils s'étaient éveillés à son toucher, d'une manière qu'elle n'avait jamais ressentie.

Avec un soupir, il lui donna un dernier doux baiser sur les lèvres, puis la remit sur ses talons. D'une façon quelconque, ses mains vinrent de nouveau se poser légèrement sur ses épaules.

Elle cligna des yeux et leva son regard vers lui, espérant qu'il ne s'était pas arrêté.

— Montez à votre chambre, maintenant, jeune fille. Mais nous devrons discuter de nouveau. M'accompagnerez-vous à pied sur la rive encore demain matin, tôt ?

Elle le fixa des yeux, se demandant ce qui lui avait pris à elle..., pour l'amour, à lui ! S'imaginait-il qu'un tel baiser signifiait qu'elle en voulait plus ? Que croyait-il ?

Luttant pour paraître en pleine possession de ses moyens, elle dit :

— Ailvie devra venir avec nous. Mon père n'aimerait pas qu'il en soit autrement.

Il fronça les sourcils.

— Je ne veux pas partager ce que j'ai à vous dire avec quelqu'un d'autre, jeune fille. Cela suffira-t-il, si elle marche suffisamment loin derrière nous pour nous voir, mais sans nous entendre ?

— Oui, je le lui dirai.

— À l'aube, alors, dit-il. Maintenant, partez.

## Chapitre 9

$\mathscr{F}$in attendit que Catriona disparaisse derrière la courbe de l'escalier tournant, avant d'ouvrir la porte de sa chambre. La lueur chaude d'une bougie l'accueillit.

Comme il l'avait prévu, Ian Lennox attendait pour l'aider avec ses ablutions. La brosse et les hauts-de-chausse qu'il tenait firent comprendre à Fin que Ian avait vaqué à ses tâches habituelles.

Lorsque Ian leva les yeux en souriant pour le regarder, Fin referma la porte et dit carrément :

— Combien en as-tu entendu, juste maintenant, de ce qui s'est passé dans l'escalier ?

Le sourire de Ian s'évapora.

— Seulement assez pour savoir qu'une des voix était la vôtre, monsieur. Je n'ai rien entendu venant de l'autre personne et n'aurais même pas pu dire si vous parliez en gaélique ou en écossais. Mais vous savez bien que je ne répéterais jamais rien de ce que j'ai entendu.

— Je sais cela, Ian. Mais pendant que nous nous trouvons ici, à Rothiemurchus, je veux que tu surveilles d'encore plus près ta langue. Aussi, je veux que toi et Toby appreniez tout ce que vous pouvez des autres dans la cour et dans la salle. Pratique ton gaélique, car des ennemis pourraient sous peu nous encercler, malgré l'espoir de Rothesay de trouver des alliés.

— Des ennemis, monsieur ? Pas seulement le duc d'Albany ?

— Le seigneur des Îles viendra ici. Il n'aime pas le seigneur du Nord, et encore moins les Highlanders qui résistent à sa soif personnelle et insatiable de les ajouter à son royaume. En fait, Donald régnerait sur les Highlands de la côte ouest jusqu'à Perth.

— Qu'en est-il du seigneur du Nord, monsieur ? Je ne sais rien sur cet homme, à part que la nombreuse progéniture de son père était toute constituée de bâtards.

— Tu serais sage de ne pas jacasser sur ce sujet ici, d'après moi, dit Fin.

— Je ne jacasse pas, dit Ian. Y a-t-il autre chose à propos de l'homme que je devrais savoir ?

— Je me doute qu'il convoite plus de territoire, comme le fait Donald. Alex a assumé la gouvernance du Nord, quoique Albany ait nommé son propre fils comme héritier. Mais les gens dans les environs sont sans doute reconnaissants à ce sujet. Ils semblent apprécier Alex.

— Je connais le fils d'Albany, déclara Ian en déposant à côté les hauts-de-chausse bien brossés. Je l'appellerais un homme gros et lisse ayant la vie facile, et non pas un homme possédant des compétences chevaleresques.

— Il n'en a pas, approuva Fin. Pour l'amour, Albany lui-même le déteste.

Ian ricana.

— Le nouveau comte de Douglas est pareil. Des hommes ont appelé son père Archie le Grim, mais ils appellent le fils le Tyneman, car il est un si mauvais chef. Pourquoi, d'après toi, des hommes puissants engendrent-ils si souvent de faibles fils ?

— Je peux seulement te dire ce que mon père en a dit, déclara Fin. Il était un chef de clan guerrier, alors il a vu ce qui est arrivé à de tels hommes. Il a dit que la plupart des hommes puissants n'ont confiance qu'en eux-mêmes pour résoudre correctement des problèmes. Ainsi, ils corrigent constamment leurs fils, essayant de leur enseigner à réfléchir comme *eux*, plutôt que des manières de prendre les bonnes décisions. Le résultat, a-t-il dit, est qu'ils enseignent plutôt à leurs fils à avoir un peu ou pas de confiance du tout en leurs propres opinions — contrairement à ce que cherchent à faire la plupart des pères.

— Mais n'est-ce pas la façon dont tout père apprend à son fils, en corrigeant ses erreurs ?

— Un père sage agit autrement, dit Fin. Ou c'est ce que m'a dit mon propre père. Il a dit qu'il est plus important qu'un homme apprenne à faire confiance à ses propres instincts et à ses propres décisions, plutôt que de croire qu'il doit essayer de les modeler sur ceux de quelqu'un d'autre.

— Pour l'amour, dit Ian, comment peut-on enseigner *cela* à quelqu'un ?

— De la même manière que, je l'espère, je t'enseigne, répondit Fin. En te laissant prendre des décisions dans toutes les situations où tu peux faire une erreur en sécurité, afin que tu puisses apprendre de ces erreurs. Une erreur qu'un homme peut voir et mesurer lui-même — si cela ne le tue pas — lui enseignera bien plus que ne le pourrait un parent ou un supérieur.

— Mais vous me le dites, quand je me trompe, dit Ian avec une grimace presque comique.

— Oui, bien sûr que je le fais. C'est une des conséquences de ton erreur. Mais tu remarqueras que j'interviens rarement à l'avance pour t'empêcher de *commettre* l'erreur.

— En effet, monsieur, j'ai remarqué, et je vous ai maudit pour cela plus d'une fois, quand je croyais que vous m'aviez *peut-être* averti, dit Ian sèchement. Toutefois, il me vient à l'esprit que vous ne m'avez pas donné une claque depuis un certain temps déjà.

— Tes décisions et ton jugement se sont améliorés, mon gars. Et tu as acquis plus de confiance depuis peu. Il en résulte que tu réfléchis et agis plus rapidement et avec plus de fermeté, ce qui fait que les hommes que tu commandes ont plus confiance en toi.

— Ils ne le montrent pas toujours.

— Que fais-tu, quand c'est le cas ? lui demanda Fin.

Ian sourit.

— Je viens chercher conseil auprès de vous, bien sûr.

— Alors, toi et moi discutons de la situation en privé entre nous, oui. Mais tu sais, si un homme est toujours en train de se demander ce qu'un mentor dirait ou ferait, il ralentit tout le processus de la décision, ce qui serait une erreur fatale lors d'une bataille. Mais en observant et en apprenant à partir des erreurs des autres et en discutant de ce qui ne va pas tel que tu l'aurais cru, tu apprends aussi quel genre de chef exactement tu *veux* être.

— Je pense que je le sais bien, maintenant, monsieur, dit Ian en le regardant droit dans les yeux.

— Oui, eh bien, nous verrons. En attendant, je n'aurai pas besoin de toi demain matin, alors tu peux rattraper ton manque de sommeil, à moins que Toby n'ait besoin de ton aide.

Ian opina de la tête, et dix minutes plus tard, Fin se retrouva seul dans la chambre sombre.

Mais cela lui prit un certain temps pour s'endormir. Il pouvait encore goûter les lèvres de Catriona et sentir son corps souple, plantureux et chaud dans ses bras. Cette sensation faiblit, tandis que ses pensées à propos d'elle l'emmenaient dans une autre direction.

Étant arrivé à la conclusion qu'il devait lui parler de son rôle dans la bataille à Perth et de ce qui s'y était passé, il essaya d'imaginer comment lui dire la vérité d'une façon qui ne la ferait pas le détester. Comme il réfléchissait, il lui vint à l'esprit que dès qu'il lui avait dit être allé à Perth, elle en déduirait que c'était là que lui et Ivor avaient eu la seule rencontre qu'ils avaient admis avoir eue depuis leur séjour à St. Andrews.

Étrangement, l'urgence à résoudre ce dilemme s'était évanouie.

Il ne le ressentait plus comme étant imminent, attendant que tombe sa garde pour que sa conscience — ou la présence de son père, qu'il ressentait si souvent dans son esprit — puisse le rouer de coups pour avoir échoué dans l'accomplissement de son legs sacré.

Au début, pendant qu'il parlait si noblement à Ian au sujet de l'apprentissage de la prise de bonnes décisions, il avait eu l'impression que le fantôme de Teàrlach MacGillony attendait de revenir à la vie et de lui lancer des éclairs par l'entremise de reproches.

Au lieu de cela, cette conversation semblait avoir calmé son sentiment d'urgence encore plus.

Après qu'Ailvie se fut retirée vers son propre lit de camp, Catriona s'était allongée sur son lit, essayant de trier ses pensées concernant Fin. Pendant un moment, elle se laissa s'éterniser sur des souvenirs de leur baiser et sur des pensées quant à savoir où il imaginait que cela pourrait mener. Était-ce la raison pour laquelle il voulait marcher avec elle? Croyait-il qu'elle allait l'épouser et le laisser l'emmener au loin, uniquement pour la laisser à Lochaber avec ses gens pendant qu'il partirait s'occuper de ses devoirs chevaleresques?

Quel genre d'homme était-il exactement?

Repensant à ce que lui et Ivor avaient raconté à propos de St. Andrews, elle décida que l'information ne l'aidait en rien à comprendre ce qui se passait à Rothiemurchus. Ils étaient alors des garçons, et non des hommes impliqués dans des actions dangereuses.

Les deux étaient chevaliers et avaient de l'expérience sur le front. Et ils ne s'étaient rencontrés qu'une seule fois depuis St. Andrews, dans des circonstances qui les avaient empêchés de connaître leurs véritables noms respectifs.

Sa réflexion suivante vint facilement, mais la fit sursauter, au point qu'elle arriva à peine à penser plus loin. Elle ne pouvait imaginer qu'un seul événement ayant peut-être permis une telle rencontre, et si c'était le cas, ce n'était pas étonnant qu'ils ne lui fassent pas confiance pour garder le silence.

S'ils s'étaient rencontrés dans une bataille et que Fin avait essayé de tuer Ivor, ou Ivor de tuer Fin…

Qu'est-ce que son père ou sa mère auraient pensé de cela? Ou ses grands-parents!

Mais si les deux s'étaient pardonnés l'un l'autre…

Elle essaya de réfléchir plus en profondeur à cela, mais ses pensées allèrent à la dérive vers la promenade matinale qu'elle ferait avec Fin. Elle se demanda s'il nagerait de nouveau. Cette pensée éveilla les mêmes sensations qu'elle avait ressenties lorsqu'il l'avait embrassée sur l'escalier, et elle laissa ses pensées s'attarder encore sur l'image de lui marchant nu sur la rive.

Elle se demanda comment elle se sentirait, si elle nageait avec lui, l'étreignait sous l'eau, sentait sa peau toute mouillée et douce, touchait tout son corps et le laissait la toucher.

Un grattement familier à la porte l'arracha brutalement à son imaginaire.

Se levant, elle laissa Boreas entrer dans la chambre, gloussant à la vue de la minuscule ombre grimpant sur le palier derrière lui et se précipitant sur le chien dans la pièce. Lorsqu'elle grimpa de nouveau dans le lit et qu'elle souffla sa bougie, les deux étaient allongés à côté du lit, le chien enroulé autour du chaton, qui exprimait sa satisfaction en ronronnant beaucoup plus fort que sa taille semblait le justifier.

Catriona ferma les yeux pour retourner à son imaginaire et se réveilla plus tôt que d'habitude, dans un sursaut et une crainte explosive d'être en retard, alors que Fin serait déjà sorti puis rentré. Un regard par la fenêtre la rassura.

Le ciel s'était éclairé, mais le soleil n'avait pas passé par-dessus les montagnes.

Enfilant sa tunique bleue, elle décida de ne pas réveiller Ailvie, mais mit rapidement son châle autour de ses épaules, avant de se précipiter dans la cour avec Boreas et son minuscule ami sur ses talons, avançant à leur manière. Ils traversèrent la cour, et, lorsqu'un homme d'armes se plaça devant, elle dit :

— Je vous en prie, ouvrez la clôture, je vais marcher.

— Oui, bien sûr, m'dame. Avec tous ces autres rustres autour, vous devriez savoir que Sir Finlagh sera là quelque part. Il veillera probablement à votre sécurité.

Avant qu'il ne parle, elle n'avait pas considéré qu'il pourrait essayer de l'arrêter, mais elle savait qu'elle aurait dû emmener Ailvie. C'est ce que son père aurait dit. Mais son grand-père l'avait laissée marcher à l'extérieur du mur avec Fin, alors peut-être que Shaw n'y verrait pas d'objection.

Fin n'était qu'un homme, après tout. Et elle pouvait prendre soin d'elle-même.

Boreas courut devant elle en bondissant, et, tandis que son regard le suivait, elle vit Fin marcher à grands pas dans sa direction. Une envie irrépressible de courir vers lui s'empara d'elle. Pour l'étouffer, elle se pencha pour prendre le chaton, mais il échappa à ses mains et se précipita furieusement vers le chien.

Fin s'arrêta pour les regarder, souriant, et, tandis qu'elle s'approchait de lui, il dit :

— J'ai vu des amis plus bizarres, je suppose. Mais Boreas ne semble pas adorer les grands pas.

— Oui, et parfois à la grande tristesse du chaton. Il aime courir après ses pieds, et quand il se précipite vers ses pattes avant, il arrive qu'il reçoive un coup des pattes de derrière et qu'il vole dans les airs.

— J'ai confiance que vous avez bien dormi, dit-il.

Se rappelant ses scènes imaginaires avant de s'endormir et les restes toujours présents d'au moins un rêve, elle sentit de la chaleur lui monter aux joues, comme la nuit dernière.

Pour détourner son attention, de peur qu'il demande de nouveau la raison de ses rougeurs, elle dit :

— Est-ce que vous et Ivor, vous vous êtes rencontrés lors d'une bataille, monsieur ? Est-ce pour cela que vous ne voulez pas m'en dire plus ?

⋙∘⋘

Fin décida que la jeune fille était soit une sorcière, soit une personne bien trop observatrice et à l'esprit vif pour la paix de l'esprit d'aucun homme.

Que ses rougeurs aient fait en sorte qu'il veuille la saisir et l'embrasser fit peu pour calmer son inquiétude. Il n'avait pas voulu commencer son explication par la bataille.

Afin de gagner du temps, il dit :

— Qu'est-ce qui vous fait croire cela ?

Elle releva la tête.

— On vous appelle Fin des Batailles, n'est-ce pas ? Et vous êtes tous deux des chevaliers. De plus, vous avez dit que l'endroit et le moment excluaient la possibilité de connaître les véritables noms de chacun. Qu'y a-t-il de plus vraisemblable que vous vous soyez rencontrés lors d'une bataille ?

— Nous nous sommes effectivement rencontrés lors d'une bataille, oui, et à la fin de celle-ci, pour être précis, répondit-il, résigné.

— Ma foi, vous êtes-vous battus l'un contre l'autre ?

— Non.

— Mais si vous vous battiez du même côté, alors sûrement...

— Nous n'étions pas du même côté, dit-il. Éloignons-nous du château en marchant, jeune fille. Si nous allons nous disputer à ce sujet, je préfère ne pas le faire devant un public composé des hommes de votre père postés sur le mur.

— Est-il vraisemblable que nous nous querellions ?

— Je ne sais pas. Vous déciderez cela.

Elle opina de la tête, et ils marchèrent en silence jusqu'à ce qu'ils atteignent la zone boisée.

Puis, il dit :

— Vu que vous avez apparemment oublié d'emmener votre servante, devrions-nous nous arrêter où ils peuvent encore nous voir, ou pouvons-nous entrer dans les bois ?

— Nous pouvons entrer dans les bois, répondit-elle. Mon grand-père vous fait confiance, et je m'attends à ce que mon père ait décidé de vous faire confiance aussi. Voyez-vous, le gardien à la clôture m'a dit que malgré les hommes supplémentaires au château, je serais en sécurité ici, avec vous.

— En fait, il a dit cela ?

Avec un nouveau signe de tête, elle passa devant lui et entra dans les bois, puis ils longèrent le chemin qu'ils avaient déjà pris auparavant. Tout en marchant, il se demanda quelle sorte de jeu le Mackintosh et Shaw pourraient être en train de jouer qui lui permettrait autant de liberté avec elle. Avaient-ils mis autant de foi dans la trêve entre les deux confédérations ?

Qu'ils lui fassent tout simplement confiance était décon-certant, vu que le Mackintosh connaissait son identité et qu'il l'avait sûrement révélée à Shaw à la première occasion. D'après l'expérience de Fin, la confiance d'autres personnes créait souvent un sens des responsabilités fort, et parfois même lourd. À la lumière du dilemme qu'il portait en lui depuis longtemps, malgré tout, une telle confiance de la part des hommes du Mackintosh serait, il le savait, un fardeau plus pesant que d'habitude.

Lorsque lui et Catriona arrivèrent au vieux radeau appuyé contre l'arbre, elle s'arrêta et se mit face à lui.

— Maintenant, monsieur, je vous prie de vous expliquer.

Il leva les sourcils, mais elle croisa son regard et le soutint.

— Devrions-nous nous asseoir ? proposa-t-il en montrant un arbre tombé, dont le tronc était assez épais pour qu'ils s'y asseyent facilement tous les deux.

— Dites-moi simplement où et quand vous et Ivor vous êtes rencontrés.

— Non. Je vous le dirai, mais à ma manière. Par ma foi, je voulais vous le dire de toute façon. C'est la raison pour laquelle je vous ai demandé de marcher avec moi aujourd'hui.

— Vraiment ?

Elle le regarda attentivement.

— *C'est* la raison ?

Il lui retourna un regard qui lui était propre.

— Pour l'amour, à quoi pensiez-vous d'autre ? Je vous ai dit que je l'expliquerais quand je le pourrais, que je devais d'abord juste parler encore avec Ivor.

— Certains pourraient croire que vous aviez tous deux seulement besoin de vous mettre d'accord sur la version.

— Ils *pourraient* ? Alors, je suis heureux que vous ne fassiez pas partie du nombre.

— Qu'est-ce qui vous fait croire cela ?

— Les personnes qui arrivent à de telles conclusions ne sont pas elles-mêmes dignes de confiance, la plupart du temps, jeune fille. Vu que vous insistez sur le fait que vous êtes entièrement digne de confiance…

— Cela suffit, monsieur. Je n'aurais pas dû dire ce que j'ai dit. Je voulais simplement ne pas vous dire ce que je pensais. Mais je ne vous laisserai pas non plus me détourner de ce sujet.

— Oui, eh bien, dans ce cas, je ne vous presserai pas, dit-il. Mais je pense que nous serons plus à l'aise si nous nous asseyons.

— Je ne *veux* pas que vous soyez à l'aise. Je veux savoir.

— Oui, eh bien…

Il fit une pause.

— Voyez-vous, l'évêque de St. Andrews…

— L'évêque Traill.

— Oui. Il nous a appris plus que nos chiffres et l'alphabet.

— Vous m'avez déjà dit cela. Lui et ses grouillots vous ont aussi enseigné les armes.

— Oui, et des tactiques de guerre depuis l'époque romaine. Mais en plus de tout cela, il nous a appris la valeur extraordinaire et durable d'amitiés solides.

— Telle que l'amitié que vous avez avec Ivor ?

— Oui, répondit-il, la voyant se détendre comme il disait ces mots. Maintenant, asseyez-vous, jeune fille, allez. Je vais vous dire ce que vous voulez savoir, mais je peux le dire avec plus de facilité — oui, et plus clairement aussi — si vous ne me questionnez pas ni ne me regardez comme un chat sauvage sur le point de saisir sa proie.

Elle gloussa alors et vint s'asseoir tout au bout du tronc, où elle pouvait s'appuyer contre une grosse branche retournée. Au même moment, elle dit :

— Je crois que ceci pourrait avoir un lien avec la conversation que nous avons eue sur l'obéissance aveugle, le premier jour où nous sommes venus ici. Est-ce le cas ?

S'attendant à ce qu'elle le questionne plus à propos de ce qu'il avait dit ce jour-là, Fin avait décidé que, vu qu'elle ne comprenait pas le sens de l'honneur, elle avait écarté tout ce qu'il avait dit alors comme s'il s'était agi d'une autre histoire de chevaliers. Elle en avait sans doute entendu de nombreuses venant des hommes dans sa famille, car les récits de combats étaient courants, lors des repas et des fêtes dans toute la région des Highlands, et ce, depuis les premiers jours.

D'apprendre qu'elle se rappelait ce qu'il avait dit au sujet de l'obéissance aveugle lui donna un répit, car il avait oublié ce qu'il avait dit alors exactement. Ils avaient parlé tous les deux tout en marchant vers l'écoulement et, plus tard, là dans les bois. Se souvenant de cela, il dit alors :

— Cela a un lien avec cette conversation, mais il y a beaucoup de choses que je ne vous ai pas dites.

— J'ai gardé en mémoire une chose en particulier que vous avez dite.

— Qu'est-ce que c'est ? demanda-t-il avec un serrement de cœur.

— Vous avez dit que parfois, une personne approuve quelque chose simplement parce qu'elle respecte la personne qui lui demande d'être d'accord et qu'elle en a confiance. Vouliez-vous dire qu'un homme pourrait, dans un tel cas, être d'accord pour faire quelque chose qu'en d'autres circonstances, il ne ferait *pas* ?

Certain maintenant qu'elle avait fait le lien entre l'obéissance aveugle et le dilemme qu'il lui avait décrit ce jour-là, Fin regarda en l'air. Mais il ne trouva là aucune réponse.

— Cette conversation ne se déroule pas comme je l'avais souhaité, dit-il en croisant son calme regard. Non, ne parlez pas tout de suite, ajouta-t-il précipitamment lorsqu'elle ouvrit la bouche. Écoutez, je peux imaginer ce qui se passera, si j'essaie de répondre à vos questions à mesure qu'elles viendront à votre esprit. Alors, je demanderais un avantage de votre part, que je ne suis pas certain que vous seriez même en mesure de m'accorder.

Elle releva la tête.

— Quel avantage ?

— Que vous me laisserez expliquer l'affaire à ma propre façon d'abord, sans interrompre, et ensuite...

— Mais...

Lorsqu'il leva une main, elle s'arrêta, souriant d'un air contrit.

— Je ne suis pas bonne pour tenir ma langue, quand je veux savoir quelque chose, dit-elle.

— Sans doute que presque tout ce que je vous dirai maintenant entraînera des questions dans votre esprit, dit-il. Alors, je vous en prie, laissez-moi parler d'abord. Au moment où j'aurai terminé, je vous aurai probablement dit presque tout ce que vous voulez savoir.

— Et si je ne comprends pas quelque chose que vous direz ?

— Si vraiment je vous embrouille les idées, dites-le-moi. Mais si vous n'arrêtez pas de m'interrompre avec vos questions, je serai incapable d'expliquer clairement, et nous ne ferons que nous disputer sur une chose ou une autre.

Ensuite, je me mettrai en colère, ou vous serez en colère contre moi.

Sa bouche se tordit avec une ironie désabusée, avant qu'elle dise en soupirant :

— J'essaierai, monsieur, mais c'est tout ce que je peux promettre.

— C'est suffisant, jeune fille. Je sais que je peux vous faire confiance pour tenir votre langue, à moins que vous ne puissiez simplement supporter de le faire plus longtemps.

Ses sourcils se relevèrent d'un coup.

— Certains n'appelleraient cette déclaration rien de plus qu'un os à ronger pour s'assurer que je garde le silence.

— Vraiment ?

— Je crois que vous savez très bien que *je* le pense, oui.

— Devrions-nous voir si cela fonctionne ?

Tandis qu'il gloussait de nouveau d'une manière qui à la fois apaisa son esprit et lui donna envie de la soulever brusquement de sa bûche et de la serrer dans ses bras, elle se recula et se tut.

Toujours debout, il dit :

— Vu que vous avez déduit qu'Ivor et moi, nous nous sommes rencontrés au cours d'une bataille, je commencerai par là, même si notre rencontre n'a pas contribué à mon crédit. Voyez-vous, nous étions toujours debout, mais il y en avait peu qui l'étaient aussi. J'étais le seul, en fait, de mon côté.

Ses lèvres remuèrent comme si elle voulait parler, mais elle les serra fortement ensemble.

Aspirant de l'air, il dit :

— Ivor a laissé ses gens et est venu vers moi. Hier soir, il m'a dit qu'il n'était pas certain alors de mon identité, mais il s'en doutait et m'a reconnu avant d'être tout près. Je m'attendais à devoir me battre avec lui…, pour l'amour, à me battre contre tous ceux qui étaient encore capables de manier une épée ou un poignard. Au lieu de cela, il m'a dit de partir.

Sa bouche s'ouvrit, mais elle la recouvrit d'une main.

Devant une telle détermination, il fut amusé, mais cela cessa rapidement. Il en était arrivé au point où il devait faire face à sa réaction à propos de ce qu'il avait fait.

— J'ai plongé dans la rivière et me suis éloigné en nageant.

Il avait fait l'aveu, se forçant à croiser son regard et essayant de se préparer au mépris qu'il verrait.

Elle continua de le regarder fixement, par-dessus la main sur sa bouche.

Il attendit. Son estomac se noua. Il bougea ses pieds.

Le silence s'étira de manière insupportable.

Finalement, elle abaissa la main qui recouvrait sa bouche.

— C'est tout ? dit-elle.

Lorsqu'il acquiesça, elle dit :

— Mais où êtes-vous allé ?

— À St. Andrews.

— Pourquoi ?

Pas si facile, cette question. La vérité était qu'il était allé voir l'évêque Traill, espérant que Traill lui dirait ce qu'il devait faire pour trouver une réponse honorable à son dilemme. Mais Traill l'avait déçu.

Il savait qu'il ne pouvait pas lui expliquer tout cela, aussi bien qu'il savait qu'il avait déjà — bien que sans en savoir autant — décidé qu'il ne pouvait *pas* tuer son père.

Shaw n'était pas seulement le chef guerrier du clan Chattan. Il était aussi le père de Catriona et de Hawk. Tout ce que Fin avait entendu dire au sujet de Shaw, et ce qu'il avait vu lui-même jusqu'à présent, il le respectait. Il avait du respect pour le Mackintosh aussi. De plus, les deux hommes lui avaient fait confiance pour quelque chose qui leur était très précieux : Catriona.

Depuis qu'il avait commencé à s'expliquer, une partie de lui insistait pour qu'il lui dise tout. Tout en essayant d'imaginer comment il pourrait décrire le mieux le dilemme auquel il avait fait face, une autre voix, peut-être plus sage, proposait qu'il ne fasse que partager avec elle un fardeau qu'il était seul à porter. La voix était si forte qu'il décida de tenir compte de son conseil assez longtemps pour y réfléchir plus longuement avant de lui en parler.

Elle fronçait les sourcils, attendant qu'il explique pourquoi il était allé à St. Andrews. Mais cela ne fit que rendre les choses plus difficiles, car il ne voulait pas mentir.

Tout à coup, ses sourcils se détendirent.

— Dieu du ciel ! s'exclama-t-elle. C'est pour *cela* que vous avez demandé si je croyais qu'un homme qui détestait la guerre devait être un lâche. *Vous* avez agi sans réfléchir, et maintenant vous pensez que l'acte était lâche ! Mais vous vous êtes enfui parce qu'Ivor vous a dit de le faire, donc c'est de *cela* dont vous parliez, quand vous avez abordé le sujet d'approuver un acte simplement parce que vous faisiez confiance à la personne qui vous a dit de le faire !

Fin n'arriva pas à parler. Il n'avait pas du tout voulu dire cela. Il avait essayé d'admettre que le dilemme qu'il lui avait décrit une fois était le sien, et d'expliquer qu'il avait juré le deuxième serment parce que son père mourant le lui avait demandé.

Mais tandis que des émotions montaient en lui, il se rendit compte qu'il ne pouvait pas lui dire qu'elle se trompait. Elle ne se trompait pas. Il *était* parti quand Ivor lui avait dit de le faire, car il avait fait confiance à Ivor.

Mais cela ne changeait pas le fait qu'il avait quitté le champ de bataille comme il l'avait fait.

∼◦∽

Il parut si choqué que Catriona ne put le supporter.

— Ah, pauvre petit gars, dit-elle alors doucement. Vous croyez vraiment que partir d'une telle façon était lâche. C'est pourquoi vous vouliez discuter de guerre et de lâcheté.

— Vous ne comprenez pas, jeune fille, dit-il. Partir d'une telle façon *était*…

Sa voix se brisa, révélant l'émotion qu'il ressentait à propos de ce qu'il craignait aussi manifestement, qui était un problème qu'elle croyait que seul un homme pouvait trouver important.

Lui parlant toujours doucement, car elle savait à quel point le sujet était important pour lui, elle dit :

— Les hommes disent souvent que les femmes ne les comprennent pas. Mais je comprends les hommes et la lâcheté, et même l'étrange notion de l'honneur qu'ils ont parfois. Vous devriez plutôt penser à ce qu'aurait été l'issue, si vous n'aviez pas fait ce qu'Ivor vous avait dit de faire.

— Je serais mort, mais honorablement.

— Ne soyez pas stupide. Mourir, c'est mourir, dit-elle, souhaitant pouvoir le serrer dans ses bras. Si vous étiez mort, vous ne seriez pas ici. Si vous étiez mort, Rory Comyn m'aurait trouvée seule sur la piste, ce jour-là.

Elle ajouta presque que Boreas aurait tué Rory, mais cela n'aiderait pas son argument. Debout, elle se rapprocha de Fin.

— N'ai-je pas dit que la vie est toujours le bon choix ? Si vous étiez resté, Ivor se serait senti obligé de vous tuer. Combien cela aurait-il été honorable de mettre votre bon ami dans *cette* position ?

Sa bouche se tordit comme s'il allait protester, mais il ne le fit pas.

— Quoi ? demanda-t-elle, le confrontant en lui faisant face. Avez-vous peur, en ce moment, de me dire à quoi vous pensez ?

— Non, mais cela ne vous plaira pas. L'honneur aurait exigé que je tue Ivor.

— Vous ne pouviez pas. Il est un bretteur *très* adroit. De plus, ajouta-t-elle pour faire pencher la balance, si vous l'aviez tué, les autres vous auraient tué. Oui, et il vient juste de me venir à l'esprit que cette bataille dont vous parlez est probablement la lutte de clans à Perth, et le clan Chattan a fini la bataille avec onze hommes encore vivants, n'est-il pas vrai ?

— Onze *vivants*, oui, mais pas...

Il s'arrêta, lorsqu'elle posa un doigt sur ses lèvres.

— Chut, maintenant, car vous n'allez pas me persuader, dit-elle. Vous n'avez pas pu en tuer autant, et vous ne devez pas oublier que si *vous* étiez mort ce jour-là, Rothesay ne tiendrait pas sa réunion si importante ici et maintenant, et je ne vous aurais jamais rencontré. Dire que pendant des années, je croyais détester *tous* les Cameron, mais maintenant je sais que non.

Il s'accrocha à sa main, mais ne dit rien. Il regarda simplement dans ses yeux, comme s'il pouvait y lire d'autres de ses pensées.

— Que *diable* pensez-vous que vous faites, tous les deux ?

Catriona tournoya et vit son frère James debout sur la piste qu'ils avaient suivie depuis le château. Il se tenait avec les poings sur les hanches, l'air très en colère.

# Chapitre 10

$\mathscr{F}$in lança un regard à James et s'éloigna de Catriona. En même temps, il dit doucement :

— Il ne se passe rien ici qui puisse vous troubler, monsieur.

— Ma foi, mais tu as déduit une conclusion qui nous insulte tous les deux, James, dit Catriona. Es-tu venu nous chercher pour une autre raison ?

Voyant de la fureur monter au visage de James, Fin se prépara à intervenir si nécessaire. Mais Catriona resta calme, attendant à l'évidence une réponse à sa question.

Finalement, après un regard mesuré à chacun d'eux, James se détendit visiblement.

— Le jeune homme se trouvant à la clôture a dit que vous aviez pris ce chemin. Je me demandais simplement… c'est-à-dire que je pensais que tu te promenais peut-être avec Morag, Cat. Cela m'a surpris de te voir avec lui.

— Le gardien à la clôture ne t'a *pas* dit que j'étais avec Morag.

— Non, non, protesta James. Je n'ai pas dit cela. Je ne lui ai rien demandé au sujet de Morag. Tu vois, je me suis réveillé, et elle était partie, mais je ne voulais pas que le jeune homme pense que quelque chose clochait avec elle, alors…

— «Quelque chose cloche entre vous deux» est ce que tu veux dire, je crois, dit-elle gentiment.

Fin émit presque une protestation. Ce sujet en était un qu'elle ne devait pas aborder en sa présence.

James lança à Catriona un regard froid, puis se tourna vers Fin et dit franchement :

— Je vous dois des excuses. J'aurais dû réfléchir un peu plus, avant de parler si sèchement.

— C'est généreux de votre part de vous excuser, monsieur, dit Fin en tendant sa main. Si j'avais trouvé ma sœur dans une telle pose, j'aurais probablement réagi comme vous. Mais vous avez ma parole que rien ne s'est passé.

— J'accepte volontiers, dit James en agrippant sa main. Mon grand-père m'a dit qui vous êtes, alors je m'attends à ce que vous compreniez ma réaction.

— Tu dis cela comme si tu ne connaissais pas son identité, James, dit Catriona. Mais j'ai parlé de lui à toi et à Ivor, peu après ton arrivée ici, hier.

— Tu l'as fait, oui, confirma James, son regard maintenant fixé sur celui de Fin. Mais tu nous as dit que son nom était Sir Finlagh MacGill, jeune fille. Il est donc évident que tu ne savais pas tout.

Le regard de Fin passa rapidement à Catriona, mais elle observait toujours James.

— Je sais tout ce que j'ai besoin de savoir, dit-elle. Il a étudié à St. Andrews avec Ivor et s'est battu du côté des Cameron à Perth. Il ne m'a pas caché de secrets, monsieur. Je pensais qu'être un Cameron devait être une chose affreuse, mais seulement jusqu'à ce que j'en vienne à le connaître. La trêve entre nos deux confédérations est toujours en vigueur, n'est-ce pas ?

— Pour la majeure partie, oui, approuva James, croisant de nouveau le regard de Fin. T'a-t-il dit que son père était le chef guerrier des Cameron à Perth ?

— Oui, bien sûr qu'il me l'a dit, mentit vaillamment Catriona. Maintenant, je t'en prie, laissons cela, monsieur. Réflexion faite, si Morag a disparu, tu dois la trouver.

— Elle fait clairement comprendre qu'elle ne veut pas être trouvée, dit James sans prendre de gants.

— Bêtises, monsieur. Aucune femme ne se cache sans vouloir être retrouvée, et tu as manqué amèrement à Morag. Je crains qu'elle se sente toujours une étrangère ici, alors elle ne se confie pas à nous. Malgré tout, tu as dû faire quelque chose pour la vexer. Sais-tu ce que c'était ?

— Pour l'amour, Cat, quel homme comprend jamais pourquoi une femme fait une telle chose ?

— T'a-t-elle *dit* à quel point tu lui avais manqué ?

— Oui, bien sûr, de nombreuses fois.

— Comment lui as-tu répondu ?

James rougit et regarda Fin d'un air impuissant, mais celui-ci savait qu'il valait mieux ne pas participer à ce genre de conversation sans une invitation plus forte que celle-là.

L'homme plus âgé se tourna de nouveau vers sa sœur.

— Cat, nous ne devrions pas…

— J'ai de bonnes raisons qui justifient ma demande, monsieur. Alors, à moins que tu lui aies dit quelque chose de terrible…

— Je lui ai dit que j'accomplissais mon devoir, bien sûr, dit-il en haussant les épaules. J'ai expliqué que je n'avais pas mon mot à dire sur la durée de mon éloignement et que je repartirais probablement bientôt.

— Je le savais !

Secouant la tête tout en le regardant, elle ajouta :

— Idiot, tu aurais dû lui dire que tu l'aimes et qu'elle te manquait encore plus que tu ne le craignais.

— Mais...

— Non, ne me l'explique pas à moi. Va et trouve Morag. Parle-*lui*.

— Et lui dire des choses aussi mièvres ? Pour l'amour, que penseraient mes hommes ?

— Morag ne répétera *pas* à tes hommes ce que tu lui dis. Mais si tu ne tiens pas plus compte de ta femme, monsieur, tu pourrais bientôt te retrouver sans femme.

— Oui, eh bien, vous feriez mieux de rentrer tous les deux avec moi, alors, dit James. Vous voudrez prendre votre petit déjeuner, après tout.

— Je commence à avoir faim, oui, admit Catriona.

— Nous rentrerons directement, monsieur, dit Fin. Vous ne voudriez pas nous avoir sur vos talons, si vous deviez croiser votre épouse vous cherchant.

Catriona le regarda, et Fin sut qu'elle avait détecté son irritation.

Le ton dur de la voix de Fin avait fait sursauter Catriona, mais, se rappelant son solide sens de l'honneur, elle se douta de la raison pour laquelle il avait parlé ainsi. Elle attendit jusqu'à ce que James ait disparu dans les bois, avant de dire :

— Je crois savoir pourquoi vous êtes...

— Ne mentez plus pour moi, dit-il sèchement. Je ne vous ai *pas* dit que mon père était notre chef guerrier en cette terrible journée.

— Non, mais il n'avait rien à voir avec votre plongeon dans la rivière, et je savais par vos propres mots que vous deviez être un Cameron, alors je ne vois pas le problème.

— Tout de même, vous ne devez pas mentir à votre frère, jeune fille, et *jamais* pour me protéger.

— Mais je ne l'ai pas fait pour vous. Je l'ai fait parce que j'étais certaine, lorsqu'il s'est excusé auprès de vous, qu'il allait commencer à me dire que *je* devrais savoir qu'il aurait mieux valu que je ne vienne pas ici *avec* vous. Quand il commence à me dire comment je devrais me comporter…

Une pensée lui vint soudain à l'esprit, la faisant sourire d'un air contrit.

— Pour l'amour, j'espère que c'est exactement ce que je lui ai fait !

— Oui, c'est le cas, approuva-t-il.

— Alors, je vous demanderai pardon pour avoir fait de vous un témoin de ce que je lui ai dit. Mais je vous assure que si j'avais admis que vous ne m'aviez *pas* parlé de votre père, James serait encore en train d'expliquer longuement et solennellement pourquoi vous auriez dû le faire.

— Peut-être qu'il l'aurait fait, dit Fin. Toutefois, j'aimerais savoir si vous auriez parlé à Ivor d'une manière aussi impertinente qu'à James.

Ayant soudain une envie irrépressible de rire, mais consciente que ce pourrait être imprudent, elle dit franchement :

— Je crois que vous savez très bien que j'oserais gronder Ivor ainsi seulement si je me trouvais assez loin pour fuir en sécurité, et *jamais* aussi près de l'eau.

Ses yeux scintillèrent alors, mais il dit :

— Je devrais peut-être vous avertir que je ne réagis pas aussi bien face à une telle impertinence non plus.

— Non ? Mais dans ce cas, vous n'avez pas le droit de me traiter comme le ferait Ivor, n'est-ce pas ?

Croisant son regard, il dit :

— Je me doute que les hommes dans votre famille sympathiseraient mieux avec moi qu'avec vous, si vous me mettiez suffisamment en colère pour que je vous lance dans ce lac. Ou pensez-vous que je me trompe à ce sujet ?

Vu qu'il savait à l'évidence qu'il avait raison, elle dit :

— Je me dis que si nous ne rentrons pas bientôt, quelqu'un viendra à notre recherche.

Lorsqu'il ricana, elle lui tira la langue.

Entrant dans la salle avec Catriona, Fin remarqua tout de suite Lady Morag, assise à la table haute avec Lady Ealga et Lady Annis.

Catriona avait vu, elle aussi, sa belle-sœur et fronçait les sourcils. Il était sur le point de lui demander pourquoi, lorsqu'il se rendit compte que James n'était visible nulle part.

— Il pensera éventuellement à regarder ici, lui murmura-t-il.

— Vous croyez ? Je peux vous dire, monsieur, que les hommes sont rarement suffisamment intelligents pour chercher dans les endroits les plus vraisemblables. De plus, je parie qu'il a regardé ici, avant de sortir à l'extérieur, exactement comme elle savait qu'il le ferait.

— Est-elle alors aussi calculatrice ?

— Ma foi, je la connais à peine. Elle et James sont mariés depuis presque deux ans, mais Morag ne parle pas beaucoup d'elle-même. Lorsqu'elle le fait, elle parle le plus souvent de sa maison à Great Glen et de sa famille.

— Avez-vous essayé de la sortir ? demanda-t-il.

— Oui, bien sûr. Ou plutôt, au début, je le faisais, et j'essaie d'être gentille. Mais elle me parle à peine, ou à quiconque, pour dire ce qui est. Vous avez certainement dû vous en rendre compte vous-même.

— Pour l'amour, jeune fille, je n'ai pas porté un intérêt particulier à Lady Morag. Pensez seulement à la façon dont réagirait James si je le faisais.

Elle haussa les épaules.

— En fait, monsieur, je ne sais pas comment il réagirait. Mais il n'aurait pas la même réaction qu'Ivor — ou que vous, peut-être, si vous étiez marié.

— La plupart des hommes réagissent férocement face à ceux qui montrent un intérêt inconvenant pour leurs épouses, dit-il. Je ne crois pas que James se comporterait différemment.

— Vraiment ?

Elle regarda Morag d'un air interrogateur.

— Je crois que je devrais avoir une discussion avec elle.

Se tournant de nouveau vers lui, elle ajouta :

— Merci de m'avoir parlé de Perth. Ivor ne m'en aurait jamais dit autant.

— Je sais cela, oui. Je sais aussi, ajouta-t-il tout bas, qu'il serait plus sage de votre part de laisser James et Lady Morag résoudre leurs différends privés en privé.

— Sage ou pas, je pense qu'elle devrait savoir que James se soucie d'elle.

Il secoua la tête en la regardant, mais même s'il avait voulu débattre sur ce sujet, Rothesay se trouvait sur l'estrade à côté de leur hôte, lui faisant signe de les rejoindre.

Se séparant de Catriona en montant sur l'estrade, Fin se rendit au bout de la table où se trouvaient les hommes, passant derrière Ivor et Shaw pour rejoindre le duc.

— Où diable étais-tu ? demanda Rothesay. Ta blessure semble presque guérie, mais tu as disparu si tôt hier soir que je me suis demandé si elle te dérangeait encore. Mais ton écuyer a dit que tu étais sorti, ce matin.

— Je suis guéri, monsieur, et j'ai été marcher à l'extérieur du mur, dit Fin.

— Oh, oui, je me souviens maintenant que tu aimes nager, dit Rothesay.

— M'avez-vous cherché pour une raison particulière, mon seigneur ?

— Non, j'ai ces autres pour répondre à mes besoins, alors tes devoirs actuels seront légers. Lorsque Donald et Alex arriveront — sans doute plus tard aujourd'hui —, je veux que tu t'asseyes parmi nous pendant que nous discutons, s'ils gardent leurs hommes avec eux. J'ai confiance en ces *deux*, mais pas en ceux qui les flattent. Alors, je voudrai savoir où te trouver, quand j'aurai besoin de toi, Fin. Ne pars pas de nouveau en vadrouille sans me laisser savoir où tu seras.

— Oui, monsieur, dit Fin.

Prenant en considération un signe de tête, il prit le siège qu'Ivor lui indiquait à côté de lui. Tout en souriant, Fin lui dit :

— J'ai confiance que tu as dormi toute la nuit.

— En effet, répondit Ivor en lui jetant un regard perspicace. Je commence à penser que toi et mon irrépressible sœur êtes rapidement devenus des amis. Est-ce le cas ?

— Te poses-tu cette question parce que nous venons juste d'entrer dans la salle ensemble ?

— Non, je m'interroge parce que vous vous êtes promenés ensemble dans les bois.

— Je vois. Tu sais qu'elle m'a très probablement sauvé la vie, n'est-ce pas ?

— Je sais qu'elle t'a trouvé en train de répandre du sang partout dans le paysage de la partie haute de la vallée et qu'elle t'a emmené chez nous, dit Ivor. Es-tu certain qu'elle t'a sauvé la vie ?

— Je suis certain que c'était un Comyn qui m'a tiré dessus. Je doute que sa flèche ait été un message d'amitié.

— Rory Comyn ?

— Oui. Vois-tu, nous l'avons rencontré sur la rive du lac, le lendemain, et il affichait un petit sourire suffisant. Alors, s'il ne m'a pas tiré dessus, je parie qu'il a donné l'ordre que ce soit fait. Ce que je ne sais pas, c'est s'il l'a fait en croyant jalousement que ta sœur venait pour me rencontrer ou parce qu'il sait pourquoi je suis venu dans les Highlands.

— Il est un fauteur de trouble, dit Ivor. Il n'aurait besoin que de peu d'excuses.

Approuvant d'un signe de tête, Fin changea de sujet en disant :

— Catriona et moi avons rencontré James, dehors, et il a dit que ton grand-père lui avait parlé de moi. T'a-t-il aussi parlé de moi ?

— Nous avons discuté, ce matin, dit Ivor. Il se doutait que tu avais étudié avec Traill, quand tu as dit à ma grand-mère que tu avais vécu dans la partie est de Fife. Il n'y a pas grand-chose, là-bas, après tout, à part St. Andrews — la ville, l'église presbytérienne et le château. Alors, il a pensé que nous pourrions nous connaître. Mais je lui ai dit il y a des années qu'aucun de nous ne savait de quels clans nos compagnons de classe étaient originaires, sans parler de nos véritables noms.

— Je me demande s'il le dira à Rothesay. Pour l'amour, peut-être que Traill lui en a fait part dès le début. Dans tous les cas, j'espère qu'il l'apprendra d'une façon ou d'une autre assez rapidement.

— Plus précisément, mon gars, vu que tu as été au service de Davy pendant ces dernières années, est-ce que tout ceci veut dire que ta famille pourrait même ne pas être au courant que tu as survécu à Perth ?

— Je pourrais dire que j'ai été trop occupé à voyager aussi loin jusqu'à maintenant, dit Fin. C'est assez près de la vérité, mais c'est aussi vrai que je ne voulais pas dire à Ewan *comment* j'avais survécu. Mais j'ai l'intention de rentrer à la maison depuis ici. Alors, je devrai le dire à Rothesay.

— Si tu veux un avis…

Ivor s'arrêta.

— Venant de toi, toujours, dit Fin.

— Tu sauras comment le dire à ton frère, mais tu devrais supposer que Traill a tout dit à Rothesay. Sa révérence n'est pas devenue évêque de St. Andrews en gardant des secrets des oreilles de ses patrons royaux. Il a servi en tant que confesseur à la fois au roi et à la reine, et sans doute à Rothesay, et même à Albany. Je parie que Traill a dit à Rothesay de bien t'utiliser, ou sinon de te laisser aller selon ton propre chemin.

— Tu as peut-être raison, reconnut Fin. J'avoue que j'ai simplement supposé que Rothesay ne savait pas, car il a toujours tenu à m'appeler Fin des Batailles et me présente sous ce nom à tout le monde.

— Oui, eh bien, une chose que je sais à propos de Davy Stewart est qu'il prend plaisir aux secrets et qu'il peut être très bon à ne pas les répéter. Le seul moment où il ne les aime pas est quand d'autres agissent en secret contre lui.

— Comme le fait sans doute Albany en ce moment, dit Fin.

⸺◦◦⸺

Catriona prit sa place à côté de Morag, essayant de décider si la fille plus âgée avait pleuré. Les expressions sur le visage de Morag étaient si légères qu'il était toujours difficile de les lire.

Consciente qu'Ealga parlait avec Lady Annis, Catriona se pencha plus près de Morag et murmura :

— James te cherche.

— Vraiment ? dit Morag sans la regarder. Il doit très bien savoir que je viens ici pour prendre mon petit déjeuner.

— Bien sûr qu'il le sait, dit Catriona, luttant pour dissimuler une soudaine impatience. Je parie qu'il est venu voir ici, avant de se diriger vers les bois.

— *Est*-il sorti à l'extérieur du mur ?

Morag fit signe à un porteur de verser de la bière dans son gobelet.

— Comment sais-tu cela ?

— Je l'ai vu, bien sûr, et il a demandé si je t'avais vue. Écoute, Morag, je sais que tu ne m'aimes pas...

— Quand en es-tu venue à penser cela ?

— Pour l'amour du ciel, tu me parles à peine, à moins que je ne te parle en premier. Et ensuite, tu parles comme si tu étais fâchée que je t'aie dérangée. Qu'est-ce que je devrais penser d'autre ?

Morag eut un haussement d'épaules.

— Je suppose que tu as raison, dans ce cas.

— Es-tu en colère contre James ?

— Devrais-je l'être ?

La colère de Catriona monta rapidement, mais la courtoisie et la présence de compagnie royale exigeaient qu'elle se maîtrise.

— Il croit que tu es fâchée contre lui et que tu ne veux pas qu'il te trouve, dit-elle en se forçant à utiliser un ton calme.

— Je suis une épouse dévouée, dit Morag. Une épouse dévouée ne se cache pas de son mari. De plus, je trouverais cela très difficile à faire, vu que je ne peux quitter cette île sans avoir la permission de ton grand-père, de ton père ou de James lui-même.

— Dieu du ciel, tu es furieuse. Qu'a-t-il fait pour mériter une telle colère ?

— Rien du tout, dit Morag. Comment aurait-il pu faire quoi que ce soit pour me déplaire, alors qu'il est resté avec le Mackintosh hier soir bien longtemps après que je me fus endormie ? On peut supposer qu'ils ont bu du whisky avec les autres hommes.

— Je vois, dit Catriona.

— Je suis sûre que toi, oui. Mais pas James.

— Non, car il m'a dit ce qu'il t'a dit lorsque tu lui as mentionné qu'il t'avait manqué, dit Catriona dans un soupir de sympathie.

— Alors, il t'a dit cela, n'est-ce pas ? Eh bien, s'il va partager notre entretien privé avec toi, il n'est pas vraiment nécessaire que je te dise quoi que ce soit de plus.

— Morag, James est un imbécile, et je le lui ai dit. Mais il t'*aime*.

Morag la regarda alors, ses yeux bleu pâle s'écarquillant.

Catriona vit des larmes lui monter aux yeux, avant que Morag ne détourne son regard de nouveau.

---

Après avoir pris leur petit déjeuner, Ivor dit à Fin :

— J'ai l'intention de me familiariser de nouveau avec Strathspey, aujourd'hui, et je prendrai mon arc. Veux-tu venir ?

Sachant que Rothesay ne tiendrait aucune réunion jusqu'à l'arrivée de Donald des Îles et d'Alex du Nord, Fin accepta avec empressement.

Dès qu'il eut parlé à Rothesay, les deux amis prirent arcs et carquois, puis ramèrent jusqu'à la rive ouest. Depuis là, ils allèrent à pied jusqu'à la rivière Spey et suivirent la rive jusqu'à un champ où Ivor dit qu'ils pourraient bien s'exercer.

En revenant vers Rothiemurchus en fin d'après-midi, après avoir exploré une bonne partie de la campagne, ils découvrirent que pendant leur absence, Donald et Alex étaient tous deux arrivés.

À l'étonnement de Fin, ils apprirent que le Donald costaud et barbu de quarante ans et ses compagnons avaient voyagé à dos de poneys sauvages et traversé ainsi la partie ouest des Highlands, accompagnés d'un frère mendiant. Tous les six portaient des robes similaires à celles des saints.

— Un bon déguisement, surtout en cette saison, observa Ivor. On espère que Donald n'essaiera pas d'introduire en douce une armée ayant la même apparence.

Tout en riant, Fin fit remarquer qu'une armée de moines pourrait éveiller une certaine curiosité. Mais son temps de loisirs avait pris fin, car Rothesay avait laissé un mot disant qu'il voulait le voir immédiatement. Fin le trouva seul dans la chambre intérieure.

— Tu seras une autre paire d'yeux et d'oreilles pour moi, dit Rothesay. Donald m'a soutenu pour le poste de gouverneur, quand je l'ai pris, et Alex n'aime pas Albany. Tout de même, j'ai appris que je peux faire confiance à tout homme uniquement pendant que son avenir dépend de mon succès. Donald est venu ici, mais il est d'humeur maussade plus que jamais, et j'ai besoin de ses navires pour contenir Albany dans l'Ouest. En ce qui concerne Alex...

Il haussa les épaules.

— Il a mis sur pied une armée à lui venant du nord pour soutenir la vôtre aux frontières, lui rappela Fin. De près, monsieur, les deux hommes sont vos proches cousins.

— Oui, bien sûr, alors ils sont obligés de me soutenir, dit Rothesay, confiant.

Toutefois, lorsque la maisonnée se rassembla peu après dans la grande salle pour le dîner, Fin remarqua quelques signes de bonnes acclamations entre les cousins. Rothesay était suffisamment aimable, mais le costaud aux cheveux foncés Donald des Îles parut froid, voire irritable.

Alex ressemblait assez à son cousin au teint clair et aux yeux bleus, qui était le frère de Davy, mais il était plus calme de nature. Il resta réticent et vigilant, bien que courtois.

Sans doute pour les encourager tous, le Mackintosh proposa que Catriona ou Morag chante pour eux après le dîner.

Mais lorsque Donald eut fini de manger, il déclara qu'il avait supporté une longue et fatigante journée, et qu'il irait trouver son lit.

Rothesay était complètement réveillé. Mais vu qu'il avait choisi de se divertir en flirtant avec Catriona, Fin aurait préféré qu'il suive l'exemple de Donald.

Il fut reconnaissant, quand Lady Ealga engagea une conversation décousue avec lui, mais il remarqua James disparaître avec Morag et Ivor se déplacer pour parler avec Alex.

Regardant vers les deux derniers quelques minutes plus tard, il vit qu'Ivor regardait Rothesay et Catriona d'un air mécontent. Alex, qui regardait aussi la paire, parut amusé.

Fin ne l'était pas. Pendant la courte période où il était un invité au château, il en était venu à voir Catriona comme étant plus qu'une bonne amie, et il ne voulait pas que Rothesay l'offense. Lorsque son père se joignit à eux et s'adressa à Catriona, il fut soulagé, et encore plus quand la jeune fille fit ses adieux peu de temps après.

Le lendemain matin, après le petit déjeuner, les trois puissants seigneurs retrouvèrent le Mackintosh dans sa chambre intérieure. Alex et Donald insistèrent pour que leurs compagnons les suivent, et Rothesay garda ses deux hommes et Fin avec lui. Shaw, Ivor et James y assistèrent également, ainsi la chambre était remplie.

Après une heure à discuter des événements passés — une telle discussion devenait parfois irritante —, Rothesay dit :

— Notre oncle Albany, que vous connaissez tous bien, est fâché d'avoir perdu la gouvernance et les pouvoirs qui s'ensuivent. Il veut les récupérer.

— Et ton mandat provisoire à titre de gouverneur du royaume expire en janvier, mon gars, dit Donald. Nous savons tous bien *cela*. Mais qu'est-ce que cela a à voir avec moi ?

Fin savait que Donald se considérait comme égal, sinon supérieur au roi des Écossais. Le seigneur des Îles était le descendant d'une dynastie bien plus ancienne, qui possédait beaucoup plus de châteaux et des centaines de bateaux de plus, sans parler de l'immense complexe administratif à Finlaggan, sur l'île d'Islay, qui était doté d'une résidence magnifique plus grande que tout autre équivalent noble ou royal dans l'Écosse continentale.

Rothesay le regarda attentivement.

— Toi et Alex savez aussi bien que moi comment Albany a gouverné, lorsqu'il était auparavant gouverneur — en amassant du pouvoir de n'importe où et de n'importe quelle façon possible. Il tient la trésorerie, l'utilise comme si elle était à lui et est avide, ce qui affecte tout le monde en Écosse. Je veux le réfréner où je le pourrai.

— Comme tu le devrais, Davy, dit Alex en acquiesçant. Mais tu sais bien combien de temps j'ai été parti avec toi. Je ne peux pas laisser le Nord se débrouiller seul de nouveau et si rapidement, de peur que notre oncle Albany entre d'un seul coup avec une armée, ou que quelqu'un d'autre le fasse, ajouta-t-il calmement.

Fin jeta un coup d'œil au seigneur des Îles, comme le firent quelques autres, mais l'épaisse barbe de Donald dissimulait sa bouche et ainsi une bonne partie de son expression faciale. La discussion se poursuivit, mais les deux cousins demeurèrent insaisissables, désirant s'exprimer, mais ne souhaitant pas parler sans détour.

Fin eut l'impression que certains de leurs adhérents essayaient d'attiser une dissension.

Ses pensées dérivèrent vers Catriona, et il se demanda ce qu'elle pouvait être en train de faire.

∽◦∾

Catriona était occupée. Les grands seigneurs avaient emmené des compagnons, mais pas l'hôte des serviteurs que l'on s'attendait à voir habituellement avec la royauté en visite.

Chaque noble avait un serviteur, mais ils ne s'occupaient que de leurs maîtres et s'attendaient à ce que les serviteurs du château, ou les femmes, s'occupent de toutes les tâches semblables au travail subalterne. C'est pourquoi elle et Morag se retrouvèrent dans la cuisine, aidant les grouillots du cuisinier à préparer le repas de midi.

Les deux eurent à peine suffisamment de temps, lorsqu'elles terminèrent de se précipiter à l'étage pour changer de robes. Mais Ailvie attendait Catriona, alors cela prit peu de temps. Après s'être regardée une dernière fois dans la glace, elle redescendit en vitesse, ralentissant le pas seulement lorsqu'elle s'approcha du palier se trouvant entre la chambre de ses parents et celle de Fin.

Elle se dit qu'elle ne faisait que protéger sa dignité, et elle ne voulait pas risquer de courir à fond et de foncer sur un de ses parents ou sur une autre personne se trouvant sur le palier. Si son regard s'attarda sur la porte fermée de la chambre de Fin au lieu de celle située en face, aucune voix, même l'autocritique dans sa tête, ne s'exprima pour la réprimander.

Entrant dans la salle et voyant les gens toujours rassemblés aux tables plus basses et sur l'estrade, elle s'arrêta de temps en temps pour parler à ceux qui l'accueillaient. Lorsqu'elle grimpa sur l'estrade, son regard entra en collision avec celui de Fin, et quelque chose dans la façon dont il la regardait lui réchauffa tout le corps.

Du mouvement à sa droite attira son attention vers Rothesay, Shaw et son grand-père, tandis qu'ils sortaient de la chambre intérieure avec Alex Stewart et Donald des Îles.

Rothesay croisa alors le regard de Catriona, et si l'expression sur le visage de Fin avait été chaleureuse, la *sienne* était brûlante. Consciente qu'elle rougissait et que son grand-père ou Shaw le remarqueraient si elle s'attardait à l'endroit où elle se tenait, elle se dirigea rapidement vers l'extrémité de la table où se trouvaient les femmes et prit la place que Morag, souriante, lui avait réservée à côté d'Ealga.

Dès que le véritable frère mendiant de Donald eut prononcé les grâces et que tout le monde se fut assis, Catriona dit à sa mère :

— Ne sais-tu rien de ce qui s'est passé ce matin, maman ?

— Non, répondit Ealga. Tu sais que ton père me confie rarement ses affaires. Et tu sais également que quand il le fait, je n'en parle pas après.

— James m'a dit qu'il pense qu'ils discuteront longtemps, avant de trouver un consensus, dit Morag depuis la droite de Catriona. Il y a des problèmes, a-t-il dit, qui semblent susciter beaucoup de désaccords, et des hommes parmi eux qui semblent encourager cela.

— Dieu du ciel, *James* t'a raconté tout cela ?

Jetant un coup d'œil vers sa mère pour voir si Ealga s'était tournée vers Lady Annis pour lui parler, Catriona dit :

— Qu'a-t-il dit d'autre ?

Morag parut embarrassée.

— Je ne devrais pas t'en parler. Mais je voulais que tu saches que… qu'il ne te révélera plus nos confidences. Et je dois t'avertir que je lui ai rapporté ce que tu as dit à son sujet, qu'il était un imbécile. Je suppose que c'était aussi mal que ce fut pour lui de te révéler ce que j'avais dit et ce qu'il m'avait dit, mais…

Un gloussement monta à la gorge de Catriona, et un peu s'en échappa, lorsqu'elle dit :

— Tu peux répéter tout ce que je dis, si cela peut aider James à retrouver ses esprits.

Morag parut soulagée, mais elle dit :

— Tu sais, je crois qu'il était irrité, alors il pourrait te gronder. Et quand James réprimande quelqu'un, c'est des plus désagréable, crois-moi.

Catriona la fixa.

— Pour l'amour, cherches-tu à me dire qu'il est brutal avec toi ? C'est difficile pour moi de croire cela.

— James n'est pas brutal, mais je n'aime pas qu'il soit en colère contre moi.

Catriona mordit sa lèvre inférieure, puis décida de dire ce qu'elle avait en tête.

— Dis-moi, Morag, as-tu déjà vu Ivor en colère ?

— Non, et j'en suis reconnaissante. J'ai entendu d'autres personnes dire qu'il ne fait rien pour se contenir, mais qu'il entre plutôt dans une rage folle.

— Je suis à peu près pareille, admit Catriona. Mais je te promets, Morag, comparé à nous deux en colère, que James est… des plus modéré.

Morag ne parut pas convaincue. Mais, pour une fois, elle ne se tut pas. Au lieu, elle continua de parler affablement avec Catriona.

Une fois que tout le monde eut fini de manger, Mackintosh demanda à Morag de prendre son luth, et Catriona s'excusa, disant qu'elle avait promis de surveiller ce qui se passait dans la cuisine. Mais alors qu'elle descendait de l'estrade, Rothesay s'approcha d'elle, se déplaçant avec une grâce presque féline, ses longues enjambées couvrant le sol dans une hâte trompeuse.

Lorsqu'il put parler sans élever la voix, il dit :

— Je vous en prie, jeune fille, dites que vous ne nous abandonnez pas déjà. Je parlerais de nouveau avec vous, et, je le promets, vous êtes la créature la plus magnifique sur laquelle j'ai posé les yeux au cours des douze derniers mois.

Même si elle sourit tout de suite avec une grande joie au compliment inattendu, elle vit que son frère Ivor et Fin se tenaient non loin derrière lui. Les deux fronçaient les sourcils.

Se souvenant de ce que sa grand-mère avait mentionné au sujet de Rothesay, elle dit :

— Je crains que vous ne me flattiez, mon seigneur, mais c'est très gentil.

— Je ne suis jamais gentil, jeune fille, et je reconnais la beauté quand je la vois, dit-il avec ce qui était un sourire impudent, comme le ferait n'importe quel homme, dont le prince du royaume. Je vous en prie, ne soyez pas si cruelle et ne me dites pas que vous ne vous promènerez pas avec moi.

Il n'était, néanmoins, pas seulement un prince du royaume, mais aussi une personne dotée d'un grand pouvoir et connue pour l'utiliser imprudemment.

— Je ne suis jamais cruelle, monsieur, dit-elle sur un ton égal.

— Dans ce cas, vous serez généreuse, madame la comtesse, dit-il en souriant avec confiance.

Jetant de nouveau un coup d'œil derrière lui, elle vit que même si Rothesay pouvait la qualifier de généreuse, à la fois Ivor et Fin avaient d'autres mots en tête.

# Chapitre 11

— *B*on Dieu, jura Ivor en lançant des regards noirs. En toute autre circonstance, je montrerais bien vite à ma sœur à ne pas sourire à un tel homme.

— Mais nous sommes ici et maintenant, dit Fin, et l'homme qui flirte avec elle est un prince du royaume. Alors, il serait sage que tu enlèves cet air féroce de ton visage, mon gars, avant qu'il le voie. D'autres regardent déjà de ce côté.

— Pour l'amour, fermes-tu les yeux sur son comportement? Qu'importe qui il est, il n'a pas à prendre de libertés avec ma sœur. Que Dieu pourrisse l'homme! Il est marié.

— Et il traite mal sa femme, même si elle est la sœur de l'un des plus puissants seigneurs d'Écosse, alors il ne tiendra vraisemblablement pas compte de tes sentiments, dit Fin. En ce qui a trait à mon indulgence concernant les agissements de Rothesay, il ne m'appartient pas de pardonner ou de condamner.

— Que le diable t'emporte, alors. Je croyais que tu *aimais bien* ma sœur.

— Ne sois pas idiot, rétorqua Fin. Que je l'aime ou non n'a rien à voir avec Rothesay. Ni qu'il sache que j'aime réfréner ses impulsions. Pour l'amour, mon cher, je suis à son service. Il ne laisse pas de *maris* puissants s'interposer, quand il flirte avec leurs épouses — oui, et à propos, il ne fait pas que flirter avec la plupart d'entre elles.

— Donc, ces histoires sont véridiques, alors ? dit Ivor d'un air sévère.

— Il est l'héritier du trône et se présente dangereusement bien, dit Fin. Les femmes adorent son beau visage et ce charme démoniaque des Stewart. Je n'en ai jamais connu une se plaindre de son comportement au lit. Au contraire…

Ivor émit un son dangereusement proche d'un grognement.

Jetant un coup d'œil au Mackintosh, Fin fut surpris de voir le vieil homme le regarder d'un air interrogateur.

— Ton grand-père nous observe et il ne te remerciera pas, si tu causes des ennuis avec Rothesay, dit-il en touchant le bras d'Ivor. Alors, maîtrise ta colère, mon gars, et regarde ailleurs, avant que nous n'atterrissions tous les deux dans les ronces.

— Ce ne serait pas la première fois, dit Ivor en se tordant les lèvres.

La faible esquisse d'un sourire fut la bienvenue et permit à Fin de se détendre.

Lorsque Morag prit son luth, James se joignit à eux et dit :

— J'ai des nouvelles.

Ivor releva les sourcils, et Fin dit :

— Voulez-vous que je m'éloigne ?

— Non, vous devriez rester, lui répondit James. C'est simplement que j'ai l'intention d'emmener ma femme chez elle pour rendre visite aux membres de sa famille. Ils lui manquent cruellement, et…

Il tourna son regard vers Fin.

— … je lui ai manqué également. Père est d'accord, ma présence ou mon absence ne pourra influencer l'issue de ces discussions. Quant à mon grand-père, il a dit que je ferais mieux de satisfaire mon épouse pendant un certain temps et pendant que je le peux.

— J'avoue que j'irais avec toi en l'espace d'un clin d'œil, déclara Ivor avec un sourire désabusé.

— Non, tu ne le feras pas. Pourquoi viendrais-tu ?

— Parce que les procédures d'aujourd'hui m'ont ennuyé près de la démence. On aurait cru qu'ils jouaient à un jeu, chacun effrayé qu'un autre gagne éventuellement un point.

— À leurs yeux, c'est une sorte de jeu, dit Fin. Mais avant que Rothesay ne puisse rassembler le Parlement, il veut savoir s'il pourra conserver les fonctions de gouverneur. Pour y arriver, il a désespérément besoin du soutien de Donald et d'Alex, ainsi que des votes de chaque autre seigneur au Parlement qui soutient l'un ou l'autre des deux.

— Je peux voir qu'Alex jouera son jeu tel qu'il le fait toujours, n'ayant en tête que le désir de conserver fermement entre ses propres mains la seigneurie du Nord, dit Ivor.

— Mais Donald veut plus que simplement conserver *sa* seigneurie, non ? demanda James.

— Donald a un vif tempérament, fit remarquer Fin. Toutefois, nous savons tous qu'il convoite au minimum une vaste étendue des Highlands, et Rothesay a dit que si Donald obtient ne serait-ce qu'un orteil dans les Highlands, il cherchera ensuite à diriger l'Écosse entière.

— Tu connais Davy mieux que nous, Fin, dit Ivor. As-tu confiance en lui ?

Doucement, sachant que Davy avait déjà irrité Ivor par le passé, et espérant que celui-ci ne s'offenserait pas plus, Fin dit :

— Il ne m'a donné aucune raison d'être déloyal envers lui.

— Mais tu ne penses pas qu'il soit toujours sage, n'est-ce pas ? dit Ivor en cherchant à émettre une déclaration plutôt qu'une question et en l'observant attentivement.

Fin ne répondit rien.

Ivor acquiesça de la tête, satisfait.

Face à toute autre personne, Fin aurait peut-être usé de faux-fuyants pour protéger son patron. Mais il ne mentirait pas à Hawk.

Comme s'il cherchait à aplanir la brève tension qui les entourait, Ivor regarda James et dit :

— Est-ce que toi et Morag partez immédiatement ?

— Grand-papa a dit que ce serait impoli, vu que tout le monde vient juste d'arriver. Alors, je crois que nous attendrons un jour ou deux. Mais ma jeune épouse est impatiente de revoir sa famille, et j'avoue que j'ai aussi hâte qu'elle de me retrouver seul avec elle. Grand-papa a dit que nous devrions passer une nuit au château Moigh en chemin.

Ils continuèrent à bavarder, jusqu'à ce qu'Ivor, qui regardait de temps en temps autour de la pièce, jure tout à coup dans sa barbe.

---

Catriona était bien consciente des regards noirs d'Ivor. À un moment donné, elle avait craint que Fin soit incapable de le retenir, surtout que Fin lui-même semblait plutôt agacé. Puis,

James s'était joint à eux, et les trois hommes s'étaient immergés dans une discussion. Seul Ivor continuait à jeter des coups d'œil dans sa direction.

Elle l'avait ignoré, certaine qu'il ne causerait aucun dérangement aussi longtemps que le Mackintosh et son père seraient présents. Ils discutaient, eux aussi, mais ni l'un ni l'autre n'avait tenu compte d'elle pendant un certain temps.

Les autres femmes bavardaient aussi ensemble. Morag semblait toujours joyeuse, un fait qui incita Catriona à regarder James de nouveau.

— Dites-moi, jeune fille, ignorez-vous souvent vos admirateurs, ou mon histoire vous ennuie-t-elle?

Certaine qu'elle avait dû rougir jusqu'à la racine de ses cheveux, elle regarda Rothesay à la hâte, sourit et lui dit :

— Je vous ai clairement entendu, monsieur. Mais vous devriez avoir honte de me raconter une histoire aussi grivoise. Je suis, après tout, une jeune fille dont les oreilles ont rarement été aussi souillées.

Il releva les sourcils d'un coup.

— Rarement?

— J'ai des frères, monsieur, et des oreilles très fines, dit-elle en gloussant.

Il rit alors, et elle ressentit un si grand soulagement que cela la surprit. Craignait-elle tant son mécontentement qu'elle accueillait ses sourires?

Il posa une main sur son épaule et se pencha suffisamment près pour lui chuchoter à l'oreille :

— Vos oreilles peuvent être fines, jeune fille, mais elles sont aussi magnifiques — telles que des coquillages, douces et roses. Je les chatouillerais avec ma langue, puis les embrasserais en entier.

Elle se raidit immédiatement à son toucher, mais il fit semblant de ne pas s'en apercevoir. Oserait-il faire ce qu'il avait dit ? Elle craignait que oui, si elle ne l'arrêtait pas.

Jetant un coup d'œil à Fin, elle vit que lui et Ivor regardaient tous les deux dans sa direction, le dernier avec un regard plus noir que tous ceux qu'elle avait jamais vus de lui.

Fin posa une main sur le bras d'Ivor pour le retenir, mais Catriona se rendit compte qu'il serait sage qu'elle agisse avant eux.

En conséquence, elle dit sur un ton neutre :

— À moins que vous ne vouliez que mon père m'envoie dans ma chambre comme il l'a fait hier soir, monsieur, vous allez retirer votre main de mon épaule. Je vous suggère également de vous abstenir de chuchoter de tels propos à mon oreille…, ou d'autres choses, cela dit. Mon frère est déjà en train de nous observer, et sa colère…

— J'ai entendu parler du tempérament de Sir Ivor, lui dit-il en serrant son épaule. Cela ne va pas m'inquiéter.

— Peut-être pas, mais il serait enragé contre moi. Et mon grand-père m'écorcherait, mon seigneur, si je devais entraîner des conflits entre vous et quiconque de ma famille. Si vous regardez, vous apercevrez ma belle-sœur qui vient maintenant me chercher.

Retirant sa main de son épaule, il se tourna vers Morag en arborant son sourire enchanteur, mais celle-ci n'en fut pas consciente ou essayait de faire semblant.

De toute façon, Catriona remarqua également que Shaw s'était joint à Fin et Ivor.

— Je suis certaine que vous vous souvenez de ma belle-sœur, Lady James Mackintosh, monsieur, dit-elle à Rothesay en accueillant Morag.

— Pardonnez-moi de m'immiscer, mon seigneur, dit Morag tout en faisant une révérence et en gardant les yeux baissés jusqu'à ce qu'elle se relève et regarde Catriona. Ton père a dit que je devrais te dire qu'il est l'heure que nous nous retirions de la salle, Catriona. Ta mère et ta grand-mère se trouvent dans la pièce solaire. Elles nous y attendent.

Soulagée, Catriona fit une révérence et souhaita poliment bonne nuit à Rothesay.

Tandis qu'elle se relevait, il se pencha vers elle avec un sourire joyeux et lui dit :

— Pour le moment, je vous pardonne, jeune fille. Mais je me réjouis de vous revoir demain.

Sachant qu'elle rougissait furieusement, et prenant soin de ne pas porter de nouveau son regard vers l'homme de peur de voir le froncement de colère de son père ainsi que celui d'Ivor, Catriona donna le bras à Morag et la pressa de partir.

— À quoi pensais-tu, en le laissant flirter ainsi avec toi ? demanda Morag tandis qu'elles se dirigeaient vers l'escalier central.

— Pour l'amour, on ne *laisse* pas l'héritier du trône d'Écosse flirter, Morag. Comment crois-tu que j'aurais pu l'arrêter ?

— Comment ? En t'éloignant de lui alors qu'il prenait des libertés, bien sûr, comme on le ferait avec n'importe quel jeune homme impertinent.

— C'est ce que tu ferais ? lui demanda Catriona.

Morag ouvrit la bouche comme si elle voulait insister. Puis, un regard figé fit croire à Catriona que les pensées de sa belle-sœur avaient enfin rattrapé sa langue.

— Tu ne serais pas aussi impolie avec aucun membre de la famille royale, dit-elle.

— Mais James dirait…

— Je sais très bien ce que James dirait et ce qu'Ivor *dira* dès qu'il en aura l'occasion. Mais s'ils sont si inquiets au sujet de notre sécurité, ils devraient rester plus près de nous, quand nous sommes dans la salle. Rothesay est un prince du royaume, après tout.

— Oui, il l'est, et je crois que la pure vérité est que tu étais simplement flattée par ses attentions. Il est le genre qui s'attend à ce que toutes les femmes se pâment lorsqu'il entre dans une pièce, et je n'ai pas de patience avec de tels hommes. Dieu merci, James n'est pas comme lui.

— Cela est indéniable, répondit Catriona.

Jetant un coup d'œil par-dessus son épaule alors qu'elles arrivaient à la voûte dans la cage d'escalier, elle vit que, pendant que son père bavardait avec Ivor et James, Fin la regardait.

Il ne parut pas en colère, mais il ne sourit pas non plus. Il sembla sidéré.

———◦◦———

Alors que Fin s'éternisait sur une image nette de lui-même tordant le cou de Davy, il se rendit soudain compte qu'il se souciait bien plus de Catriona qu'il ne voulait se le laisser croire. Qu'il n'avait pas le droit de se soucier d'elle aussi grandement lui vint à l'esprit encore plus durement.

Il en était venu à la conclusion qu'il ne pouvait pas tuer Shaw et que ce serait injuste de lui dire qu'il avait un jour pensé qu'il devait le faire. Mais agir sur ses émotions et laisser le legs tacite serait exactement comme vivre avec un mensonge entre eux.

Ce qu'elle appellerait son sens idiot de l'honneur le *rendrait* idiot, dans de telles circonstances. Même s'il pouvait lui dire et lui faire comprendre cela, et si sa famille lui permettait de la courtiser, il aurait quand même à affronter l'indignation de sa propre famille.

Qu'il soit tombé amoureux d'une Mackintosh pourrait sembler bien pâle, du fait que de tous les champions Cameron à Perth, lui seul avait survécu, et uniquement parce qu'il avait fui le champ de bataille. Mais sûrement qu'ils interdiraient tout de même un tel mariage.

Il y avait aussi la réaction probable de Catriona. Elle avait été claire en disant qu'elle ne cherchait pas à se marier et qu'elle résisterait à quiconque la menacerait de la faire quitter Strathspey. Même si elle l'acceptait tout à fait en tant qu'ami, après qu'il l'eut vue sourire à Rothesay, il se doutait tristement qu'elle pourrait avoir flirté avec lui aussi.

Soudain, son imagination fertile lui montra une image de lui et de ce dont il devait avoir l'air, se tenant debout à fixer la voûte vide, pétrifié quant à ses propres pensées. Il n'avait aucune idée de la durée où il était resté ainsi, mais lorsqu'il chercha Rothesay du regard, il le vit en train de discuter avec le Mackintosh et Alex Stewart.

Donald des Îles se tenait à quelque distance près du feu, l'air sombre comme d'habitude, et conversant avec les deux nobles qui étaient venus avec lui au château.

Shaw se tenait avec James derrière le Mackintosh, et Ivor marchait à grands pas vers Fin d'un air mécontent et contrit. Reconnaissant l'expression, Fin sut qu'Ivor était toujours en colère.

— Je crois qu'elle est mûre pour quelques chaudes minutes avec mon père, dit Ivor avec satisfaction lorsqu'il fut assez près.

— Je parie qu'il ne t'a pas épargné non plus, répliqua Fin.

Ivor grimaça.

— Il m'a rappelé que du sang royal court dans les veines de Rothesay et..., eh bien, il m'a suggéré que je devrais refroidir ma mauvaise humeur, de peur que j'essaie de laisser un peu de ce sang et que je me retrouve sur une potence royale. Mais je pense qu'Albany sauverait ma peau et me récompenserait pour la saignée.

— Peut-être, dit Fin, qui n'apprécia pas.

— Tu n'approuves pas une telle conversation, je sais. Mais de la royauté ou pas, Davy Stewart a deux ans de moins que nous, et son comportement userait la patience de Job.

— Je n'approuve pas son comportement, dit Fin, mais il n'est pas stupide. Il ne fera rien pour offenser le Mackintosh pendant qu'il a besoin de lui.

— Peut-être, mais je n'aurai pas à endurer ce qui se passera lors de cette réunion, cet après-midi. Père m'a demandé de superviser la coupe de la tourbe à la place.

Fin leva les sourcils.

— Une punition?

— Non, répondit Ivor en gloussant. Les tourbières sont maintenant suffisamment sèches pour résister à avaler les hommes qui coupent les boutures et qui les empilent. Les poneys de trait peuvent enfin aussi trouver de bons appuis au sol. Et James veut s'occuper de son voyage à Inverness et de ses bagages. Vois-tu, mon père aime qu'il y en ait toujours un de nous qui soit disponible, car des ennuis pourraient survenir.

— Les Comyn?

— Ils se servent de boutures que quelqu'un d'autre coupe, oui, aussi souvent qu'ils le peuvent. Mais ils ne sont pas les seuls à avoir cette habitude, ajouta Ivor. Nous posterons des gardiens sur nos piles, pour que les hommes sur la route puissent les voir. Au fur et à mesure que la tourbe séchera, nous la stockerons ici.

— Où se trouvent ces tourbières?

— Près de la rivière, répondit Ivor. Pourquoi? Veux-tu venir avec moi?

— Je suis juste curieux et envieux. Rothesay veut que je m'asseye et que j'assiste aux réunions. Mais jusqu'à présent, il ne m'a pas demandé ce que je pense de tout cela, ce qui est tout aussi bien.

— Oui, mais cela pourrait changer, dit Ivor. Mon père m'a dit que Donald est agacé par le manque de progression. Qu'il y ait contribué ne le démonte pas, bien sûr. Dans tous les cas, je préfère jouer dans la boue avec nos coupeurs de tourbe.

Fin sourit. L'après-midi d'Ivor semblait effectivement plus intéressante que serait la sienne.

∽◦∽

Catriona avait craint de devoir passer l'après-midi à écouter Morag échanger des banalités avec Lady Ealga et Lady Annis. Mais son humeur changea, quand Tadhg apporta à Lady Ealga le message disant que Sir Ivor serait parti tout l'après-midi.

— Mais maître James sera dans les alentours, m'dame, si vous avez besoin de lui, et moi aussi. Je devrai courir un peu partout, pour prendre et transporter ses choses, pendant qu'il fera ses bagages.

— Où va Sir Ivor, Tadhg? demanda Catriona.

— Seulement pour aller voir la coupe de la tourbe, m'dame.

— Je t'en prie, puis-je aller avec lui, maman? demanda-t-elle à Ealga.

— Si tu arrives à l'attraper avant qu'il ne quitte l'île et s'il le permet, oui.

Priant pour que l'agacement d'Ivor envers elle se soit apaisé et ne prenant pas le temps d'aller chercher sa cape, Catriona releva ses jupes et courut vers la cour.

Ivor se tenait près de la porte et parlait avec Aodán.

Se précipitant vers eux, elle sourit à son frère en disant :

— Maman a dit que je pourrais aller avec toi, monsieur.

Congédiant Aodán d'un geste de la main, Ivor attendit que l'homme d'armes ait atteint une certaine distance avant de parler, l'avertissant ainsi avant de dire :

— Je ne crois pas, Cat. Pas aujourd'hui.

— J'*aimerais* y aller. Je ne suis pas sortie de l'île depuis des jours.

— Alors, vois cela comme une pénitence pour ton comportement de tout à l'heure. Maintenant, je dois y aller.

Sur le point de se disputer, elle s'arrêta, sachant que ce serait inutile, tout comme d'essayer d'expliquer qu'elle n'avait pas volontairement flirté avec Rothesay, mais qu'elle ne pouvait pas simplement lui dire de s'en aller. Ivor serait peut-être d'accord avec la dernière partie, mais insisterait, comme son père l'avait fait, quant au fait qu'elle n'aurait pas dû se mettre en travers du chemin de Rothesay dès le départ. Elle n'avait pas pensé qu'elle avait fait cela, mais cet argument ne lui permettrait pas de s'en sortir mieux avec Ivor.

Retournant à l'intérieur, elle trouva la cage d'escalier vide, jusqu'à ce qu'elle passe par la salle. Puis, tournant une courbe, elle fonça presque sur Fin, qui descendait.

— Vous devriez piétiner plus fort sur cet escalier, dit-elle sur un ton qui sembla maussade à ses propres oreilles.

Plus poliment, elle ajouta :

— Je vous assure que vous vous déplacez sur des pattes de chat.

— Et, pour toute l'attention que vous portiez, j'aurais pu être n'importe qui, ma chère, dit-il en lui lançant un regard d'une telle intensité qu'elle put le sentir jusqu'au centre de son corps.

Ce regard, en plus de la formalité qu'il avait utilisée pour s'adresser à elle, lui fit relever le menton plus haut, alors qu'elle dit :

— Vous ai-je vexé aussi, monsieur ?

— Qui d'autre se trouve dans le même cas ?

Elle se raidit et reprit ses esprits, avant de dire :

— Ivor, bien sûr. Vous étiez avec lui. Vous devez savoir que Rothesay, qui a flirté avec moi, l'a vexé amèrement.

— « Vexé » n'est pas le mot que j'aurais choisi, dit-il. Mais j'ai vu, effectivement, et je crois que Rothesay n'était pas le seul qui flirtait. Plus précisément, je doute qu'Ivor le croie.

— Mais vous *saviez* qu'il est énervé contre moi aussi.

— Je n'ai pas dit que je le *suis*, lui fit-il remarquer. Qu'est-ce qui vous fait croire que votre comportement pourrait m'avoir ennuyé ?

— J'ai simplement cru que vous aviez l'air en colère, tout à l'heure, monsieur, en même temps qu'Ivor. Et je pense que vous avez de nouveau l'air en colère, en ce moment précis.

— Mais je n'ai aucun droit d'être en colère contre vous, jeune fille. Si quelqu'un m'a mis en colère, c'était Ivor, qui a laissé voir sa colère aussi ouvertement devant un invité royal chez lui.

— Je suppose alors que c'était tout. Allez-vous me laisser passer ?

— Je ne sais pas, dit-il doucement. Le devrais-je ? Vous pourriez rencontrer quelqu'un d'autre. Vous pourriez rencontrer un ennemi sur cet escalier, ou être exposée à un autre danger.

— Il n'y a aucun danger ici, dit-elle en essayant de lire l'expression sur son visage.

— Est-ce vrai, Cat ? demanda-t-il d'une voix maintenant aussi douce que possible et qui la fit soudain frissonner sur tout le corps comme s'il l'avait touchée.

Elle déglutit bruyamment et chercha sa voix. Mais elle l'avait désertée.

Il resta debout là pendant un long moment, sans dire un mot. Ensuite, il se déplaça poliment sur le côté et lui fit signe de passer devant lui. Avec une vague de déception inattendue, elle sut qu'elle avait espéré qu'il l'embrasse de nouveau.

Rassemblant le devant de sa jupe, elle posa les pieds sur la marche, à côté de lui, espérant toujours. Puis, elle monta sur la marche suivante, toujours sans incident. Ensuite, elle se tourna brusquement, enlaça ses mains dans les cheveux de Fin et l'obligea à tourner sa tête vers elle.

Lorsqu'il le fit, elle l'embrassa sur les lèvres avec force, se pencha vers l'arrière et dit :

— Vous êtes le seul danger ici, Sir Fin des Batailles, et vous le savez bien.

Tout en s'éloignant de lui en vitesse, elle entendit son gloussement faire écho vers le haut de l'escalier derrière elle. Elle réagit en souriant et se sentit beaucoup mieux.

⸺◇⸺

D'humeur plus joyeuse, Fin continua de descendre l'escalier, n'ayant monté que pour remplacer sa chemise par une plus légère. Le feu dans la chambre intérieure dégageait de la chaleur, et il y en avait tant dans la pièce que c'était devenu étouffant pendant la matinée.

La rencontre de l'après-midi ne fut pas plus productive que celle du matin, du moins jusqu'à ce que Donald dise d'un ton bourru :

— Comme je vois les choses, cher Davy, le risque de ce que vous demandez est bien plus grand que tout gain pour moi. Si nous échouons et qu'Albany prend de nouveau les rênes du gouvernement, nous allons probablement tous payer de nos vies.

— Que *voulez*-vous, Donald ? demanda Alex avec un sourire trompeur et paresseux.

Étant un Stewart, Alex s'adressa à lui sur un même pied d'égalité, mais Fin remarqua que les lèvres de Donald s'étaient resserrées, et il savait pourquoi. Alex, quoique ressemblant au neveu du roi, n'avait pas seulement vingt ans de moins, mais était aussi né bâtard.

Fin laissa bien vite ses pensées dériver de nouveau vers Catriona et son baiser sur l'escalier.

C'était tout ce qu'il avait pu faire pour ne pas l'attraper et la tenir serrée contre lui. Pour l'amour, il aurait aimé la prendre juste là, contre le mur de pierre de la cage d'escalier.

Tout en elle l'attirait, et la force de cette tentation persista. Lorsqu'elle s'en était allée après le dîner pour monter avec les dames, ses pensées avaient continué à le tourmenter, et elles le firent encore plus dans ses rêves.

Le lendemain matin, il ne la vit pas, lorsqu'il prit son petit déjeuner avec les hommes. Mais avant que la réunion ne s'éternise, le Mackintosh vint à sa rescousse.

— Je vous en prie, les gars, dit le vieil homme en regardant d'un grand noble à l'autre, nous perdons du temps avec tout ce cabotinage! Alors que j'ai été d'accord pour organiser cette réunion, et je peux voir que vous avez besoin de moi, je ne me fais pas plus jeune avec cela. Rothesay, je vous demanderais que vous et vos cousins choisissiez chacun un homme et que vous vous asseyiez tous les six avec moi. Je resterai et vous empêcherai de vous tuer les uns les autres, mais seulement si vous prenez en considération mon avis. Alors, maintenant, qu'en dites-vous?

Fin retint sa respiration. Ayant craint que le vieil homme soit allé au-delà de ce que Rothesay supporterait, il applaudit presque, quand, avec un bref signe de tête, Davy dit :

— C'est une bonne idée. Je garderai Havers avec moi. Vous autres, hommes, pouvez partir.

Fin quitta immédiatement la pièce pour voir si Ivor était déjà parti pour la coupe de la tourbe, où il allait de nouveau passer la journée. Traversant la salle, il chercha Catriona, mais ne la vit pas, puis trouva Ivor au débarcadère, regardant des porteurs mettre à l'eau un bateau.

Ainsi, Fin passa une amusante et tolérable journée à regarder les coupeurs de tourbe, et apprit plus qu'il n'aurait jamais voulu savoir sur le séchage de la tourbe pour la transformer en carburant.

Lui et Ivor revinrent presque au crépuscule, brûlés par le soleil, affamés et assoiffés. Criant pour avoir de l'eau pour son bain, Ivor dit :

— Nous n'avons qu'une heure pour nous préparer pour le dîner, alors dépêche-toi.

Fin obéit, mais lorsqu'ils se rassemblèrent avec les autres sur l'estrade, un regard à Rothesay lui fit comprendre qu'il était d'une humeur dangereuse et qu'il avait déjà bu suffisamment de vin pour le rendre téméraire.

Lorsque Catriona entra avec Lady Morag quelques minutes plus tard, Fin reprit son souffle en la voyant. Elle portait une robe de velours rose qui enserrait sa silhouette depuis son décolleté plongeant jusqu'à ses hanches séduisantes, cette fois cintrées avec une longue chaîne dorée. Sa jupe s'évasait en plis doux, qui se balançaient pendant qu'elle marchait.

Même si Lady Morag marchait à côté d'elle, si quiconque lui avait demandé ce qu'elle portait, il n'aurait pu répondre sans regarder d'abord.

Le dîner fut long, et Donald tint une conversation tendue, à voix basse avec Alex, du début à la fin. Ils étaient tous deux assis à la droite de Rothesay, avec Mackintosh et Shaw à sa gauche, et les femmes plus loin.

Fin s'assit plus loin du côté des hommes avec Ivor, mais il savait que la conversation entre Donald et Alex devait ennuyer Rothesay. Il put aussi voir que le jeune homme servant Rothesay remplissait son gobelet plus souvent que ce qui était habituellement sage.

Il ne pouvait voir Catriona, qui se trouvait de nouveau assise entre Morag et Lady Ealga.

À quelques reprises, lorsque la voix de Donald ou celle d'Alex devenait plus intense, Ivor et Fin se lançaient un coup d'œil. Mais la troisième fois que cela se produisit, Fin entendit le Mackintosh marmonner quelque chose qui les fit taire tous les deux.

Pendant tout le repas, un faible grondement de conversation se poursuivit dans la salle inférieure, où des serviteurs, des hommes d'armes et d'autres invités étaient assis à trois longues tables à tréteaux.

Finalement, Rothesay se leva, et, par nécessité, tout le monde se leva également. Acquiesçant royalement au Mackintosh, Rothesay passa devant lui et Shaw pour parler à Lady Ealga et à Lady Annis. Ses commentaires qu'il leur adressa furent brefs, et lorsque Lady Morag les rejoignit, il se retourna pour parler à Catriona tout en lui offrant le bras.

Fin imagina la jeune fille s'en prendre à Davy comme elle le *lui* avait fait le jour où il l'avait rencontrée, et le giflant bêtement. Tout en soupirant, il savait qu'elle ne pouvait faire une telle chose sans susciter le courroux de tous à part le sien.

Le nombre de personnes se trouvant entre lui et l'extrémité de l'estrade l'empêchait maintenant de voir Catriona et Davy, alors il contourna l'autre bout de la table, espérant pouvoir garder un œil attentif sur eux et se demandant comment intervenir si cela devenait nécessaire.

L'humeur fragile de Rothesay était un signe avant-coureur clair d'ennuis, même si Fin savait d'expérience que ceux qui ne connaissaient pas bien Rothesay ne se rendraient pas compte qu'il était soûl comme un singe. Même si quelqu'un s'en apercevait, il jouait le rôle du roi des Écossais, et était donc le dirigeant d'Écosse. De plus, il était un invité autant de Shaw que du Mackintosh.

Les deux s'étaient placés entre Rothesay et Catriona tandis que tout le monde se levait de table, mais les deux hommes s'étaient déplacés immédiatement pour parler avec Donald et Alex.

Juste au moment où Fin eut de nouveau une vue nette de Rothesay et de Catriona, tandis qu'ils descendaient de l'estrade et se joignaient à la foule dans la salle inférieure, elle secoua la tête et toucha le bras de Rothesay. Il sourit, posa ses mains sur ses épaules et l'attira à lui.

# Chapitre 12

Rothesay souriait toujours à sa plaisanterie grivoise, et même si Catriona lui avait dit qu'il ne devait pas lui dire de telles choses, il se fichait manifestement de ce qu'elle pensait.

Il était venu vers elle si rapidement, et lorsqu'elle avait hésité à prendre son bras, il avait dit qu'il voulait seulement marcher brièvement avec elle, et non pas être impoli. Personne d'autre sur l'estrade n'avait semblé faire attention à eux, et elle était certaine qu'il ne pouvait rien faire d'horrible parmi une telle foule, donc elle lui avait obéi. Il avait alors posé sa main libre sur la sienne et l'avait pressée de descendre de l'estrade en lui racontant sa plaisanterie.

Il avait farouchement froncé les sourcils, devant son objection à sa paillardise, mais dès l'instant où elle avait touché son bras, souhaitant lui montrer qu'elle n'avait pas voulu l'offenser, il avait affiché un grand sourire et mis ses mains sur ses épaules. Maintenant, son intention était claire, et elle savait que personne se trouvant près d'eux n'oserait se heurter à lui.

Levant rapidement ses deux mains à elle entre eux, paumes vers le haut, elle dit :

— Ne faites pas cela, mon seigneur. Vous ne le devez pas.

— Ah, mais je le dois, jeune fille. Vous êtes trop séduisante pour résister.

Saisissant une manche de velours, il dit :

— J'aime cette robe. Sa douceur invite le toucher d'un homme.

Elle avait, de manière inattendue, croisé son père après que Shaw eut quitté la réunion ce matin-là, et elle avait dû endurer un sermon sur le comportement qu'il attendait d'elle. Même s'il avait aisément été d'accord qu'elle ne devait pas être impolie avec Rothesay, il avait simplement dit qu'elle devait se tenir éloignée de lui. Jusque-là, elle avait réussi à éviter Rothesay, lors du repas de midi. Mais ayant revêtu sa robe préférée pour le dîner dans l'espoir d'impressionner Fin, elle avait malheureusement attiré Rothesay à ses côtés à la place.

— Soyez amicale, jeune fille, à moins que vous n'osiez poser des mains inamicales sur votre souverain, dit-il en la regardant intensément dans les yeux.

— Vous n'êtes pas encore le roi, monsieur.

— Ah, mais en tant que gouverneur, j'exerce les pouvoirs du roi — tous, dont celui de délivrer et de révoquer des chartes de territoire. Votre grand-père et votre père ont sous leur pouvoir beaucoup de territoires dans les environs, je crois, mais seulement aux caprices du roi. Vous voyez, mon ordre est comme une loi.

Il continua de fixer ses yeux, ses mains agrippées avec force sur ses épaules, et son désir pour elle irradiait de chaque pore.

— Venez, maintenant, et marchez avec moi.

— Je ne le dois pas, monsieur, dit-elle, mais elle pouvait à peine faire sortir les mots de sa bouche et savait qu'elle tremblait.

Elle ne savait pas s'il disait la vérité ou s'il serait capable de prendre les vastes territoires du clan Chattan, même avec une armée. Toutefois, qu'il le puisse ou non, elle savait que les hommes dans sa famille auraient une faible estime d'elle en la voyant converser avec lui, et une encore plus mauvaise si elle le mettait en colère. Et elle ne voulait pas donner à Shaw, surtout à lui, une autre raison de désapprouver.

Qu'il désapprouve avait dû être évident pour Rothesay, après que Shaw lui eut dit deux fois de partir lorsqu'il les avait vus ensemble. Malgré tout, Rothesay rejetterait toute critique de son père tout aussi manifestement. Mais elle ne pouvait pas écarter celle de Shaw.

Rothesay, devant son faible refus, avait simplement souri.

— Vraiment, mon seigneur, je ne le dois pas, dit-elle avec plus de fermeté.

Il continua de sourire, ses mains serrées sur ses épaules. La pensée traversa son esprit que même si elle avait eu son poignard, elle n'aurait pas pu le brandir devant Rothesay. Faire cela aurait sûrement été commettre une trahison.

Lorsque lentement, de manière hypnotique, il commença à la tirer plus près, son but étant clair aux yeux de quiconque les regardait, elle savait qu'elle devait l'arrêter de n'importe quelle manière qui lui était possible.

Ses lèvres se retroussèrent dans une expectative, et elle put sentir son haleine ayant l'odeur de vin.

— Dieu du ciel, monsieur, avez-vous l'intention de m'embrasser ici, devant tout le monde?

— Si vous marchez avec moi, nous pourrons être seuls, murmura-t-il.

Ses lèvres s'étaient détendues pour permettre le commentaire, mais son regard brûlait encore le sien.

— Votre voûte mène au poste de garde, dit-elle avec un tremblement dans sa voix.

— Oui, bien sûr, mais aussi en haut jusqu'aux remparts et à un beau point de vue, m'a-t-on dit. C'est votre choix. Obéissez-moi, ou payez une amende agréable et publique.

Grinçant des dents et envoyant les conséquences au diable, elle poussa plus fort contre sa poitrine, laissant voir plus de sa colère, alors qu'elle dit :

— Maintenant, vous voyez, mon seigneur, vous commencez vraiment à agacer...

Avant qu'elle puisse terminer ou que les lèvres de Rothesay touchent les siennes, un éclaircissement de gorge la fit sursauter et tourner rapidement la tête, pour voir Fin se trouver assez près d'eux.

Elle était contente de le voir, mais l'expression sévère sur son visage et son propre embarras augmentèrent son irritation envers Rothesay. Elle essaya de s'arracher de sa prise, mais les mains de Rothesay se serrèrent sur ses épaules, et il la tint avec tant de facilité que quiconque se trouvant à quelque distance que ce soit pouvait sans peine ne pas remarquer son aversion.

— Lâchez-moi, dit-elle d'un ton sec en se demandant si elle oserait marcher sur son pied.

— Dans un instant, jeune fille, répondit-il.

Il regardait Fin, mais paresseusement, n'ayant ni sursauté ni montré aucun autre soupçon de la culpabilité qu'il aurait dû ressentir.

Toutefois, alors qu'il continuait à regarder Fin, qui demeurait silencieux, un froncement ennuagea la mine royale.

— Pourquoi diable as-tu fait ce damné bruit? demanda-t-il.

— Avec mes respects, mon seigneur, dit Fin, j'aimerais vous dire un mot.

Se rendant compte qu'elle retenait sa respiration, elle expira.

— Va-t'en, dit Rothesay en souriant, mais en relâchant sa prise sur ses épaules. Tu nous déranges, Fin, comme tu peux clairement le voir.

— Si je vous dérange, monsieur, il vaut mieux que ce soit moi qui le fasse, plutôt que son père ou un de ses frères, qui protesteraient avec plus de colère contre les libertés que vous prenez avec elle.

— Que le diable t'emporte, dit Rothesay brusquement. Tu es une nuisance damnable, Fin. La dame se promènera avec moi, et aucun père ni frère ne serait assez idiot pour protester contre mes attentions envers elle, quelles qu'elles soient. Je trouve sa beauté réconfortante, pour des nerfs à cran dus à nos discussions d'aujourd'hui. Mais dans tous les cas, tu n'as rien à dire à ce sujet, après m'avoir abandonné si impitoyablement à mon destin plus tôt.

Lorsque les lèvres de Fin se durcirent autant que celles d'Ivor quand il était sur le point d'exploser, Catriona ressentit une sensation d'anticipation au creux de ses reins.

Toutefois, il dit simplement :

— Si je vous ai abandonné, mon seigneur, je l'ai fait à la suite de votre ordre et de celui du Mackintosh, comme vous le savez bien.

— Par le sang de Dieu, mon cher, un tel discours ! Me défierais-tu, alors ? Oserais-tu ?

Catriona observait Fin, mais à l'écoute de ces mots, la sensation d'anticipation se transforma en un frisson de peur. Elle le regarda en fronçant les sourcils.

Si Fin le remarqua, il n'en montra aucun signe. En fait, il manifesta plus de témérité en passant son regard d'une main à l'autre de Rothesay avec désapprobation.

De nouveau, elle essaya de se départir de Rothesay. De nouveau, il l'en empêcha. Elle jeta un coup d'œil à son visage, puis à celui de Fin.

— Je vous en prie, monsieur, dit-elle à ce dernier. Il ne peut y avoir une bonne raison pour…

— Chut, jeune fille, dit doucement Fin, mais néanmoins fermement.

Elle avala un éclat de colère, mais souhaita pouvoir les gifler tous les deux. C'était comme si deux chiens tournaient autour d'un os savoureux.

— Par ma foi, mon seigneur, je ne veux pas me quereller avec vous ; seulement préserver les bénéfices de votre accueil ici et la bonne volonté du Mackintosh pour votre cause, dit Fin. Nous pourrions abandonner cette bonne volonté, s'il s'offense devant un tel intérêt royal pour sa petite-fille, qui est une jeune fille.

Rothesay le regarda longuement et de façon pénétrante, alors que Catriona tremblait considérablement, de plus en plus mal à l'aise. Puis, les yeux de Rothesay se mirent à scintiller.

S'en apercevant, elle commença à se détendre, jusqu'à ce qu'il dise :

— Pour l'amour du ciel, Fin, je sais ce qui se passe. Tu es toi-même intéressé par la jeune fille !

❦

Fin fixa Rothesay du regard, étonné, tandis que son imagination cherchait urgemment quelque chose d'intelligent à dire qui ne serait pas un pur mensonge.

Catriona ne dit rien, mais il n'avait pas manqué son froncement d'avertissement de tout à l'heure. Et il doutait qu'elle accueille une déclaration de sa part, même s'il en avait le droit. Toutefois, s'il disait qu'il ne portait *aucun* intérêt pour elle, il mentirait, et Rothesay essaierait de partir avec elle.

Juste à ce moment, Ivor apparut à côté d'eux, comme si un magicien l'avait fait apparaître là, et il dit d'un air mécontent :

— Parle, Fin. Quelles *sont* tes intentions envers elle ? Si tu as l'intention de te proposer, je me serais attendu à ce que tu demandes d'abord la permission de notre père pour la courtiser.

— Oui, c'est vrai, dit James, qui se trouvait de l'autre côté de Fin. Je dois dire que je n'en avais aucune idée. Pas plus que ma Lady Morag, qui sinon me l'aurait dit.

Fin, qui avait regardé de l'un à l'autre, s'aperçut alors que Shaw avait remarqué leur rassemblement et qu'il les observait d'un air sévère. Certain qu'il s'approcherait de lui ensuite, il revint à Rothesay, qui lui retourna le regard avec des yeux malicieux bien à lui.

— Pour l'amour, Fin, dit-il, gardais-tu cet attachement secret ? Parce que si c'est le cas, je me dis que le diable doit maintenant y être aussi.

Catriona, qui n'avait dit mot pendant tout ce temps, soupira tout à coup, regarda Rothesay droit dans les yeux et lui sourit d'un air piteux en disant :

— Vous avez plutôt raison à propos de *cela*, mon seigneur. Comme vous pouvez le voir de manière évidente, vous avez créé une situation malheureuse, en révélant notre secret. Mais il est vrai, j'en ai bien peur, que Sir Finlagh et moi sommes amoureux l'un de l'autre.

Baissant ensuite les cils d'une manière qui donna envie à Fin de la secouer jusqu'à ce qu'ils tombent au sol, elle ajouta :

— Comment aurais-je pu avoir assez de force pour résister à vos avances aussi flatteuses, monsieur, si je n'étais pas tombée profondément amoureuse de lui ?

— Comment cela ? dit Rothesay d'un rire joyeux. Mais, c'est extraordinaire ! Voici, Shaw, ajouta-t-il lorsque le père de Catriona s'approcha en faisant de grandes enjambées. J'ai découvert un secret pour vous. Votre magnifique fille et mon homme Sir Fin des Batailles que voici veulent se marier. Je pense que c'est une grande idée. Maintenant, que dites-vous à cela ?

Fin retint sa respiration, tandis que Shaw regardait d'une personne à une autre, laissant son regard se poser finalement sur Catriona.

— Je venais simplement proposer qu'il est l'heure que tu sois dans ta chambre, jeune fille, dit-il de sa manière sévère habituelle. Nous en parlerons plus longuement au matin.

— Avec mes respects, mon seigneur, dit-elle en croisant ce regard perçant. Cela me concerne autant que Sir Finlagh, parce que je suis celle qui l'a dit à Rothesay. Je pense que vous serez d'accord que ce serait injuste de ma part de laisser Fin seul pour répondre à vos questions à ce propos.

— Peut-être que ce le serait, approuva Shaw. Néanmoins, il parlera avec moi, seul. Si tu insistes, tu pourras te joindre à nous ensuite pour entendre alors ce que je te dirai.

Ce n'était pas ce qu'elle avait voulu, comme put le constater clairement Fin en voyant son expression frustrée. Mais lorsque Shaw fit un signe de tête à Ivor et que celui-ci posa une main sur son bras, elle obéit, sinon à contrecœur, et s'en alla avec lui.

— Ne l'emmène pas à la pièce solaire des dames, Ivor, mais dans la petite pièce en face de la chambre attitrée située au-dessus, dit Shaw. Je m'entretiendrai avec elle avant qu'elle n'ait besoin de le dire à votre mère ou à votre grand-mère, alors laisse-moi régler l'essentiel. Tu iras avec eux, James, ajouta-t-il. Mais prenez votre temps. Je préfère que personne n'en pense rien ou ne suive quiconque d'entre nous en haut de l'escalier. Ne parlez pas non plus à Morag, jusqu'à ce que je vous en donne la permission.

— Comme vous voudrez, monsieur, dit James en acquiesçant, tout en se retournant pour s'en aller.

Fin attendait de recevoir ses ordres, tout en gardant un œil sur Rothesay, qui continuait à s'amuser et attendait visiblement d'entendre ce que Shaw dirait à Fin.

Toutefois, Shaw s'adressa à Rothesay en premier et lui dit :

— Un de vos jeunes garçons a dit à mon beau-père que vous pouvez sans doute le battre aux échecs, mon seigneur. Il ferait volontiers une partie, si vous l'honoriez ainsi, et vous attend en ce moment dans la chambre intérieure.

Rothesay fit un grand sourire et répondit :

— Je jouerai, oui, avec plaisir, car je dois vous dire que je cherchais ce soir un moyen de m'amuser. Mais voyez-vous, Shaw, je pense que cette paire secrète devrait se marier immédiatement. De plus, cela m'amuserait plus qu'une bonne partie d'échecs et pourrait égayer l'humeur entre mes cousins, ce qui les ferait plier plus facilement à ma volonté.

— En ce qui a trait à cela, mon seigneur, nous verrons.

— Je pourrais faire de ce mariage un ordre royal, dit Rothesay d'une manière provocante. Peut-être que je n'ai pas été clair. Cette union a ma bénédiction.

— Un honneur, c'est certain, dit Shaw sur le même ton sévère. Nous pourrons en discuter plus longuement, si vous le souhaitez, une fois que j'aurai parlé à Sir Finlagh et à ma fille.

Voyant le froncement rapide de Rothesay, Fin voulut l'avertir de rappeler son besoin de soutien du clan Chattan. Mais Rothesay, lui jetant un coup d'œil, s'en souvenait parfaitement, car son froncement se détendit, et il dit :

— Cela me plairait, oui, Shaw.

— Alors, c'est bien, dit Shaw.

Puis, se tournant vers Fin, il ajouta :

— Vous venez avec moi.

Quand Fin entendit ces mots et le ton de mauvais augure de Shaw, son esprit lui joua un tour inattendu, éveillant la pensée soudaine que s'il avait su un mois plus tôt qu'il se retrouverait seul dans une pièce avec le chef guerrier du clan Chattan, il n'aurait jamais deviné que ce serait pour une telle raison ou qu'il espérerait seulement apaiser la fureur légitime de l'homme.

⌐◦⌐

Consternée devant ce qu'elle avait provoqué et en colère contre elle-même d'avoir mis Fin dans un tel pétrin, Catriona maîtrisa ses émotions, jusqu'à ce qu'Ivor la conduise dans la minuscule pièce en face de celle beaucoup plus grande où étaient rangés les documents importants du clan. La pièce plus grande était aussi celle où son père s'enfermait quand il devait s'occuper d'affaires privées ou d'une fille à gronder.

Mais lorsqu'Ivor se tourna pour refermer la porte de la pièce plus petite, elle dit sur un ton neutre, derrière son dos :

— Je ne veux discuter de rien de cela avec toi ni avec James non plus. Pas encore.

Ivor se retourna alors pour lui faire face, et, au lieu de la colère qu'elle s'attendait à voir, elle vit de la compassion et une étincelle d'humour.

— Tu ne veux pas, chatte sauvage ? demanda-t-il. Je peux facilement comprendre cela. Mais quel diable a pris possession de toi, pour que tu déclares une telle chose ?

— Je ne peux pas te le dire, murmura-t-elle.

— Ne peux ou ne veux pas ?

Elle ne sut que répondre à cela.

— Je vois, dit-il, ou peut-être pas. Mais je me doute que Fin posera la même question, alors tu ferais mieux de réfléchir à une réponse, avant qu'il ne le fasse. As-tu une idée de tous les ennuis que tu lui as créés ?

— Je sais, répondit-elle, misérable. Je n'avais pas l'intention de faire cela. Lorsque Rothesay m'a pressée d'aller me promener avec lui, tout le monde s'était éloigné, et même père avait dit que je ne pouvais pas être impolie avec lui. Mais lorsque j'ai dit que père désapprouvait que je le favorise d'une telle façon, Rothesay a déclaré que j'*étais* impolie. Je crois qu'il doit être soûl comme un singe.

— Très probablement. Souvent, il boit trop.

— Je pensais vraiment que je pouvais m'occuper de moi, ici, dans notre propre salle, mais...

— Non, jeune fille, et jamais avec Rothesay.

Elle prit une profonde inspiration et expira, sachant qu'il avait raison.

— Combien en as-tu entendu de ce que nous avons dit ?

— Pas grand-chose, jusqu'à ce que Rothesay dise ce qu'il a fait à propos de Fin devenant lui-même intéressé par toi. Écoute, j'étais encore sur l'estrade discutant avec James lorsque tu es partie, alors...

Il s'arrêta de parler, quand la porte s'ouvrit et que James entra comme si le fait de prononcer son nom l'avait amené. Il se tint debout à les regarder, décidant à l'évidence que dire.

— Ferme la porte, James, dit Ivor. Ce n'est pas bien pour Cat de voir père mener Fin dans cette pièce comme il avait l'habitude de nous emmener quand nous étions mûrs pour une crise de rage, ou pire. J'étais en train de lui dire ce que nous avons vu et entendu.

James jeta un regard pénétrant à Catriona, tout en retournant fermer la porte. Puis, il dit :

— Tu n'aurais jamais dû laisser Rothesay partir avec toi de cette façon, jeune fille, mais, par ma foi, je ne sais pas comment tu aurais pu l'arrêter. L'homme croit que son poste et le sang royal qui circule dans ses veines lui accordent le droit de toujours obtenir ce qu'il veut. Nous avons tous vu cela.

Catriona promena son regard d'un homme à l'autre, puis le fixa sur Ivor.

— Je m'attendais à ce que toi, surtout, sois furieux à propos de ce qui s'est passé en bas, dit-elle. Au lieu de cela, tu as semblé presque amusé... et... et autre chose. Es-tu inquiet, monsieur?

Ivor regarda James, qui haussa les épaules.

— Tes émotions comptent à peine, devant l'essentiel de cette affaire, je crois, dit-il.

— Je t'en prie, Cat, dit Ivor, dans l'intervalle où quiconque à part Fin a remarqué que tu avais quitté l'estrade avec Rothesay, vous étiez trop loin et trop mélangés à nos gens dans la salle inférieure pour que nous ne fassions pas une tournée. Nous ne pouvions que compter sur la capacité de Fin pour intervenir diplomatiquement.

— Il *aurait* sans doute réussi à distraire Rothesay, dit James solennellement, si vous n'étiez pas intervenu.

Catriona désapprouva, vu que Rothesay n'était pas d'humeur à ce que quiconque le divertisse, mais elle savait qu'il valait mieux se taire.

Toutefois, Ivor dit :

— Même avant que toi et moi soyons assez près pour entendre ce que les trois disaient, James, je t'assure que c'était déjà rendu trop loin.

— J'ai vraiment essayé d'arrêter Rothesay, dit-elle, détestant le ton défensif de sa voix, mais peu disposée à ce qu'ils croient qu'elle s'était simplement soumise à ses désirs. Il m'a rappelé alors son grand pouvoir en tant que gouverneur. Il… il a proféré des menaces.

— Oui, dit James en opinant de la tête. L'homme exerce en effet beaucoup de pouvoir, jeune fille, et menace souvent de l'utiliser. Mais au début, on aurait dit que tu partais volontairement avec lui.

— Tu as dit toi-même que tu ne sais pas comment j'aurais pu l'arrêter, James. Alors, comment, *moi*, l'aurais-je su ? Dis-moi juste ce que…

— Cela suffit, Cat, intervint Ivor, à l'évidence impatient devant le besoin de James d'explorer lourdement les détails en profondeur, ou devant sa propre réaction, ou les deux.

Puis, Ivor ajouta :

— Même si Rothesay a vingt-trois ans, il tient la place de notre roi, alors il est vrai que tu ne peux pas le gifler au visage ou lui donner l'ordre de retirer ses mains de sur toi comme tu le ferais avec n'importe quel autre type. Même dans ce cas, de nombreuses personnes qui vous auront vus croiront que tu as trouvé ses attentions flatteuses et que tu y as répondu favorablement.

Elle approuva par un signe de tête.

— Morag a dit la même chose, la première fois que je me suis promenée avec lui.

— Alors, nous n'en dirons pas plus sur ce sujet, dit Ivor. Nous avons vite vu que tu n'étais pas d'accord et nous avons essayé de te rejoindre rapidement, mais sans attiser de la curiosité excessive.

— Oui, confirma James.

Puis, il ajouta avec le plus grand sérieux :

— Je n'avais pas l'intention que tu croies autre chose, Cat. Rothesay serait un homme difficile à gérer pour toute jeune fille.

— Je n'ai rien entendu de façon claire, jusqu'à ce que Rothesay hausse la voix pour demander si Fin avait l'intention de le défier, dit Ivor. Je t'ai vue froncer les sourcils, et ce que j'ai entendu ensuite était Rothesay déclarant que Fin te portait lui-même un intérêt particulier. Et Fin n'a pas nié cela, Cat.

— Non, il ne l'a pas fait, approuva-t-elle en s'en souvenant. Il n'a rien dit, Ivor. C'est à ce moment que tu as demandé de savoir quelles étaient ses intentions envers moi.

— En effet, jeune fille, oui, dit-il. Tu sais, tu as — ou plus précisément Rothesay — mis Fin dans une situation intenable. Il ne pouvait pas dire honnêtement qu'il ne s'intéressait pas à toi, si c'était vrai. Mais j'admettrai que j'ai simplement dit la première chose qui me soit venue à l'esprit, espérant donner à Fin plus de temps pour réfléchir. Toutefois, ce n'était pas la chose la plus sage que j'aurais dû dire.

— Cela, dit James, est parfaitement vrai. Cela pourrait même être ce qui a mis l'idée dans la tête de Catriona de dire ce qu'*elle* a dit.

Tout en lui lançant un regard de réprimande, Ivor poursuivit :

— Lorsque j'ai dit que Fin aurait dû demander la permission de père, je m'attendais à ce que Fin réponde qu'il *discuterait* d'une telle intention avec lui. Mais avant qu'il ne puisse le faire, tu as divulgué ta déclaration d'amour et tu l'as fait de façon que Dieu sait combien de personnes puissent entendre. Sans doute que chacune d'entre elles l'a répété à d'autres. En fait, jeune fille, tu as jeté Fin dans les propres flammes du diable avec ces mots.

— Mais comment?

— Peux-tu imaginer que Fin est en ce moment de l'autre côté du couloir, en train de déclarer à notre père que tu es une menteuse, Catriona?

— Pitié, monsieur, Fin met tant d'importance à son honneur que j'ai *supposé* qu'il dirait la vérité à père. Il doit savoir que je me suis exprimée au moment où je l'ai fait pour *arrêter* Rothesay et me libérer de lui sans causer plus de trouble que nous n'en avions déjà provoqué.

— Quoi qu'il dise à père, tu as mis Fin dans une position odieuse.

Elle l'avait su quand Shaw lui avait interdit d'être présente pendant que lui et Fin disaient qu'elle avait mis Fin dans une situation injuste. Mais elle avait espéré qu'en en déclarant autant à son père, elle avait au moins fait quelque chose pour aider. Il était évident que ce n'était pas le cas.

— Pour l'amour, dit-elle, je dirai à père toute la vérité moi-même.

— Cela ne servira pas beaucoup ni à toi ni à lui, maintenant, dit James en secouant la tête.

— Je ne te comprends pas, James. Je t'en prie, dis ce que tu penses.

— Il ne le doit pas, Cat, car nous en sommes venus à l'essentiel, dit Ivor doucement. En fait, père penserait que nous en avons déjà dit plus que nous le devrions.

Elle promena son regard de l'un à l'autre et se demanda ce qu'elle avait bien pu faire.

───•◦∘◦•───

Suivant Shaw dans une chambre à l'apparence confortable et d'une dimension qui égalait presque la pièce solaire des dames située sous eux, Fin ferma la porte sans attendre qu'on le lui demande. La chaleur de la pièce était bienvenue, même apaisante, car pendant les longues minutes que cela avait prises pour traverser la grande salle et suivre Shaw en haut de l'escalier central jusqu'à la pièce attitrée, ses pensées avaient tournoyé comme des tuyaux de descente sur un lac venteux.

Inspirant profondément puis expirant, exactement comme il l'aurait fait avant d'affronter un adversaire sur une cour inclinée, il regarda Shaw s'agenouiller pour raviver des braises dans le foyer.

Puis, Shaw se releva et le regarda pendant un long moment, avant de dire :

— Vous devriez savoir, jeune homme, avant que nous amorcions cette conversation, que mon beau-père croit que vous feriez un bon mari pour notre Catriona. Je ne suis pas sûr d'être d'accord avec lui. Pas encore.

Tout ce que Fin avait pensé dire s'évapora de son esprit. N'ayant rien de plus à dire, il se tut.

— Je vous prie, vous devez bien savoir qu'il nous a dit qui vous étiez. De même, Ivor nous a parlé de votre rôle dans la bataille à Perth et nous a révélé qu'il vous a pressé de plonger dans la rivière afin que quelqu'un de votre côté vive pour raconter l'histoire. L'avez-vous déjà racontée?

— Seulement à Catriona, monsieur. Je ne me suis pas rendu chez moi depuis lors pour rencontrer les autres de mon clan.

Ce fait seul ne lui avait pas paru déplaisant, comparativement à sa fuite et au legs de son père. Mais cela l'était, maintenant, quand il l'avoua à Shaw.

— Alors, même si vous ne l'avez pas dit aux membres de votre propre famille, vous l'avez effectivement raconté à notre Catriona, c'est cela?

— Je l'ai fait, oui, dit Fin. Elle m'avait prêté un appui amical — peut-être même sauvé la vie. J'ai pensé qu'elle méritait de savoir.

— Et lui avez-vous dit également que votre frère est un chef Cameron?

— Oui, je l'ai fait.

— Et que vous étiez né au château Tor, un endroit pour lequel nos deux clans se sont longtemps battus jusqu'à la bataille à Perth, et pour lequel nous partageons encore une grande tension?

— Je ne lui ai pas parlé de cela, dit Fin à voix basse.

— Sans doute que l'occasion ne s'est pas présentée, dit Shaw presque aimablement.

— Nous avons parlé du château Tor, admit Fin en ayant l'impression d'approcher un précipice... ou une potence. Elle a demandé si je le connaissais et a dit que le Mackintosh s'y rend tous les Noëls. J'ai seulement dit que je connaissais le château Tor et le lac Arkaig.

— Je vois.

À la surprise de Fin, les yeux de Shaw scintillèrent, mais il dit simplement :

— Je m'attends à ce que vienne le moment où vous souhaiterez être plus disponible pour la jeune fille. Mais ce n'est qu'une des conséquences que vous allez affronter, maintenant.

— Je pourrais certainement en nommer plusieurs, dit Fin en pensant non seulement à Catriona et à la colère qu'il avait vue en elle, mais aussi à Rothesay.

— Oui, eh bien, je ne me soucie que d'une conséquence, en ce moment, dit Shaw. À moins que vous n'ayez l'intention de raconter le mensonge à notre Catriona.

— Je ne ferais cela en aucun cas, dit Fin. Toutefois, je suis sûr qu'elle clarifiera l'histoire dès qu'elle le pourra. Aussi facilement qu'elle dit à voix haute ce qu'elle pense, je ne serais pas surpris d'entendre qu'elle a déjà déclaré qu'elle s'est exprimée précipitamment.

— Maintenant, jeune homme, je vous rappelle que je l'ai mise sous la responsabilité de ses frères, alors elle n'a encore rien dit à personne d'autre. Elle ne le fera pas non plus. Je ne lui permettrai pas qu'elle se ridiculise, ni que vous le fassiez à sa place. Si j'avais cru que vous aviez une telle chose en tête, ajouta-t-il quand Fin se déplaça pour le rassurer, j'aurais vu à ce que vous vous taisiez. Étant donné la situation actuelle, je sais bien que je peux vous faire confiance pour agir avec elle comme vous le devriez.

— Comme je le devrais, monsieur ?

— Oui, bien sûr, car vous devrez l'épouser, maintenant. Ne le ferez-vous pas ? Je vous en prie, nous avons ici trois puissants lairds, et chacun d'eux s'attendra à entendre que vous vous marierez.

Fin entendit les mots. Mais leur impact sur lui, quoique fort, était bien différent de ce à quoi il aurait pu s'attendre. Une soif le submergea, comme il n'en avait jamais ressenti auparavant. Il voulait Catriona et crut qu'il n'avait jamais voulu quelque chose autant.

Qu'il puisse gagner sa...

Son corps frémit à la pensée, et son esprit bourdonna.

Mais cela ressemblait à un choc, le fait de découvrir que Shaw pensait, exactement comme *lui*, que la punition la plus efficace pour n'importe quel homme était de le laisser subir les conséquences de ses propres actions.

# Chapitre 13

Catriona fit les cent pas tout en attendant avec ses frères, ennuyée devant leur refus de lui en dire davantage, mais sachant que cela n'amènerait rien de bon de les presser. Ni Ivor ni James n'avaient fait de commentaires supplémentaires. Les deux hommes silencieux restèrent assis, la regardant marcher.

Lorsque la porte s'ouvrit, elle sursauta violemment et pivota sur elle-même, pour voir Shaw remplir l'espace de l'embrasure de la porte, l'air sombre.

— Que lui as-tu fait, monsieur ? demanda-t-elle.

Levant les sourcils pour montrer qu'il n'appréciait pas le ton de sa voix, Shaw dit :

— Maintenant, tu vas entrer dans cette chambre avec moi, Catriona.

Elle déglutit bruyamment, mais dit :

— Je t'en prie, monsieur, où est-il ?

— Je t'avais avertie, jeune fille, que j'avais des choses à te dire. Je te les dirai maintenant.

Il se mit de côté, faisant implacablement signe en direction de la pièce située de l'autre côté du palier.

Avec presque la même sensation d'abattement qu'elle ressentait enfant quand il lui donnait l'ordre d'entrer dans cette pièce, elle réfléchit et ne fit que se sentir troublée de nouveau, au moment où Ivor lui lança un regard de sympathie. Espérant arriver à garder sa dignité tout au long de ce qui allait suivre, elle passa devant son père, traversa le palier et entra dans la plus grande chambre.

Fin se tenait près du foyer, l'air solennel, mais à l'aise.

Son cœur battait la chamade, mais comme il ne semblait apparemment pas affecté par ce qui s'était passé entre lui et son père, elle put se ressaisir.

Elle fut sur le point de parler, lorsque Shaw dit :

— Regarde-moi, Catriona.

Fermant la bouche, elle se tourna pour lui faire face.

Au lieu de la gronder comme elle l'avait prévu, il dit :

— J'ai dit à Sir Finlagh qu'il peut te décrire la discussion que nous avons eue comme il lui plaira et aussi l'issue à laquelle je m'attends à la suite de cet entretien. Je sais que je peux lui faire confiance pour t'expliquer clairement mon point de vue et celui de ton lord grand-père, jeune fille. Je te fais aussi confiance pour rappeler ton propre rôle dans cette affaire, lorsque tu en parleras avec lui.

— Oui, monsieur, je le ferai, dit-elle.

Il acquiesça et poursuivit :

— Lorsque tu auras terminé ici, tu te retireras dans ta chambre pour la nuit. Cela t'épargnera de devoir parler avec n'importe laquelle des autres femmes. De même, tu devras épargner tous détails à Ailvie jusqu'à demain. Je serai des plus mécontent, si elle parle à quiconque de ceci. Me comprends-tu, Catriona ?

— Je… je pense que oui, dit-elle, consciente qu'elle en comprenait encore peu, mais espérant que Fin expliquerait ce qui arrivait.

Elle avait une forte impression que si elle demandait à Shaw des éclaircissements, elle en obtiendrait plus qu'elle ne voulait en entendre, et peut-être plus que juste des mots. Il paraissait déjà des plus mécontent d'elle.

Elle respira avec difficulté jusqu'à ce qu'il soit parti, refermant la porte derrière lui et la laissant seule avec Fin, qui restait toujours debout et silencieux près du foyer, derrière elle.

Il n'avait pas prononcé un seul mot, alors elle se retourna lentement pour lui faire face, vaguement consciente quand une braise rougeoyante craqua dans le foyer et envoya des étincelles dans les airs. Son regard chercha le sien, mais lorsqu'ils se croisèrent, son sentiment croissant d'aise se transforma en prudence.

Il ne parut pas plus content d'elle que son père l'avait été. L'expression sur son visage n'était pas aussi intimidante que l'avait été celle de Shaw, mais il ne lui donna non plus aucun indice de ce que Fin pourrait lui dire ni de ce qu'il ressentait.

— Que vous a-t-il dit ? demanda-t-elle avec plus de force qu'elle ne l'aurait voulu.

Il continua de soutenir son regard, mais l'expression sur son visage se transforma lorsqu'elle parla, comme s'il jaugeait son humeur presque de la même manière qu'elle essayait de juger la sienne.

Elle sentit qu'elle commençait à se détendre de nouveau. Quelque chose à propos de Fin rendait facile le fait d'être avec lui, même lorsqu'il était mécontent. Il la contredirait peut-être — pour l'amour, la contradiction était une habitude chez lui —, mais rarement il rejetait ce qu'elle disait comme le faisait parfois James, ou il ne lui disait pas qu'elle devait simplement lui faire confiance et lui obéir comme le faisait Ivor bien trop souvent. Fin lui parlait comme si elle avait sa propre intelligence. En fait, si elle l'agaçait, c'était généralement parce qu'elle ne l'utilisait *pas*.

Finalement, sans avancer vers elle ni suggérer qu'ils s'assoient, mais d'un air qui se durcit comme s'il avait résolu quelque chose, il dit :

— Ce que vous avez dit là-bas à Rothesay…, y avait-il ne serait-ce qu'un grain de vérité là-dedans, Catriona ?

Se rappelant la déclaration d'Ivor selon laquelle elle avait jeté Fin dans les propres flammes du diable, elle dit d'un air piteux :

— Je m'excuse pour cela, monsieur. J'avais l'intention d'expliquer toute l'histoire à père moi-même, même si James a dit que cela n'apporterait rien de bon. Mais père et grand-père peuvent normaliser les choses pour vous, j'en suis certaine.

— Qu'alliez-vous dire à votre père ?

— Pourquoi ? Que j'ai dit ce que j'ai dit à Rothesay simplement pour qu'il me laisse tranquille, bien sûr. J'ai cru que vous l'aviez compris.

— J'avais compris, dit-il.

Rassurée, elle poursuivit :

— Écoutez, vous êtes resté silencieux si longtemps que je ne savais pas alors que penser. Après que Rothesay eut déclaré que vous me vouliez pour vous, j'ai *espéré* que vous ne proclameriez pas haut et fort que vous ne vouliez pas de moi du tout. Mais, en fait, je ne pouvais en être sûre, à cause de votre sens de l'honneur si aigu. Je m'attendais avec certitude que vous disiez sans détour à père que j'avais menti. Mais Ivor a dit que vous ne le feriez pas.

— Ivor avait raison, et je ne pouvais pas non plus réconcilier avec mon sens de l'honneur d'abandonner une jeune fille innocente aux griffes de Rothesay.

— J'imagine que vous voulez dire que me traiter de menteuse serait une sorte de trahison, mais…

— C'est ce que je veux dire, dit-il. Rappelez-vous que je connais les habitudes de Rothesay mieux que vous. Mais dites-moi autre chose. Pourquoi avez-vous froncé les sourcils, en me regardant ?

— Quand ?

— Ne me mettez pas plus à l'épreuve ce soir, Cat. Ma patience est usée.

— Si vous parlez du moment où vous l'avez confronté comme vous l'avez fait — miséricorde, monsieur, vous l'avez autant mis au défi ! J'ai pu voir que vous le mettiez en colère, et vous l'aviez déjà ennuyé plus tôt, car il a dit que vous l'aviez abandonné.

— Ce à quoi *j'ai* répondu… ?

— Qu'il vous en avait donné l'ordre.

Elle soupira, se rendant compte qu'elle avait dépassé les bornes.

— J'espère que la vérité est que vous deux vous faisant face ainsi m'avez fait sottement peur, même si vous direz que j'aurais dû savoir que vous pouviez gérer la situation. Pour l'amour, la pure vérité est que j'ai pris ombrage, quand vous m'avez dit de me taire.

— Vous n'aidiez pas, répondit Fin doucement, mais je suis heureux que vous compreniez que quiconque dit à Rothesay qu'il agit mal marche sur un terrain glissant.

— Bien, alors…

— Je vous prie, jeune fille, votre résistance à ses avances l'a simplement encouragé, au début, dit-il. Mais j'ai pu voir que vous vous mettiez suffisamment en colère contre lui pour vous comporter d'une manière qu'il ne tolérerait pas. Mais maintenant, vous devez me donner une réponse claire à la partie la plus importante de ma question. Y avait-il une *quelconque* vérité, dans ce que vous lui avez dit au sujet de vos sentiments pour moi, ou cette déclaration n'était-elle qu'un mensonge?

Elle hésita, se demandant ce qu'il espérait qu'elle réponde, et se demandant également à quel point elle se souciait de lui. Peu de temps auparavant, face à son père dans son entrée à la chambre de l'autre côté de la salle, Fin avait été la seule chose à laquelle elle avait pu penser.

Elle avait eu peur pour lui, peur de ce que Shaw lui aurait peut-être dit et peur que Fin puisse ne jamais lui pardonner d'avoir eu à affronter son père ainsi.

La vérité était qu'elle adorait être avec Fin. Il la fascinait, la faisait réfléchir sur des sujets qu'elle avait rarement considérés avant, et il l'écoutait. Il faisait en sorte que ses opinions semblent louables, voire intéressantes.

Ses yeux magnifiques lui laissaient voir directement ses pensées, quand il le permettait, et il avait des façons de la regarder qu'elle pouvait ressentir jusqu'au plus profond de son âme.

Mais que savait-elle de lui, à part ce qu'il lui avait révélé? Et combien juste ce serait de le laisser croire qu'elle se souciait suffisamment de lui pour l'épouser, mais pas suffisamment pour partir avec lui et vivre parmi des étrangers... ennemis..., lorsqu'il devrait la quitter?

— Puis-je vous poser une question, monsieur?

— Oui, n'importe laquelle, répondit-il.

— N'importe laquelle? Pour l'amour, mais vous dites cela avec tant d'aisance. N'avez-vous pas peur que quelqu'un puisse vous poser une question si personnelle à laquelle vous n'avez jamais eu le courage de partager la réponse avec *personne*? La plupart des gens ont ce genre de secrets personnels, après tout.

Il y eut brièvement un arrêt dans son regard. Mais il disparut, et il dit :

— Je répondrai à toute question que vous me poserez, si je le peux, qu'elle soit personnelle ou autre.

Elle l'observa attentivement, déterminée à remarquer chaque mouvement et à saisir sa plus petite expression, afin qu'elle puisse juger sa réponse avec précision. Puis, elle dit :

— M'avez-vous tout dit ce que je devrais savoir à propos de vous?

⚬

Fin réfléchit à sa question et à la façon dont il devrait y répondre, souriant presque devant la rapidité avec laquelle elle avait réalisé la prédiction de son père, soit qu'elle lui donnerait un compte rendu.

Shaw avait eu raison, en disant qu'elle devrait avoir des informations sur sa famille. Fin savait qu'il devrait aussi lui en dire plus sur lui, car tôt ou tard, il l'emmènerait au lac Arkaig, et elle verrait que le siège d'origine du Mackintosh était aussi la maison d'origine de Fin Cameron.

Se rappelant la description d'Ivor, qui la surnommait «chatte sauvage», il se douta que les poils et les griffes voleraient probablement dans les airs, lorsqu'ils auraient cette conversation. Ainsi, l'avoir maintenant serait imprudent. C'était seulement quand ils se retrouveraient en privé tous les deux, sans crainte d'être interrompus, qu'il lui dirait *tout* ce qu'elle voulait savoir.

Il ne ferait pas cela dans un endroit où Ivor ou James risquaient d'entrer ou à un endroit qu'elle pourrait facilement quitter, pour mettre le verrou à sa porte et refuser de lui parler.

Enfin, voyant de clairs signes d'impatience dans son expression, il dit :

— Cat, rengainez vos griffes. Il m'aurait été impossible de vous dire tout ce que vous aimeriez vouloir savoir sur moi. Je peux penser tout de suite à deux ou trois choses que je ne *peux* pas vous dire, parce qu'elles concernent des gens qui auraient une vague idée sur le fait que je vous fasse part de leurs confidences. J'admettrai également qu'il y a des choses que je ne vous ai pas confiées en tant qu'ami et que je me sentirais obligé de vous dire en d'autres circonstances.

— Quelles circonstances ? Vous ne pouvez pas me dire que vous les diriez à un ennemi.

Il attendit, sachant à quel point elle était rapide, et elle ne le déçut pas.

— Vous voulez dire que si je suis d'accord pour... si nous... c'est-à-dire si vous étiez sur le point de...

— Répondez simplement à ma question, dit-il à voix basse quand elle fléchit. Est-ce que ce que vous avez dit à Rothesay reflète des sentiments que vous ressentez effectivement pour moi, ou lui avez-vous menti ?

Visiblement en train de déglutir, elle dit :

— Je crois que je pourrais regretter ce que je vais dire, mais je... je crois qu'il pourrait y avoir une certaine vérité à ce que j'ai dit. Mais...

Son cœur bondit, le faisant sursauter avec la vague d'émotions et plus de réactions physiques qui parcoururent son corps.

— En êtes-vous certaine, jeune fille ? demanda-t-il, entendant sa voix craquer à la prononciation de ces mots. Rappelez-vous, avant de me répondre, que vous vous êtes excusée auprès de moi et que vous m'avez avoué avoir dit cela uniquement dans le but que Rothesay vous laisse tranquille.

— Devez-vous contredire même mes pensées à moitié formulées, monsieur, et utiliser mes propres mots contre moi quand vous le faites ?

Il avança d'un pas vers elle, s'apercevant qu'il avait fait cela impulsivement, et il se reprit pour dire :

— Je ne vous contredis pas. J'ai seulement besoin de savoir ce que vous ressentez en ce moment, pour me donner une idée de la manière dont vous réagirez face à ce qui doit se passer ensuite. Voyez-vous, il y a une chose dont je dois être certain qu'elle soit claire pour vous, avant que nous quittions cette chambre.

<hr>

Catriona fixa Fin, tandis qu'une rafale de pensées dansait dans sa tête, dont la dernière était ce que son père lui avait dit, c'est-à-dire que Fin lui éclairerait l'opinion de Shaw ainsi que celle du Mackintosh.

Tout à coup, la vérité fit surface.

— Dieu du ciel, ils ont l'intention de *faire en sorte* que vous m'épousiez !

— Le Mackintosh et votre père en ont discuté, dit-il, c'est-à-dire qu'ils ont parlé de nous et de Rothesay. Votre grand-père a décrété, et Shaw est d'accord avec lui, que rien ne doit se passer qui causerait du grabuge entre la maison du Mackintosh et celle de Stewart. Alors, ils proposent…

— Ils insistent, plutôt ! Mais je n'ai jamais eu l'intention…

— Quoi que vous ayez voulu dire, vous avez fait des ravages, jeune fille. Essayez d'imaginer, si vous le voulez, ce que sera la réaction de Rothesay, s'il apprend que vous lui avez menti pour vous libérer de ses attentions. Il est jeune et très fier, et une telle histoire se répandrait vite.

Grimaçant devant ce tableau qu'il avait créé dans sa tête, elle dit :

— Je sais bien que d'autres personnes se trouvaient près de nous. Ivor a dit que la plupart d'entre eux seraient enchantés de raconter l'histoire.

Il acquiesça.

Dans un soupir, sachant qu'elle ne pouvait pas tous les défier et sachant aussi qu'elle ne voulait pas le faire si cela signifiait ne plus jamais voir Fin, elle dit :

— Très bien. Ils pourraient annoncer que nous nous marierons. Ensuite, nous verrons. Mais il y a une chose que vous devriez clairement comprendre à mon sujet, avant que nous fassions cela, monsieur.

Tout en parlant, elle s'était approchée, bien trop près. Il la regarda dans les yeux.

— Qu'est-ce que je dois comprendre ? demanda-t-il.

S'efforçant de ne pas laisser paraître ses émotions dans sa voix, elle dit :

— Je n'aime *pas* quand des hommes supposent que je ne peux pas m'occuper de moi-même — parce que j'en suis capable, monsieur, et je le fais.

— Ah, jeune fille, venez là, dit-il en l'attirant dans ses bras. J'ai vu que vous le pouvez. Vous êtes intrépide. Mais je vous promets que cela m'inquiète plus que toute faiblesse que vous pourriez avoir, car aucune femme n'est *toujours* capable de s'occuper d'elle-même — ni aucun homme non plus, cela dit.

— Je m'attends à ce que *ce* soit une chose que vous admettrez, murmura-t-elle en s'appuyant contre lui et en accueillant son étreinte.

Tout en faisant cela, elle se rendit compte d'autre chose.

— Vous n'avez pas dit ce que *vous* pensez de tout ceci. Vous devez être vexé contre moi et détester autant que moi qu'ils vous forcent à faire ceci. De plus, si ce que j'ai fait vous met en mauvais termes avec Rothesay, de qui vous êtes au service…

◦○◦

Elle parut sincèrement inquiète, alors, lorsqu'elle se tut, Fin la serra dans ses bras et dit :

— Davy se remettra de son mécontentement dès qu'il aura besoin de moi, jeune fille. Et je ne suis ni vexé ni même opposé au plan de votre père nous concernant, même si cela pourrait compliquer ma vie pendant un certain temps. Surtout avec ma famille.

Elle fit un signe de tête affirmatif.

— Je suppose que ce sera le cas. Je doute qu'ils apprécient notre mariage.

— Qu'ils soient d'accord ou pas, ils semblent honorer la trêve, dit-il. Dans tous les cas, après notre mariage, ils voudront vous rencontrer.

Il n'ajouta pas que son frère Ewan dirait qu'ils auraient dû faire sa connaissance bien avant. Mais ce qu'Ewan dirait sur le fait que Fin marie une Mackintosh, il ne voulut pas l'imaginer.

— Mes sentiments concernant le fait de quitter Loch an Eilein n'ont pas changé, monsieur, dit Catriona à voix basse. J'ai vu, avec Morag, combien il est difficile de vivre parmi des étrangers, même si leurs clans n'ont jamais été ennemis. Nous avons presque toujours été en désaccord avec les Cameron. En plus, si vous n'avez pas vu vos semblables depuis un certain temps…

— Pas depuis la bataille à Perth, dit-il.

— Dieu du ciel, ils doivent penser que vous y êtes mort !

— Je ne sais pas ce qu'ils croient, admit Fin. Je doute que quiconque à part Ivor ait su qui j'étais, quand j'ai quitté le champ de bataille. Alors, les gens à Lochaber croient probablement que les trente hommes Cameron sont tous décédés à Perth. Mais j'aime à penser que ma famille sera heureuse d'apprendre que ce n'est pas le cas et qu'ils accueilleront de même la femme qui, tout récemment, a empêché un autre voyou de me tuer. Mais s'ils ne sont pas contents à propos du premier…

— Pourquoi ne le seraient-ils pas ?

Il n'avait pas eu l'intention de mettre ce sujet sur le tapis, mais il dit honnêtement :

— Les hommes de ma famille comptent parmi ceux qui penseraient que fuir comme je l'ai fait était lâche.

Comme elle ne fit aucun commentaire, il ressentit un moment d'incertitude.

— Regardez-moi, Catriona.

Lorsqu'elle le fit, il ajouta :

— Êtes-vous certaine d'être d'accord que ce ne l'était pas ? Je ne vous en voudrais pas, si c'était le cas. Je sais que nous avons discuté de…

— Ivor pensait que vous deviez partir. Cela me suffit, Fin Cameron, exactement comme cela l'a été pour vous. Pour l'amour, aucune personne sensible ne pourrait croire qu'un homme qui a survécu à ses adversaires et à vingt-neuf de ses compagnons dans un tel évènement est un lâche.

Le ton de sa voix rendait impossible le fait de ne pas la croire. Il commença à se détendre.

— Mais il y a encore une chose, dit-elle. Vu que vous étiez capable d'intervenir auprès de Rothesay, je pense que vous auriez pu tenir tête à mon père également. Vous épouser est un bien meilleur destin que me marier avec Rory Comyn, mais si vous les laissez vous obliger…

— Je crois que vous savez que sur ce point, j'ai aussi peu la possibilité de donner mon avis que vous, dit-il. Si vous voulez que je leur dise que *vous* vous opposez toujours à cette union, je le ferai. Mais vous savez bien qu'ils sont plus soucieux de vous protéger que de répondre à vos souhaits.

— Allez-vous vraiment leur dire que je ne veux pas qu'ils m'*obligent* à vous épouser ?

— Je le leur dirai.

— Ils vous écouteront peut-être, dit-elle. Alors, allez et faites-le. Je parie que père doit être en train de vous attendre de l'autre côté de la salle avec Ivor et James.

En conséquence, Fin marcha avec elle jusqu'au palier, et il la suivit des yeux jusqu'à ce qu'elle ait disparu derrière le premier tournant de l'escalier. Ensuite, donnant de petits coups secs à la porte en face et n'entendant que le silence, il l'ouvrit et se retrouva devant une pièce vide.

— Je vous demande pardon, monsieur.

Il se retourna et vit Tadhg sur les marches d'escalier se situant plus bas.

— Hé, qu'y a-t-il ?

— Le laird se trouve dans la chambre intérieure avec le Mackintosh et eux. Il vous verrait là-bas maintenant, vu que madame la comtesse est montée pour la nuit. Et, monsieur…

— Quoi d'autre ?

— … je dis que c'est une bonne idée que vous alliez marier notre Lady Catriona.

— Pour l'amour, est-ce que le château entier sait ce qui se passe ici ce soir ?

— Non, monsieur, mais j'étais à proximité, quand le laird a dit au Mackintosh que ce sera tout organisé.

— Je vais descendre immédiatement, Tadhg. Je t'en prie, va à ma chambre et dis à mon écuyer que j'arrive dans un petit moment. Il doit m'attendre. Mais ne lui parle pas de ces nouvelles.

Dès qu'il eut l'assentiment du garçon, Fin descendit à la salle.

Lorsque Aodán le fit entrer dans la chambre intérieure, il ne vit pas seulement Shaw et le Mackintosh, mais leurs épouses aussi, ainsi que Rothesay et Alex Stewart. Donald s'était apparemment retiré pour la nuit, et ni James, ni Ivor, ni Morag n'étaient là non plus.

Fin aurait aimé qu'Ivor soit là. Sans lui, il se sentit de nouveau seul contre plusieurs.

Rothesay lui adressa un large sourire, ayant toujours visiblement du plaisir, et Alex parut aussi amusé. Shaw arborait son air sévère habituel, le Mackintosh discrètement content.

Croisant le regard de Lady Ealga, Fin reçut un sourire chaleureux.

Lady Annis le regarda avec plus de mesure.

— Est-ce que tout va bien, là-haut ? lui demanda Shaw.

Vu la présence de Rothesay et celle d'Alex, Fin dit simplement « oui, monsieur », et souhaita que Shaw saurait qu'il préférait ne pas en dire plus que cela en leur présence.

— Comment pourrait-il en être autrement ? dit Rothesay. C'est formidable d'être aussi délicieusement amusé, comme nous l'avons été ce soir. Nous devons immédiatement procéder au mariage.

Catriona arriva à son palier et trouva Boreas allongé devant sa porte, avec sa petite ombre grise enroulée serrée sur lui. Le chien cligna des yeux en la regardant, ne faisant aller que sa queue. Le chaton releva la tête et l'accueillit avec un « miaou » plaintif.

Ouvrant la porte pour les laisser entrer, elle sentit son humeur s'égayer et se rendit compte que son dernier échange avec Fin continuait à peser dans son esprit. Elle avait l'impression de l'avoir jeté de nouveau dans les ronces. Mais il était heureux de débattre avec elle sur n'importe quels sujets, alors cela sembla raisonnable qu'il puisse persuader Shaw et son grand-père que le mariage n'avait pas besoin de se faire. Pas tout de suite. Peut-être ultérieurement…, un jour.

Elle soupira. Le fait était qu'elle souhaitait l'épouser, vraiment.

Juste de penser à son toucher était suffisant pour qu'elle le ressente de nouveau à travers toutes les fibres de son corps. Lorsqu'il la tenait dans ses bras, elle avait l'impression de lui appartenir.

Elle ne pouvait se souvenir de personne depuis son enfance qui l'ait réconfortée si tendrement. Paradoxalement, cette pensée lui fit se demander si son insistance sur le fait qu'elle pouvait prendre soin d'elle-même avait fait croire à Fin qu'elle était une gamine. Il l'avait alors appelée «jeune fille», non?

Tout en réfléchissant à cette pensée tandis que Boreas et son chaton se réinstallaient à côté du lit, elle se rendit compte qu'Ailvie aurait dû se trouver là. Mais le broc de la table de toilette était vide, alors il n'était peut-être pas aussi tard qu'elle le pensait.

Se déplaçant pour regarder par la fenêtre, elle essaya de décider si elle aimerait être mariée. La pensée de quitter son chez-soi la faisait encore frissonner jusqu'aux os. Et Fin n'avait jamais répondu, lorsqu'elle lui avait dit qu'elle n'avait pas changé d'idée là-dessus.

Peut-être qu'il comprenait ses sentiments et vivrait à Rothiemurchus. Si tel était le cas, quand il devrait suivre Rothesay lors de batailles ou ailleurs, elle pourrait rester avec sa famille, plutôt qu'avec des étrangers ennemis qu'il devait à peine connaître lui-même depuis le temps.

Elle continuait toujours à réfléchir ainsi, quand le loquet fit un bruit sec et que la porte s'ouvrit.

Tenant pour acquis que ce devait être Ailvie, elle dit sans se retourner :

— Je me demandais s'il fallait t'envoyer chercher. Ne devient-il pas tard ?

La porte se referma, et la dernière voix qu'elle s'attendait à entendre dit alors :

— Ailvie n'est pas ici, parce que j'ai envoyé ma servante lui dire de ne pas venir jusqu'à ce que j'envoie la chercher.

— Grand-maman ! s'exclama Catriona en se retournant. Que fais-tu… ? Je veux dire…

— J'ai entendu d'étranges façons d'annoncer un mariage, Catriona, dit Lady Annis d'un ton acide. Mais la coutume usuelle veut que ce ne soit *pas* la fiancée qui déclare son intention aussi publiquement, et pas non plus si directement à l'héritier du trône d'Écosse. Ne crois-tu pas que tu aurais pu au moins avoir dit à *quelqu'un* avant que tu étais attirée par le jeune Sir Finlagh ? C'*est* le cas, j'en suis certaine, vu que tu dois l'épouser ce soir.

— Ce soir ! Mais il a dit…

— Oublie ce qu'il a peut-être dit. Rothesay veut assister à un mariage tout de suite. Et ton grand-père a l'intention de lui en fournir un, parce qu'*il* a décidé il y a quelque temps que ce Fin des Batailles est un excellent choix pour toi.

— V-vraiment ?

Catriona pouvait à peine respirer, et encore moins répondre intelligemment.

— Oui, il a décidé cela. Vois-tu, il a su depuis le moment où il a posé les yeux sur lui que le jeune homme était un Cameron. Et pas n'importe lequel des Cameron, attention, mais le fils du grand archer Teàrlach MacGillony, ce qui le rend parfaitement approprié pour toi.

— C'est vrai?

— Oui, bien sûr, car étant originaire de *cette* branche de la famille, il est, selon ton grand-père, exactement ce qu'il faut pour permettre le genre d'union qui l'aidera à tenir sa trêve en place entre les Cameron et le clan Chattan. *Cela* est de la plus haute importance, à ce qu'il dit.

— Mais, grand-mère, je...

— Cette décision n'est pas à propos de toi, Catriona, alors tu peux te sortir directement cette idée de la tête. Et si tu as l'intention de causer des ennuis en te mettant en colère ou en faisant un drame, je te conseille fortement d'y réfléchir encore. Ton père n'est pas d'humeur à se montrer amusé ou indulgent. En fait, tu devrais m'être reconnaissante de les avoir persuadés, lui et ton grand-père, d'être la personne qui te transmet leur décision.

— Je t'en prie, si tu pouvais simplement...

— Chut, lui ordonna Lady Annis, déterminée comme toujours à avoir le dernier mot. Rothesay a l'intention d'avoir ce qu'il veut. Alors, ce soir, tu dormiras avec l'homme.

L'imagination de Catriona montra subitement une image de Rothesay dans son lit, mais il n'y eut rien là qui l'amusa, et elle savait que ce n'était pas ce que Lady Annis avait voulu dire. Mais elle ne voulait pas penser à Fin dans son lit non plus.

Cette image était beaucoup trop troublante, et, si elle voulait conserver un certain respect envers elle-même, elle ne pouvait penser qu'à une chose, maintenant.

— Où vas-tu ? s'exclama Lady Annis alors qu'elle se dirigeait vers la porte.

— En finir avec cela, déclara Catriona.

Elle ne se souvenait pas d'avoir déjà défié sa grand-mère auparavant. Mais elle ne pouvait pas les laisser forcer Fin à l'épouser, même si elle était aussi en colère contre lui maintenant qu'elle l'était contre elle-même et tous les autres.

❦

Après la déclaration de Rothesay proclamant que le mariage devait avoir lieu immédiatement, Fin essaya d'accrocher le regard de Shaw, espérant lui faire comprendre qu'ils devaient discuter. Mais la conversation s'était tout de suite généralisée, avec les femmes et Alex Stewart poussant des exclamations et posant des questions sur la manière dont devrait se dérouler la cérémonie.

Lady Annis avait échangé un regard avec le Mackintosh et quitté ensuite la chambre, déclarant qu'elle informerait Catriona de leur décision.

— Il n'y aura pas de difficulté à trouver un prêtre, dit Rothesay en répondant enfin à une question de Lady Ealga. Il y a de nombreuses façons pour cela, mais nous allons simplement réveiller le véritable frère mendiant parmi les types de Donald et le laisser les marier.

Shaw, qui les écoutait, semblait ignorer la nervosité de Fin.

Alex parut toujours amusé, comme s'il regardait les singeries de bouffons.

Profitant d'un silence qui tomba, Fin dit :

— Avec mes respects, mes seigneurs, je crois qu'une affaire aussi précipitée ne servira pas aussi bien que si elle était accomplie avec plus de réflexion.

Le Mackintosh dit alors avec humeur :

— La jeune fille l'a dit à brûle-pourpoint à tout le monde, Fin. Alors, il n'y a pas de raison de le repousser, mais toutes les raisons sont là pour procéder. Je sais bien que cela vous met dans une position malheureuse, jeune homme — avec votre propre famille qui n'est pas ici, ajouta-t-il en jetant un coup d'œil à Rothesay. Mais en fait, vous avez passé tellement de temps avec la jeune fille que cela a éveillé des spéculations, comme le fait toujours un tel comportement. Alors, à moins que vous ne cherchiez maintenant à lui dire le mensonge et à donner l'impression que vous la traitiez à la légère...

— Vous savez que je ne le ferai pas, monsieur. Par ma foi, je veux l'épouser.

Il le pensait vraiment. Il ne faisait plus la chose honorable ou ce qui ne lui coûtait pas d'effort. Catriona en était venue à représenter pour lui bien plus que cela.

Tout de même, il avait promis qu'il parlerait en son nom.

— Toutefois, ajouta-t-il tout en promenant son regard d'un homme à l'autre, je dois vous dire que... que même en ce moment, madame la comtesse a des doutes. Elle...

— Pas de doute, elle sera nerveuse, avec Rothesay ici et tout, intervint le Mackintosh. Mais sa grand-mère va s'occuper d'elle.

— Oui, jeune homme, dit Shaw. Il vaut mieux le faire tout de suite, avant que les rumeurs ne commencent.

— Alors, c'est réglé, dit Mackintosh. Pour l'amour, vous ne pouvez pas attendre ici pendant qu'on lui fabrique des vêtements de mariée et le reste. Rothesay veut retourner à ses propres affaires dès qu'il tombera d'accord avec Alex et Donald. Aussi, jeune homme, si vous vous mariez rapidement, vous aurez du temps pour profiter de votre jeune fille avant que vous ne deviez partir avec lui.

Alors que Fin ouvrait la bouche pour répondre, la porte s'ouvrit brusquement, et la jeune fille dont il était censé profiter entra dans la pièce en marchant à grands pas, ses yeux dorés étincelant.

Elle fixa immédiatement son regard sur lui.

— Je croyais que vous alliez le leur dire, monsieur. Au lieu de cela, nous allons *maintenant* nous marier tout de suite ? Pour l'amour, je…

— Catriona, ça suffit ! dit Shaw sèchement.

Elle se retourna ensuite vers lui.

— Ah oui, père ? Dieu du ciel, vous pouvez me donner l'ordre d'aller au lit à un moment et celui de me marier l'instant d'après, mais vous ne devez pas forcer F…

Ses paroles finirent en un sursaut et un cri, lorsque la forte gifle de Shaw la fit taire.

— Plus un seul mot, dit-il d'un ton brusque. Faire honte à ton seigneur grand-père et à moi en te comportant ainsi devant nos invités dépasse tout ce que tu as fait auparavant ! Tu feras comme nous te l'ordonnons, ou, par le Seigneur, je te rendrai plus désolée que tu ne l'as jamais…

— Non, monsieur, l'interrompit Fin froidement. Vous ne le ferez pas. Pas à moins que vous ne vouliez que je mette tout de suite un terme à mon rôle dans ce mariage.

## Chapitre 14

Catriona avait entendu la menace de son père, mais à distance, car dès l'instant où elle avait posé une main sur sa joue rougeoyante, elle avait fixé les autres dans la pièce, choquée. Elle se rendit compte avec consternation que sa colère l'avait aveuglée devant le fait qu'Alex et Rothesay se trouvaient là.

En premier, elle n'avait vu que Fin et s'était exprimée comme s'ils avaient été seuls, jusqu'à ce que l'ordre de Shaw ait transféré sa colère sur lui.

Elle avait entendu ce que Fin avait dit, mais la glace dans sa voix envoya des frissons le long de sa colonne. Attendant la réponse de Shaw, elle ne respira même pas.

Il avait passé rapidement un coup d'œil à Fin et continué de lancer à Catriona un regard furieux, mais elle ne dit rien.

Une douleur remplit sa gorge, et le silence s'étira, jusqu'à ce que Fin dise :

— Mon seigneur Rothesay, ce serait gentil de votre part de permettre à madame la comtesse et à moi-même de rester en privé avec sa famille… pendant au moins un bref moment, monsieur.

Un autre silence tomba, mais il fut bref, car Alex Stewart se leva en disant :

— Allez, venez, Davy. Allons trouver quelqu'un pour réveiller ce moine de Donald.

Entendant le gloussement de Rothesay, Catriona le regarda tandis qu'il se mettait debout, lui faisait une légère révérence et partait. Se tournant de nouveau vers son père, elle savait qu'elle aurait dû ressentir un certain soulagement, une fois Rothesay et Alex partis. Mais, à la vue de Shaw qui était toujours en colère, il n'en fut rien.

Lorsqu'elle entendit la voix de sa grand-mère dans le fond, souhaitant bonne nuit aux deux grands seigneurs, elle se sentit plus mal. Lady Annis allait très probablement partager avec les autres le défi de *sa* petite-fille survenu plus tôt.

Toutefois, l'attention de tous se reporta sur Fin, quand il dit :

— Je vous en prie, madame, assurez-vous que cette porte soit refermée rapidement.

Catriona fut étonnée, lorsque sa grand-mère dit doucement :

— Elle l'est, monsieur.

— Bien, dit Fin. Maintenant que vous partez, Shaw MacGillivray, je parlerais en privé avec votre fille. Mais avant de faire cela, je vous ferai part clairement à tous de ma position. Davy Stewart a essayé de faire une farce de cette affaire pour simplement s'amuser. Je ne permettrai pas que cela continue.

— Que proposez-vous pour l'arrêter, jeune homme ? demanda le Mackintosh, curieux.

— Vous pouvez laisser cela entre mes mains, monsieur. En retour, je vais essayer de persuader Lady Catriona… de nouveau… que le mieux pour elle est d'accepter ce mariage, comme je le fais moi-même. Toutefois, j'insisterai aussi pour que nous nous mariions demain, au lieu de ce soir. Mais, ajouta-t-il quand Catriona se raidit, je n'userai pas de menaces ni ne permettrai à quiconque de le faire pour réaliser cette affaire. Je m'excuse sincèrement pour ma brusquerie envers vous juste maintenant, monsieur, dit-il à Shaw. Mais je n'accepterai pas une mariée qui doit être battue pour m'épouser. Pas plus, je pense, que vous voudriez d'un beau-fils qui l'autoriserait. L'accepteriez-vous, monsieur ?

— Non, jeune homme. En fait, j'espère que bien vite, je vous aurai à sa place.

Shaw tendit une main, et quand Fin la saisit, Catriona se détendit enfin.

— Si vous êtes sûr à propos de demain, Fin, je le dirai moi-même à Rothesay, dit le Mackintosh. Vous ne pouvez rien calmer que vous aurez besoin de calmer avec lui après.

— Il a probablement déjà compris que quelque chose a mal tourné, dit Fin.

— Oui, eh bien, je parlerai alors de sa vaste connaissance des femmes, dit Mackintosh, le regard pétillant. Je peux dire qu'il est plus convenable de se marier à la lumière du jour, ce qui rendra la jeune fille plus heureuse. J'ai encore d'autres choses à proposer, et je voudrai que Shaw soit avec moi. Annis et Ealga se retireront dans la pièce solaire des dames, afin que vous puissiez tous les deux discuter ici.

— Merci, monsieur, dit Fin.

En un clin d'œil, Catriona se retrouva seule avec lui, mais si elle s'attendait à ce que son procès soit terminé, elle apprit vite son erreur.

— J'ai quelque chose à dire, avant que nous discutions de mariage, dit-il sur le même ton glacial qu'il avait eu en s'adressant à Shaw.

Elle déglutit bruyamment, puis dit :

— Qu'est-ce que c'est ?

— Simplement que si jamais je vous entends encore une fois parler de cette façon, que ce soit à moi ou à n'importe qui d'autre ayant de l'autorité sur vous, je réagirai à peu près comme l'a fait votre père. J'espère ne jamais vous gifler parmi de tels invités, mais soyez certaine que je vous mettrais bien vite sur mes genoux. Alors, gardez cela à l'esprit, alors que nous continuons, car autant cela me déplairait de prendre une épouse dont le père a dû la battre pour qu'elle me marie, autant je n'aimerais pas en épouser une qui croyait que je ne réagirais *pas* aussi sévèrement devant une telle impolitesse.

— Mais vous attisez fréquemment ma colère, lui rappela-t-elle.

— Et quand je le fais, vous pouvez me le dire, dit-il en posant une main chaude sur sa joue endolorie.

Sa voix s'adoucit, lorsqu'il dit :

— Je m'attends à ce que vous me le disiez poliment, jeune fille, même si je permettrai de la colère, comme j'espère que vous le ferez pour moi. Aussi, j'aurai une bien plus grande tolérance en privé que si vous me lancez mes fautes à la figure devant un public.

— Surtout un tel public comme celui que j'ai choisi ce soir, dit-elle d'un air contrit. Ce n'était pas une bonne idée de ma part. Mais, par ma foi, je n'ai vu que vous. J'étais furieuse d'apprendre qu'après que vous aviez dit que vous les persuaderiez, ils allaient vous forcer à m'épouser immédiatement. Je... je ne me souviens pas d'avoir déjà été si en colère contre quelqu'un, comme je l'étais à ce moment contre vous, même si c'était *eux*, les responsables. Pourquoi, croyez-vous ?

❧

Au lieu d'essayer de répondre à la question sans réponse, Fin caressa doucement sa joue rougie et dit :

— Êtes-vous toujours en colère contre moi, petite chatte sauvage ?

— Non, murmura-t-elle, contente de voir un minuscule sourire en disant cela. Mais je demeure incertaine à propos de tout ceci. C'est arrivé si soudainement et cela paraît si injuste à votre égard, surtout que c'est ma propre langue indisciplinée qui a causé tous les ennuis.

— Davy en est le responsable, dit Fin. Il s'est plaint d'ennui, et quand il s'ennuie — ou qu'il est frustré, tel qu'il l'est aussi —, il fait des bêtises avec des femmes, ou autrement. Dans ce cas-ci, c'était les deux. Mais voyez-vous, jeune fille, vous vous trompez, si vous pensez qu'ils m'ont forcé dans ce mariage. Vous avez entendu avec quelle facilité je peux l'arrêter, et je le ferai si vous êtes toujours réticente à m'épouser. Mais si vous êtes d'accord pour prendre le risque, je le suis encore plus.

— N'essayez pas de me couvrir de flatteries, monsieur. Vous n'êtes pas venu ici pour trouver une épouse.

— Non, mais j'ai trouvé quelqu'un qui me conviendra, si simplement elle accepte.

— Ce n'est pas que je ne sois pas disposée. Je suis terrifiée.

À la surprise de Fin, des larmes lui montèrent aux yeux.

— Je ne veux pas vivre parmi des étrangers qui ont été nos ennemis depuis si longtemps.

— Mais vous habiteriez avec moi, dit-il.

— Seulement quand vous serez à la maison. Les hommes partent sans cesse — pour se battre, à St. Andrews, à toutes sortes d'endroits. Et ils laissent toujours leurs femmes derrière. Je ne *veux* pas vivre aussi misérablement à Lochaber que Morag ici.

— Je doute que vous le fassiez, dit-il. Vous êtes trop chaleureuse, trop compétente et trop sage pour vivre ainsi. Aussi, vous vous éternisez moins sur vos émotions que votre belle-sœur. Je crois que vous vous ferez rapidement et facilement des amis où que nous vivions.

— Mais j'apprécie aussi la solitude, lui rappela-t-elle. Serai-je aussi libre de me promener dans les montagnes à Lochaber que je le suis généralement ici ?

Sachant que toute discussion sur ce sujet réduirait à néant le progrès qu'il avait fait, il dit doucement :

— Nous pourrons parler de ce genre de choses bientôt. Pour l'instant, je veux simplement savoir si vous m'épouserez, Catriona. J'espère que vous direz oui.

— Oui, alors, je le ferai. Mais vous ne me tromperez pas, Fin des Batailles. Dieu du ciel, nous allons nous battre puissamment, si vous m'interdisez de faire ce que j'aime le plus.

— Toutes les personnes mariées se disputent, chérie.

Remarquant ses yeux s'écarquiller devant la marque d'affection, il voulut l'embrasser. Mais d'abord, il avait besoin d'être certain qu'ils se comprenaient l'un l'autre.

— Le désirez-vous réellement, Cat — même si nous devons nous marier demain ?

— Devrez-vous partir bientôt ?

— J'ai l'intention de m'entretenir avec Davy à ce propos, pour lui demander une permission afin que je puisse vous emmener rencontrer ma famille. Mais je vous promets que vous n'aurez pas à rester avec eux, si je dois le rejoindre sous peu. Je vous ramènerai ici avant. Je devrais avoir également d'autres options, mais il faudra du temps pour m'en occuper.

— C'est de cela que vous parliez, quand vous avez dit que ceci compliquait votre vie, n'est-ce pas ?

— Oui, en effet. Maintenant, répondez à ma question. Êtes-vous certaine ?

— Croyez-vous qu'il y ait quelqu'un qui soit absolument certain à propos de telles choses ?

— Je sais que je le suis.

— L'êtes-vous ?

Elle chercha son regard.

— Alors, je le suis également.

Il l'embrassa alors, et elle répondit tout de suite, se fondant contre lui comme elle l'avait fait auparavant, ses lèvres chaudes et douces sous les siennes. Il l'embrassa de nombreuses fois, légèrement, puis avec plus de possession. La pensée qu'elle serait sa femme le lendemain stimula chaque partie de son corps, et une en particulier.

Elle sentit aussi son sexe bouger, ses yeux s'écarquillant de nouveau. Lorsqu'il fourra sa langue dans sa bouche, elle gémit doucement, et ce gémissement fut presque la cause de sa perte. Il avait envie de la soulever et de la transporter directement à son lit.

Se souvenant qu'Ailvie serait là, il continua d'embrasser Catriona, serrant son corps mince, douloureusement conscient que ce serait bientôt à lui de le posséder.

Tandis qu'il déplaçait doucement une main sur un de ses doux seins, deux petits coups secs furent frappés à la porte. Celle-ci s'ouvrit simultanément, et le Mackintosh entra.

La main baladeuse de Fin retourna rapidement sur la taille de Catriona. Elle s'était raidie et se serait éloignée, mais il la fit rester au même endroit.

— Pardonnez l'intrusion, jeune homme, dit Mackintosh. J'ai parlé à Rothesay et à Alex, et j'ai pensé que vous devriez entendre ce que nous avons décidé.

Catriona bougea de nouveau comme si elle voulait s'éloigner, et, cette fois, Fin la laissa. Ce faisant, il lui dit d'un ton tranchant :

— Je veux entendre ce que vous proposeriez, monsieur.

— Oui, eh bien, il s'agit plutôt d'un consensus, comme qui dirait. Voyez-vous, Rothesay a dit qu'un mariage matinal lui conviendrait. Il m'a aussi rappelé que Donald sera impatient de poursuivre nos discussions. Ce Donald est sacrément difficile. Alors, j'ai dit que nous devrions dispenser les autres, à part nous quatre, jusqu'à ce que nous réglions ce qu'il y a à régler exactement. Si éventuellement il y a quelque chose, Donald et Alex peuvent accepter de le faire au nom de leur cousin Davy.

— Je devine que Donald sera d'accord pour ne rien faire pour lui, dit Fin.

— Peut-être que c'est le cas, dit Mackintosh. Mais pendant que leurs soi-disant conseillers causent plus d'ennuis que le contraire, comme ils l'ont fait, nous ne pouvons pas savoir. Maintenant, notre James assistera au mariage, mais il veut partir pour Inverness avec Morag juste après. Ils passeront la nuit à Moigh, a-t-il dit, et j'ai pensé que vous deux aimeriez peut-être y rester également. Vous dormiriez dans ma chambre, puisque James a ses propres chambres au-dessus de la mienne.

Fin jeta un coup d'œil à Catriona, mais son grand-père ne permit pas une discussion.

— Vous aurez quelques jours pour vous, déclara-t-il, pendant que nous réglerons un arrangement ici. Ensuite, lorsque Rothesay sera prêt à partir, vous pourrez revenir. Allez, Moigh n'est qu'à près de vingt-cinq kilomètres d'ici, et le retour prend moins de temps que l'aller.

— C'est une offre généreuse, monsieur, que nous accepterons volontiers, dit Fin. Mais j'ai l'intention de parler à Rothesay d'une permission plus généreuse. S'il est d'accord, j'emmènerai Catriona rencontrer ma famille, avant que nous ne revenions.

— Oui, eh bien, vous déciderez cela vous-même, je suppose, ou Davy le fera. Dans cette éventualité, vous serez toujours le bienvenu ici et à Moigh, alors il n'y a rien de plus à dire là-dessus. Quant à ce qui te concerne, jeune fille, dit-il en se tournant vers Catriona, que dis-tu à présent de tout cela?

— Je suis d'accord, monsieur, répondit-elle en rougissant énormément. Mais je… je dois m'excuser auprès de vous pour mon comportement de tout à l'heure. J'ai laissé ma colère me submerger, monsieur.

— Oui, en effet, mais tu devrais t'excuser auprès de ton père aussi, jeune fille.

Lorsqu'elle mordilla sa lèvre inférieure, Fin ressentit une forte envie irrépressible de protection de dire que cela pouvait attendre. Mais il savait que le Mackintosh avait raison, alors il garda le silence.

---

Catriona se demanda si elle savait ce qu'elle faisait. Son grand-père agissait comme il le faisait toujours avec elle, d'une manière brusque et sévère, mais également gentille. Malgré cela, il ne ferait rien pour qu'il lui soit plus facile de s'excuser auprès de Shaw. Pas plus que le regard de Fin, qui montra que lui non plus.

À cet égard, elle avait su tout le long ce qu'elle aurait à faire.

— Je vais le faire d'emblée, déclara-t-elle. Est-ce que vous et Rothesay avez décidé à quel moment exactement ce mariage aura lieu, monsieur ? Avant de prendre notre petit déjeuner, ou après ?

— Avant, répondit son grand-père. Ainsi, toi et le jeune homme ici pourrez avoir une fête pour votre mariage, et Rothesay et les autres pourront se retrouver après que votre groupe sera parti.

— J'étais en train de me demander, monsieur, quelle était la situation exacte entre le clan Chattan et le clan Cameron, dit Fin. Je sais que notre trêve est toujours en vigueur, mais j'ai entendu…

— Quoi que vous ayez entendu, ce n'est rien d'autre que des bêtises rêvées par eux qui nous tiendraient occupés à nous battre les uns contre les autres, jeune homme, dit le

Mackintosh fermement. Si la trêve entre nos deux clans venait à échouer, ce ne serait pas le clan Chattan qui la briserait. Pas plus que je crois qu'un quelconque chef Cameron ne veuille rien d'autre pour le moment que maintenir la paix.

— Merci, monsieur. Je n'avais entendu que des chuchotements, mais dans un tel cas...

— Oui, l'imagination d'une personne peut nourrir toutes sortes de mauvaises idées dans son esprit. Laissons reposer, espérons le meilleur, et tout ira bien. J'ai l'idée qu'un jour ou deux passés à Moigh apaiseront considérablement votre esprit. L'endroit produit cet effet.

Une étrange sensation s'empara de Catriona, alors que ses pensées dérivaient. Elle dormirait à Moigh avec Fin. L'idée éveilla son imagination, qui lui présenta des images de ce que ce serait probablement. L'image de lui marchant nu sur la rive persista plus longtemps que la plupart, alors quand elle s'aperçut qu'il la regardait, ses joues s'enflammèrent. La chaleur se répandit alors rapidement à travers le reste de son corps également.

— Shaw se trouve-t-il encore dans la salle ? demanda Fin, lui ramenant instantanément les pieds sur terre.

— Oui, il doit l'être, répondit Mackintosh. Il a dit qu'il attendrait mon retour.

— Alors, je propose que nous allions le voir et que nous envoyions ensuite cette jeune fille en haut retrouver sa servante. Elles ont beaucoup à faire, avant d'aller dormir, pour préparer le lendemain.

Catriona ne croyait pas que tout ce qu'elle et Ailvie avaient à faire était important. Elle ne fermerait pas l'œil.

Fin lui ouvrit la porte, et elle vit Shaw debout juste derrière dans la salle. Il était évident qu'il les attendait, car il
vint immédiatement à sa rencontre.

— Ma fille, dit-il.

— Je m'excuse d'avoir été aussi impolie envers toi, monsieur, dit-elle en même temps.

— Oui, moi aussi, dit-il en l'approchant de lui. Tu méritais une bonne gifle, jeune fille, mais tu ne méritais pas de la
recevoir devant tes coquins Rothesay et Alex Stewart.

Jetant un coup d'œil autour d'elle pour s'assurer que ces
gentlemen ne se trouvaient pas encore aussi dans la salle,
Catriona dit :

— En fait, monsieur, si tu ne m'avais pas arrêtée comme
tu l'as fait, j'aurais pu en dire plus que je ne l'aurais dû. Tu
sais, j'étais tellement en colère que je ne réfléchissais pas. Je
n'ai même pas vu ni Rothesay ni Alex Stewart, *jusqu'à* ce
que tu me fasses taire. Comme en était la situation, je ne
suis pas certaine, mais ce Rothesay aurait pu croire que
j'avais inventé toute l'histoire. Penses-tu vraiment que cela
n'aurait pas été mieux que j'admette et m'excuse simplement
auprès de lui ?

— Je le pense, jeune fille. Tout ceci l'amuse, maintenant,
ce qui le rend inoffensif. Mais il est un homme puissant et
très téméraire. Apprendre que tu lui aurais menti le mène-
rait bien vite à imaginer que d'autres se moquaient de lui, ce
qui provoquerait ensuite chez lui un sentiment profond de
délit. Offenser les puissants n'est jamais sage, jeune fille, et
il vaut mieux l'éviter.

— Que lui a dit grand-papa ?

— Seulement que cela n'a jamais payé de presser une
femme. Il a dit qu'il avait appris cette leçon dans sa jeunesse

de ta grand-mère, et il a assuré à Rothesay que remettre à demain matin la cérémonie te rendrait beaucoup plus heureuse et qu'ainsi cela vaudrait mieux pour nous tous également.

Jetant un coup d'œil à Fin, elle le vit froncer les sourcils et attendit qu'il lui explique pourquoi. Toutefois, il ne dit rien, et elle accepta qu'il la mène, souhaitant bonne nuit à son père et à son grand-père. Puis, elle laissa Fin l'escorter jusqu'à sa chambre.

— Ailvie y sera, dit-elle tandis qu'ils approchaient de sa porte. Grand-mère a dit qu'elle l'enverrait en haut, et je suis certaine que maintenant, elle a dû le faire.

— Alors, venez ici, dit-il en l'attirant près de lui et en inclinant son menton pour pouvoir l'embrasser de nouveau.

Elle s'appuya contre lui en même temps, savourant la chaleur de son corps solide contre le sien, ainsi que ses baisers. Après un long et agréable moment, elle dit :

— Qu'est-ce qui vous a fait froncer les sourcils ainsi, lorsque grand-papa nous a répété ce qu'il avait dit à Rothesay ?

Sans hésiter, il répondit :

— Rothesay pense aux femmes seulement en des termes qui *le* rendent heureux, jamais en considérant les souhaits d'une femme. Il pourrait tout de même me poser des questions sans équivoque à propos de tout ceci. Mais vous ne devez pas vous inquiéter. J'ai réussi à travailler avec et pour lui, au cours de ces dernières années, sans subir trop de son courroux. J'étais justement en train de penser aux questions qu'il pourrait poser et à la manière dont je pourrais y répondre.

— Il peut se montrer très charmant, dit Catriona avec un sourire contrit.

— Oui, et il compte sur ce charme, aussi. Mais votre Ailvie va nous entendre, si nous continuons à discuter ici, chérie, et ce n'est pas un endroit pour un tel genre de conversation. Alors, embrassez-moi encore, et ensuite ce sera le lit pour vous.

Elle obéit, même s'il y avait encore bien plus dont elle aurait aimé discuter avec lui. Lorsqu'il atteignit la porte pour l'ouvrir, elle dit :

— Je suis contente de savoir que James et Morag iront rendre visite à sa famille, car elle lui manque. Mais j'aurais préféré qu'ils ne voyagent pas avec nous. Je veux en apprendre plus à votre sujet, Fin des Batailles, et un tel voyage sans eux nous donnerait plus de temps pour parler.

— Oui, mais nous trouverons le temps de discuter, dit-il en pinçant légèrement son lobe d'oreille.

Ensuite, après un dernier baiser, il dit :

— Entrez, chérie, et dormez.

— Je ne pense pas que vous pouvez déjà me donner des ordres, dit-elle. Je ne suis pas encore votre femme.

— C'est vrai. Allez, maintenant.

Elle entra.

—◦◦◦—

*Château Stirling*

Le duc d'Albany révisait ses comptes avec son intendant, lorsqu'un grouillot annonça Sir Martin Redmyre.

Faisant signe à l'intendant de partir et disant à Redmyre de prendre un siège, il attendit que la porte soit fermée et dit :

— Vous avez du nouveau.

— Oui, mon seigneur duc. Mon homme a appris il y a deux jours qu'apparemment, le Mackintosh attendait d'un jour à l'autre des visiteurs au château Rothiemurchus. Il se situe…

— Cela m'est égal, où il se trouve, Martin. Qui sont ces visiteurs ?

— Comyn les surnomme « grands lairds », monsieur. Ils sont trois, selon son parent.

— Trois ?

— Oui, et Davy a rencontré votre neveu Alex Stewart à Perth, et avec Shaw MacGillivray, qui est maintenant laird de Rothiemurchus et le beau-fils du Mackintosh. Personne ne semble connaître le troisième, mais je dirais que ce doit être Donald.

— Moi aussi, si je pouvais imaginer comment Donald peut traverser toute la partie ouest des Highlands depuis les îles jusqu'au pays du clan Chattan. Mais si Davy s'allie avec Alex…, je voudrai réfléchir à cela. Combien de temps ont-ils prévu y rester ?

— Je ne sais pas, mais mon homme jure que les Comyn ont conçu un plan pour les garder où ils sont assez long-temps pour nous donner le temps de nous y rendre. Toutefois, si vous pensez envoyer quelqu'un immédiate-ment pour les attraper en train de conspirer ensemble, toute personne que vous enverrez pourrait rencontrer des diffi-cultés. Il n'y a, comme vous devez le savoir, que deux routes possibles pour une armée, quelle que soit sa taille.

— Je connais celle qui traverse Glen Garry. Y en a-t-il une autre, en cette période de l'année ?

— Oui, bien sûr, ou c'est ce que Comyn a dit. L'autre passe par les Cairngorms, vers l'est. Ses cols enneigés doivent être dangereux, mais il jure que la route est praticable, maintenant.

— Je n'ai aucune intention de me risquer sur une telle route. Ce pays a besoin de moi. Mais vous prendrez mes hommes et les vôtres sur cette route. Si Glen Garry est la route la plus facile, j'enverrai le comte de Douglas passer par là. Il peut rassembler rapidement son armée des frontières, et il a presque la même raison que la vôtre pour interférer dans un plan de Davy, quel qu'il soit. Après tout, la sœur de Douglas est l'épouse malheureuse de Davy. Aussi, Redmyre…

— Oui, dit l'autre homme en relevant ses sourcils.

— Si vos hommes qui sont là arrivent à les retenir pour vous, vous savez ce qui me sera le plus utile.

— Je le sais, mon seigneur. Je le sais, en effet.

Satisfait sans pour autant être du genre à considérer un acte réglé avant que ce ne soit fait, Albany prit congé de lui.

❦

Fin aurait aimé se rendre directement à son lit, même s'il était encore relativement tôt, car il avait eu son plein d'émotions pour la journée. Toutefois, il savait qu'il serait sage de demander tout de suite à Rothesay une permission pour qu'il puisse emmener Catriona à Moigh, et, si Davy lui accordait plus de temps, ils continueraient directement vers le château Tor.

Trouvant la salle vide de toute personne sauf ceux essayant d'y dormir, il se dirigea vers la chambre de Rothesay.

Le porteur, qui dormait toujours sur une palette devant la porte, était réveillé. Se hissant péniblement sur ses pieds, le jeune homme dit :

— Mon seigneur duc a dit que vous viendriez, monsieur.

— S'il est encore réveillé, je désire le voir, dit Fin.

— Oui, il a dit que vous pourriez le souhaiter. Mais il a dit de vous dire qu'il dormirait à poings fermés, à cette heure.

Jetant un coup d'œil vers la porte, d'où provenaient depuis l'intérieur des bruits, dont un petit rire bête féminin, le jeune homme dit fermement :

— Il parlera avec vous demain matin, monsieur. Avant le mariage, qu'il a dit. Va-t-il y *avoir* un mariage, Sir Fin ?

— Oui, répondit Fin en se demandant si le Mackintosh ou Shaw savaient que Rothesay avait une femme dans son lit.

Il espéra qu'elle soit aussi consentante qu'elle le paraissait, et que ce soit une servante, plutôt qu'une femme de la noblesse ou l'épouse d'un métayer du Mackintosh.

À cette pensée, une image de la redoutable Lady Annis lui vint à l'esprit, alors il ricana en ajoutant :

— Si tu le vois quand il se réveille, dis-lui que je souhaite lui parler en privé avant la cérémonie. Tu pourras venir me chercher dans ma chambre dès que cela lui conviendra.

Retournant à sa chambre, il réveilla le somnolent Ian et l'informa du mariage et du voyage qui suivrait, pendant que ce dernier lui donnait un coup de main pour se mettre au lit. Ayant peu de bagages, il envoya rapidement Ian au lit dans la salle, comme à l'accoutumée, puis éteignit sa bougie.

Allongé dans son lit, il se demanda si Catriona dormait déjà et à quel point les choses auraient pu être différentes — ou si tout cela se serait terminé de la même façon —, s'il avait insisté pour continuer sa route vers Moigh, le jour où ils s'étaient rencontrés. Si la flèche l'avait tué, il ne l'aurait jamais rencontrée. Mais si la flèche l'avait simplement raté de justesse et qu'il était revenu à Rothiemurchus normalement, après avoir appris que le Mackintosh s'y trouvait?

Le Mackintosh lui aurait-il éventuellement fait confiance, seul avec elle? Ou bien était-ce le fait qu'ils avaient été seuls dans les bois qui lui avait fait gagner la confiance de l'homme?

Alors qu'il tentait d'imaginer l'ordre dans lequel les événements se seraient peut-être déroulés, les images s'estompèrent, et des rêves de Catriona dans ses bras les remplacèrent.

Lorsqu'il se réveilla, en même temps que le lever du jour, il transpirait, était en érection et se sentait énervé qu'un rêve des plus satisfaisants se soit arrêté quelques instants trop tôt à cause de l'entrée dans sa chambre d'une lumière grise et matinale.

Le soir précédent, l'idée de l'épouser avait engendré un sentiment d'anticipation délicieux et sensuel. Maintenant, elle provoquait un désir évident et bien plus urgent pour Catriona.

Se levant à la hâte, il s'habilla sans attendre Ian et attendit impatiemment que vienne le chercher le jeune type de Rothesay.

— Enlève pour moi ta robe fourreau, jeune fille, dit Fin en souriant presque de la même manière affamée que Rory Comyn lui
avait toujours souri.

Mais le sourire de Fin ne la décontenança pas — du moins,
pas de la même façon que celui de Comyn.

Des sensations rugirent à travers son corps, comme lorsque la
rivière Spey grondait en pleine crue à travers Strathspey après un
puissant orage ou quand les neiges hautes fondaient rapidement et
s'y précipitaient depuis chaque ruisselet et ruisseau.

Elle leva les yeux vers Fin de sous ses cils, se demandant ce
qu'il ferait si elle refusait d'obéir à son ordre. Un mari, après tout,
avait tous les droits de commander son épouse, mais s'il pensait
commander chacune de ses respirations et chacun de ses pas à
partir du jour de son mariage, il allait être très surpris.

Ma foi, elle flirtait avec lui, son propre mari, pendant qu'il se
tenait debout là, nu devant elle, dans une excitation évidente… et
qu'elle était vêtue uniquement d'une mince robe fourreau pour la
protéger.

— Enlève-la, Catriona, dit-il en s'avançant vers elle.

Elle sentit sa chaude main sur le haut de son bras dénudé et
entendit un faible roulement dans sa gorge…

Catriona se réveilla, ennuyée de découvrir que le faible son
de roulement dans son rêve ainsi que la chaleur sur son
bras étaient simplement le chaton de Boreas blotti contre
elle et ronronnant bruyamment.

Elle resta allongée, à se demander si son rêve intéressant aurait pu autrement inclure ce qui pourrait arriver
ensuite lorsqu'elle était allongée, nue à côté de Fin, quand

un souvenir traversa son esprit. Sa grand-mère avait parlé de Morag à Ealga.

— James devrait être plus magistral, avec cette jeune fille, avait dit Lady Annis d'un ton acide. Mais, ma foi, il devrait lui trouver une bonne cachette pour guérir sa déprime.

La mère de Catriona avait protesté, en disant que James était plus enclin à sermonner une femme qu'à se comporter magistralement. Mais Lady Annis avait dit :

— Eh bien, il doit apprendre à avoir une main plus ferme, s'il veut arrêter ses plaintes. Toutes les femmes préfèrent les hommes qui s'affirment, plutôt que ceux qui ne le font pas.

Catriona avait la forte intuition qu'elle n'aurait jamais à se plaindre du manque de Fin à s'affirmer. Elle n'était pas aussi certaine que sa grand-mère semblait l'être qu'elle préférerait qu'il soit toujours magistral.

L'arrivée d'Ailvie mit un terme à son imagination, alors elle se leva, afin de se préparer pour ce qui promettait d'être une longue journée. Lorsqu'elle descendit à la grande salle une demi-heure plus tard, elle trouva tout le monde qui l'attendait, rassemblé près de l'énorme foyer.

Elle déglutit, espérant qu'elle n'était pas en train de commettre une erreur qui se terminerait en souffrance comme ce que vivait Morag, puis elle obéit au geste de son père et avança pour se placer à côté de lui.

Au même moment, elle entendit Rothesay dire d'une voix qui porta dans chaque coin de la salle :

— Mais il est évident que tu ne peux pas t'enfuir avec la jeune fille avant d'avoir consommé ton mariage, Fin. Soyons bénis, mon cher, ce ne sera pas un *vrai* mariage jusqu'à ce que tu le fasses.

⎯⎯◦∞◦⎯⎯

Conscient qu'il avait une forte envie d'étrangler Rothesay, et que ce n'était pas la première fois, Fin dit :

— Nous sommes impatients de consommer notre union, monsieur. Mais je préférerais arriver à Moigh à une bonne heure, plutôt que m'éterniser ici. James et son épouse feront le trajet avec nous, et ils sont impatients de partir.

— Ne sois pas idiot, mon cher. Ta future mariée est sa sœur, et sa femme fera comme il l'ordonne.

Fin savait qu'il avait commis une faute, en mentionnant les désirs de Morag. Mais il avait vu entrer Catriona et savait qu'elle avait entendu les commentaires de Davy. Même dans la faible lumière du matin, il vit ses joues s'assombrir, mais ne pouvait pas dire si elle était vexée ou simplement mal à l'aise.

Entendant James s'éclaircir la gorge derrière lui, Fin espéra que son futur beau-frère soutiendrait l'idée de partir dès que possible.

— Votre compagnie serait très bienvenue, Fin, dit James. Mais j'ai promis à Morag que nous ne resterions pas plus de temps que nécessaire ici ou à Moigh. Voyez-vous, ma lady préférerait passer la nuit avec nos hommes à Daviot, qui est situé à huit kilomètres plus près d'Inverness. Cela raccourcirait notre voyage demain et vous laisserait ainsi, à vous et à Cat, le château Moigh pour votre nuit de noces.

Regardant de nouveau Catriona, qui se tenait près de Shaw, fixant le feu, Fin dit :

— Je lui en parlerai, James. Vous et moi pourrons facilement trouver le temps de discuter de cela plus longuement, avant que vous ne deviez partir.

James acquiesça, mais Rothesay dit :

— Tu es un idiot, Fin, si tu crois que ces Mackintosh te laisseront partir avec leur jeune fille toujours jeune fille. Ils ne risqueront pas que tu la ramènes dans un état similaire et que tu demandes l'annulation à cause de la non-consommation. Peut-être qu'ils devraient regarder, juste pour être sûrs, ajouta-t-il avec un grand sourire moqueur.

Ce sourire rendit Fin presque certain que Davy avait deviné que Catriona avait soit exagéré leur relation, soit menti à ce sujet. Qu'il continuait de s'amuser était probablement dû à l'intention évidente de dissimuler la réalité.

Fin jeta alors un coup d'œil au Mackintosh, qui lui fit un bref signe de tête, lui indiquant que Rothesay avait raison sur un point. La famille — du moins, la tête — insisterait pour que lui et Catriona consomment leur mariage avant de partir.

Mackintosh s'approcha alors et dit avec légèreté :

— Cela prend peu de temps, jeune homme. Le premier accouplement est un choc pour toute jeune mariée, mais si vous avez un bon appétit pour elle, cela ne prendra qu'une minute ou deux. James peut attendre aussi longtemps. Je me dis aussi que vous aurez plus d'énergie pour cela si vous mangez avant, et qu'ainsi vous en profiterez plus.

Le sourire de Rothesay s'élargit, ce qui fit souhaiter ardemment à Fin que quelqu'un puisse cravacher le jeune gouverneur du royaume sans baisser la tête pour cela.

— Quelques mots en privé avec vous, Fin? dit James tout bas, qui se tenait toujours derrière lui.

Approuvant d'un signe de tête, Fin s'éloigna avec lui, et James ajouta doucement :

— Ma femme dit qu'elle veut avoir du temps seule avec moi. Elle dit que de tels moments manquent dans notre mariage, malheureusement. Cela peut sembler une petite chose...

— Non, lui dit Fin. Catriona et moi avons aussi des sujets à discuter. Mais nous pouvons tous nous rendre à Moigh ensemble et quand même nous accorder suffisamment de distance pour parler avec nos épouses. Après, aussi, vous serez seul avec Morag depuis Moigh jusqu'au château Daviot.

James approuva, et ils virent Morag s'approcher, alors Fin alla rejoindre Shaw et Catriona près du feu. Donald et Alex entrèrent ensemble peu de temps après, suivis de leurs serviteurs et du frère mendiant de Donald.

Catriona se tourna vers Fin lorsqu'il s'approcha du foyer, et alors que son regard croisa le sien, un léger sourire toucha ses lèvres, s'y attarda et devint plus chaleureux.

Se sentant frémir en retour, Fin sourit aussi.

# Chapitre 15

La première pensée de Catriona lorsqu'elle regarda Donald et Alex entrer avec leurs employés était que le moine avait une allure trop minable pour célébrer un mariage.

Elle portait une robe de velours doux couleur peau, et Fin paraissait particulièrement beau, dans un pourpoint de velours vert et des bas d'un vert plus foncé que tous ceux qu'elle l'avait vu porter auparavant. Toute leur discussion à propos de leur consommation et l'idée de s'accoupler avec lui avaient de nouveau attisé sa curiosité. Lorsqu'il la regarda, elle se sentit tout à coup timide.

Ensuite, elle n'eut plus le temps de penser, car le frère dit à Fin :

— Nous allons commencer immédiatement, s'il vous plaît, monsieur. La cérémonie sera courte, et le Mackintosh a dit que personne ne veut rester assis pendant toute une messe nuptiale. Nous mangerons dès que nous aurons terminé ici, dit-il.

Rothesay, qui s'était approché suffisamment pour l'entendre, ricana et dit de sa voix habituelle qui portait :

— Que tout le monde s'approche. Notre prêtre va commencer, et je sens du bœuf rôti, alors ne traînez pas.

Catriona vit les lèvres de Fin se serrer, mais le comportement de Rothesay ne la troubla plus. Son regard resta fixé sur Fin, et ses pensées y demeurèrent également.

Ses lèvres se détendirent, et un pétillement éclaira ses yeux.

Sans réfléchir, elle tendit une main vers lui.

— Non, pas encore, m'dame, dit le frère. Vous allez d'abord me laisser prononcer les paroles. Maintenant, Sir Finlagh, prenez-vous cette femme pour épouse...?

Catriona écouta et apprécia le son de la voix de Fin, tandis qu'il lui adressait sa promesse de toutes sortes de façons :

— Aujourd'hui et pour toujours, jusqu'à ce que la mort nous sépare.

— Avez-vous une bague pour votre femme, monsieur ? demanda alors le frère.

Catriona, qui regardait Fin, vit de la consternation sur son visage. Mais avant qu'il ne puisse parler, de l'aide vint à lui de manière inattendue.

— Oui, il en a une, déclara le Mackintosh en s'avançant. J'ai la bague juste ici, jeune homme.

Alors qu'il remettait quelque chose à Fin, Mackintosh regarda Catriona et dit :

— C'était la bague de ma mère, jeune fille. Je lui ai promis que je la garderais pour ma petite-fille préférée, et c'est ce que j'ai fait, si tu l'acceptes maintenant de notre part.

Ses yeux s'inondèrent de larmes soudaines. Catriona attrapa son bras et se mit sur la pointe des pieds pour embrasser sa joue ridée.

— Je l'accepte, monsieur, et avec fierté. Je vous remercie également, car je penserai à vous deux ainsi qu'à mon mari chaque fois que je la regarderai.

La glissant à son doigt, et sur les encouragements du frère, Fin dit :

— Avec cette bague, je t'épouse, et avec son or et son argent, je te dote. Avec mon corps, je t'idolâtre, et avec tout mon bétail terrestre, je t'honore.

Répétant avec obéissance les vœux similaires à ses premiers, Catriona promit également d'être « douce et obéissante, au lit et au quotidien », en prononçant sa promesse à Fin.

Et c'était probablement la fin, car le frère se tourna face au public et dit :

— Mes seigneurs, mesdames et tous ceux ici qui regardent, je vous prie de prêter maintenant attention à ce couple marié, Sir Finlagh et Lady…

Faisant une pause, il regarda Fin d'un air contrit.

— Pardonnez-moi, monsieur, j'ai oublié de vous demander quel sera le nom de madame.

— « Lady Finlagh » ira très bien pour le moment, dit Fin.

— Sir Finlagh et Lady Finlagh, répéta le prêtre.

— Avez-vous du whisky à portée de main, Mackintosh ? demanda Davy Stewart. J'ai une soif maintenant que seul le whisky pourra étancher.

— J'en ai, oui, comme tout bon Highlander, répondit Mackintosh. Va chercher la cruche dans ma chambre, James, et envoie un des jeunes hommes en chercher d'autre. Tout le monde devrait boire, à ce mariage, surtout Fin et Catriona.

Catriona fronça son nez, à l'idée de boire le liquide explosif. Voyant l'expression sur son visage, Fin se pencha près d'elle et murmura :

— Tu boiras avec moi, jeune fille. Cela te réchauffera pour ce qui viendra après que nous aurons pris notre petit déjeuner.

— Je préférerais le boire après avoir mangé quelque chose, lui répondit-elle en chuchotant. Du whisky avec du miel ne me dérange pas, lorsque je suis aux aguets. Mais à d'autres moments, non.

— Alors, nous ferons notre toast avec un seul gobelet, dit-il. Tu n'as qu'à tremper tes lèvres dans le whisky, afin d'éviter la malchance dans notre mariage. Mais si tu veux tenir compte d'un bon conseil, tu boiras du bordeaux rouge en mangeant. Tu as entendu que ton grand-père s'attend à ce que nous consommions notre union après, n'est-ce pas ? Et que James et Morag attendront que nous nous y mettions ?

— Oui, bien sûr, répondit-elle.

Se sentant tout à coup gênée, elle regarda au loin en ajoutant :

— Je sais ce que nous ferons alors, car ma grand-mère me l'a dit. Elle a dit que ce sera agréable.

Lady Annis avait dit plus que cela, car elle avait été aussi brusque à propos de sexe qu'elle l'était avec la plupart des sujets. Mais il y avait près de deux ans de cela, et Catriona se souvenait de la description physique et de la promesse de plaisir, mais peu du reste.

Fin posa deux doigts sous son menton, afin qu'elle le regarde. Lui souriant chaleureusement, il dit :

— Nous ferons en sorte que cela devienne agréable, jeune fille. J'ai l'intention que nous le fassions aussi souvent que possible. Mais pour l'instant, je me gâterai simplement avec un petit baiser.

Après avoir dit cela, devant tout le monde qui désirait voir, il l'entoura de son bras libre et, doucement, d'une façon cruellement tentante, se pencha en s'approchant jusqu'à ce que ses lèvres chaudes touchent les siennes. Puis, comme s'ils étaient seuls au lieu d'être parmi un grand nombre d'invités, il l'attira suffisamment près de lui pour sentir son corps contre le sien et déplaça la main sous son menton vers le creux de ses reins, la pressant contre lui.

Ses lèvres ravirent les siennes, et son corps frémit contre le sien. Lorsque le bout de sa langue chercha à entrer dans sa bouche, elle résista brièvement, puis se soumit à sa pénétration. Fermant les yeux, elle gémit lorsque sa langue se mit à jouer avec la sienne. Les sensations qu'il avait éveillées en stimulèrent d'autres, une foule d'autres.

Il termina enfin le baiser, mais ne la relâcha pas. Et elle garda les yeux clos, car son esprit s'était rempli d'images de ce qui viendrait ensuite.

Lorsque des applaudissements et des acclamations fusèrent, elle rouvrit les yeux d'un coup. Étourdie, elle se sentit comme si un étrange sortilège qui s'était emparé d'elle s'était arrêté abruptement avec le bruit.

— Tu rougis, ma chérie, mais ce n'est pas nécessaire, dit Fin. Un homme a le droit d'embrasser son épouse, après la cérémonie.

Elle sourit alors.

— Cela ne m'a pas dérangée du tout.

Alors qu'ils se tournaient vers la table haute, le Mackintosh s'approcha d'eux et dit :

— Vous prendrez du temps pour me rencontrer dans la chambre intérieure, après avoir pris notre petit déjeuner, jeune homme, et vous emmènerez votre jeune fille.

— Grand-papa, vous ne vous attendez pas à ce que nous consommions notre mariage ici !

— Non, jeune fille, même si j'admettrai que j'ai pensé que ce serait un grand honneur de vous laisser. Mais ta grand-mère m'a traité d'idiot et a dit que vous préféreriez votre propre lit à aucun autre. Ailvie et les femmes sont en ce moment en train de le préparer pour vous deux.

Soulagée au-delà de la mesure parce qu'elle ne pouvait imaginer consommer son mariage dans le lit que ses parents partageaient et dans lequel ses grands-parents avaient dormi pendant un mois, Catriona se dirigea avec contentement vers la table haute en compagnie de son mari.

Rothesay les y attendait.

— Le Mackintosh a dit que tu devrais prendre la chaise du milieu, Fin. Alors, je vais m'asseoir à côté de toi. Comme j'ai accordé ma bénédiction à ce mariage, il est juste et approprié que je le fasse. Mais j'ai une question.

— Oui, monsieur ?

— Pourquoi « Lady Finlagh » ? Pourquoi pas « Lady Cameron » ?

⸺◦◦◦◦⸺

Se demandant quelle bêtise Rothesay avait maintenant en tête, Fin dit :

— Alors, vous connaissez mon clan, n'est-ce pas, monsieur ? J'ai pensé que vous le deviez.

Remarquant un éclair de déception sur le visage expressif du prince, il ressentit un pincement de malaise.

— Oui, bien sûr, répondit Rothesay. Je sais tout à ton sujet depuis le début. L'évêque Traill m'a dit que tu avais raison de garder ton identité secrète. Et sachant à quel point nos clans des Highlands peuvent être grincheux, j'ai supposé que cette raison était probablement une affaire d'« autopréservation ». Est-ce cela ?

— C'est assez proche, répondit Fin.

— Je vois. Mais la grande querelle *se passait* entre ta confédération et le clan Chattan, dit Rothesay. Alors, je me suis demandé si le Mackintosh était au courant. Mais ton épouse n'a montré aucun signe de surprise juste maintenant, quand j'ai posé la question, et on peut supposer que si elle sait, lui aussi.

— Oui, bien sûr qu'il est au courant, dit Fin.

— Alors, je le répète. Pourquoi « Lady Finlagh » ?

— Parce que je suis un fils plus jeune, bien sûr, dit Fin avec un haussement d'épaules. C'est ainsi que ma famille l'appellera, à la maison où se trouve la femme de mon frère, Lady Cameron.

— Oui, bien sûr, c'est la manière courante. Mais cela me rappelle la *raison* pour laquelle je me demandais si le Mackintosh savait des informations à ton sujet. Ce n'était pas seulement que les Cameron et les Mackintosh étaient ennemis lors de la bataille à Perth. C'était aussi le fait que tu appartiens aux mêmes Cameron qui ont commencé cette querelle contre ceux qui possèdent le château Tor et les domaines du lac Arkaig.

Pour une seconde fois en moins d'une heure, Fin se livra à des idées meurtrières concernant Rothesay. Et un seul regard en direction de Catriona lui fit comprendre qu'elle se souvenait effectivement de sa réponse équivoque, lorsqu'elle lui avait posé des questions sur le château Tor, le lendemain de leur rencontre.

⌒∘⌒

Catriona avait clairement entendu les commentaires de Rothesay. Mais il lui fallut un moment pour se rendre compte que la chaleur qu'elle sentait monter en elle n'était plus sensuelle, mais émotionnelle.

Pendant qu'elle reconnaissait son sentiment de trahison pour ce qu'il était, de même elle se rendit compte qu'elle ne pouvait pas passer sa réaction à cela là, tout de suite. Mais quand elle envoya à Fin un coup d'œil oblique et parlant, elle vit qu'il se trouvait déjà en face d'elle et qu'il s'attendait à un tel regard, sinon à plus.

— Jeune fille, dit-il à voix basse, j'aurais dû te l'avoir dit. Nous en reparlerons plus tard.

Acquiesçant, elle n'osa pas parler, de peur de dire exactement ce qu'elle pensait.

Elle était toujours en train de penser à ce qu'il avait dit à propos du château Tor ce jour-là, lorsqu'elle entendit Lady Annis, juste à sa gauche, dire :

— Ce frère de Donald a fait mieux que l'on pouvait espérer d'une telle créature déguenillée. Tu es bien et véritablement mariée, maintenant, chérie. Et ton grand-papa pense que tu t'es très bien débrouillée.

— Vraiment, grand-mère ?

Reconnaissante d'avoir une excuse pour regarder n'importe où au lieu de son mari, Catriona ajouta :

— Je suppose que grand-papa t'a aussi dit que nous avons l'intention de rester au château Moigh pendant les quelques prochains jours.

— Oui, bien sûr. Lorsqu'il a envoyé le messager pour les avertir de votre venue, je me suis assurée que tout serait en préparation pour vous. Je suppose que James t'a dit que lui et Morag iront à Daviot, ainsi vous aurez l'endroit presque pour vous tout seuls.

— Je l'ai entendu le dire à Fin, admit Catriona.

— Ton Fin est un homme bien, dit Lady Annis. Mais attention à ne pas le laisser voir ton tempérament jusqu'à ce que tu aies pris des mesures du sien. J'ai vu chez cet homme des signes qui ressemblent beaucoup à ceux qui auraient dû m'avertir de marcher avec plus de méfiance que je ne l'ai fait avec ton grand-père au début de notre mariage. Nous habitions ici, alors, bien sûr.

— Qu'est-il arrivé ?

Lady Annis sourit avec nostalgie.

— Il m'a grondée pour avoir fait ce que je croyais être une chose naturelle à faire pour moi. Alors, je lui ai lancé une bolée d'eau froide.

— Tu n'as pas fait cela !

Lorsqu'elle acquiesça, Catriona dit :

— Qu'avais-tu fait ?

Madame la comtesse haussa les épaules.

— J'ai grimpé à un arbre pour avoir une meilleure vue du lac.

— Eh bien, cela me semble parfaitement naturel. Pourquoi cela l'a-t-il mis en colère ?

— Peut-être aurais-je dû expliquer que je ne portais que ma robe fourreau à ce moment-là. Nous avions… hum… nous avions fait mieux connaissance, comme qui dirait.

Un gloussement monta dans la gorge de Catriona.

— Où *étais*-tu ?

— Sur la rive ouest, là-bas, près du débarcadère. Mais, par ma foi, il m'a sermonnée dans l'embarcation tout le long jusqu'au retour au château, puis jusqu'en haut de l'escalier menant à notre chambre. Alors, une fois que j'en ai eu suffisamment entendu, je lui ai lancé l'eau…, *toute*, sur lui.

Catriona afficha un large sourire.

— Et après ?

— C'est tout ce que je te dirai, maîtresse impertinente. Tu connais bien ton grand-père, alors sans doute tu peux utiliser ton imagination fertile pour le reste. Mais je te dis — moi qui connais les hommes — que je vois des signes similaires chez ton Sir Finlagh. Ses yeux se rétrécissent de la même manière, et sa mâchoire se contracte tellement que de petits muscles sautent dans ses joues. Si tu veux être heureuse, marche doucement, quand tu vois ces signes.

Catriona sourit et opina de la tête, mais elle décida que dans une heure ou deux, ce serait Fin plutôt qu'elle qui devrait être attentif à des signes d'humeur.

Tadhg les interrompit, en présentant un plateau de fines tranches de bœuf à Catriona. Elle lui rappela presque qu'il devait servir sa grand-mère en premier, avant qu'elle ne se souvienne que, en tant que mariée, *elle* était la première dame de la journée.

S'appliquant à son petit déjeuner, elle espéra que Fin lui parlerait et ne ferait pas qu'essayer d'atténuer son mécontentement pour qu'elle fasse l'amour avec lui. Elle se rendit compte rapidement, avec une certaine indignation, qu'il ne tenait pas compte d'elle du tout.

Toutefois, un bref coup d'œil fournit une explication à sa négligence.

Rothesay, qui se trouvait de l'autre côté, pérorait à propos de quelque chose. Après son récent comportement, elle se doutait qu'il essayait de commettre encore des bêtises.

Quelqu'un, décida-t-elle, aurait vraiment dû se servir d'un bon martinet rigide en cuir, pendant l'enfance de Davy Stewart, pour lui enseigner de meilleures manières.

À peine avait-elle fait un signe de tête affirmatif à un porteur lui signifiant qu'il pouvait débarrasser son assiette que son grand-père se mit debout et leva un gobelet.

— Je vous en prie, nous allons maintenant boire à la santé des époux. Ils voudront se mettre à l'œuvre pour le plus grand devoir du mariage.

Des rires enchantés accueillirent cette annonce. Des gobelets furent remplis et levés. Les gens portèrent rapidement un toast — trop vite pour convenir à Catriona. Pire, elle avait bu du vin à chaque toast et pouvait dire qu'elle en avait bu plus qu'elle ne l'aurait dû.

— Allez, maintenant, dans la chambre intérieure avec vous, dit le Mackintosh en posant une main sur l'épaule de Fin et l'autre sur celle de Catriona. Vous pouvez utiliser l'escalier de service jusqu'à votre chambre à coucher depuis là, ainsi vous n'aurez pas besoin de passer de nouveau par ici. Nos jeunes hommes sont déjà en train de porter vos affaires de l'autre côté du lac et de charger les poneys. Ainsi, tout le monde pourra se rendre directement à l'extérieur pour vous dire au revoir, une fois que vous vous serez habillés.

Tandis que Catriona le suivait dans la chambre intérieure, elle pouvait sentir la présence de Fin à côté d'elle,
comme s'il la touchait. Toujours irritée, elle se demanda à
quoi il pensait et décida qu'il devrait s'en vouloir de n'être
pas plus communicatif à propos de son lien proche avec le
château Tor.

Fin, qui se demandait ce que le Mackintosh leur voulait,
suivit Catriona, profitant du balancement séduisant de ses
hanches alors qu'elle passait devant son grand-père pour
entrer dans la chambre. Mais il essaya en même temps de
mesurer à quel point elle était ennuyée.

Une fois tous à l'intérieur, Mackintosh ferma la porte et
traversa la pièce jusqu'à sa table, d'où il prit un document en
papier ministre. Un pot à encre et une plume aiguisée
étaient posés tout près.

Se tournant vers Fin, il dit :

— Ceci ne prendra pas beaucoup de temps, jeune
homme, car je sais bien que vous êtes impatient de réclamer
votre épouse. Aussi, nous savons tous les deux que James et
Morag se rongent les doigts pour quitter l'île et s'en aller.

— James a promis d'attendre, monsieur, dit Fin.

— Oui, bien sûr. Maintenant, voici la charte du château
Raitt. Je l'ai signée pour attester que vous en serez propriétaire à vie, comme cadeau de mariage. Je serais vain de le
voir ensuite entre les mains de votre héritier, mais je sais
bien que vous ne changerez jamais votre nom pour
Mackintosh, et vous ne devriez pas le faire. Pas après avoir
presque donné votre vie pour le clan Cameron.

— Vous avez raison, monsieur, dit Fin.

— Mais peut-être, si vous choisissez de vivre une bonne partie de chaque année à Raitt et qu'un de vos fils accepte de prendre le nom, Shaw pourra s'arranger pour le lui transmettre. Il approuve cette idée. Si rien ne vous arrive avant que vous ayez un fils, Raitt reviendra à Catriona, à moins qu'elle ne se remarie avec un étranger. D'accord ?

Fin n'hésita pas.

— Vous me faites un grand honneur, mon seigneur. J'accepte, oui.

— Bien, dans ce cas. Signez juste là, en bas, dit le Mackintosh en trempant la plume et en la lui tendant. Personne n'y a vécu depuis un certain temps, mais c'est un endroit robuste et qui peut être rapidement rendu confortable pour une famille.

Fin signa, reçut un autre gobelet de whisky et but avec son nouveau parent à leur accord. Catriona se tint debout tout près, et, au lieu d'étreindre son grand-père et de le remercier, elle demeura silencieuse.

— La porte est là-bas, jeune homme, dit Mackintosh. Maintenant, vous n'avez plus de raison de rester.

Mettant une main au coude de Catriona, Fin la pressa vers la porte, puis devant lui en haut de l'escalier étroit. Il était reconnaissant du fait qu'ils puissent se retrouver en privé.

À ce qu'il savait, de nombreux mariages se terminaient en une cérémonie de coucher bruyante qui était très amusante pour les invités, mais rarement pour le couple. Il était certain que, au vu des circonstances, avoir à supporter une telle cérémonie ne serait *pas* utile.

Une fois qu'ils se retrouvèrent en sûreté dans leur chambre à coucher, elle se tourna pour lui faire face.

— Penses-tu encore que nous devons nous coucher tout de suite, monsieur, après ce que Rothesay a dit en bas ?

— Oui, je le pense, répondit-il. Nous avons un devoir de consommer notre mariage, et tu es aussi consciente que moi que James et Morag nous attendent. Nous pourrons nous disputer plus tard.

— Mais je ne comprends pas pourquoi tu ne me l'as jamais dit.

Il fit un pas vers elle tout en la regardant droit dans les yeux et dit :

— J'aurais dû te l'avoir dit, mais nous pourrons parler de ce sujet en route, jeune fille. Nous n'en discuterons pas maintenant. Pas avec tout le monde qui attend en bas pour nous dire adieu.

Elle recula.

Elle se montra contrariée, mais il savait qu'elle avait raison de se sentir ainsi. Toutefois, de telles discussions prenaient du temps, et il ne croyait pas que les gens qui attendaient en bas dans la salle et dans la cour se montreraient patients. Il lança un coup d'œil vers la porte qui menait à l'escalier central.

— Cette porte a-t-elle un verrou ?

— Non, répondit-elle. Je n'en ai jamais eu besoin.

— Oui, eh bien, les couchers deviennent souvent une affaire publique, jeune fille. La raison pour laquelle ton grand-père nous a fait monter par l'escalier de service était pour nous permettre de l'intimité. Mais si nous ne redescendons pas bientôt, ils monteront. Je ne crois pas que cela te plaira.

Son visage pâlit.

— Alors, peut-être que tu devrais descendre et leur dire…

— Leur dire quoi? demanda-t-il lorsqu'elle s'arrêta timidement.

Comme elle ne répondait pas, il avança d'un autre pas en disant doucement :

— Nous sommes les deux mêmes personnes que plus tôt. La seule différence est que maintenant, nous sommes mariés. Nous pouvons toujours nous parler, et nous le ferons. Maintenant, viens vers moi, chérie.

Elle se détourna.

— Catriona…

Sa patience déclinait.

❧

Catriona reconnut le ton d'avertissement. Se retournant, elle vit que ses lèvres avaient formé une ligne droite assez serrée pour qu'un minuscule muscle se contracte nerveusement à l'intérieur d'une joue. Se souvenant de l'avertissement de Lady Annis, elle ressentit une étrange sensation d'excitation remonter le long de sa colonne.

— Nous avons prononcé nos vœux l'un à l'autre, Catriona, dit-il d'un ton régulier. J'honorerai le mien, et je m'attends à ce que tu fasses de même.

— Que feras-tu, si je ne le respecte pas? M'enlever ou me battre?

Mais son cœur battait à tout rompre, et la manière dont il la regardait maintenant lui donna envie de le toucher.

— Tu sais bien que je ne te ferais pas de mal ni ne te forcerais, dit-il en maîtrisant visiblement son humeur.

La tension dans la pièce avait décuplé, surtout à l'intérieur de son propre corps. Sa colère avait aussi décliné en raison de cette tension, comme si elle ne pouvait pas contenir deux émotions fortes dans l'immédiat.

Il était déterminé, et cette détermination provoqua des sensations indescriptibles en elle. Depuis les picotements de sa peau jusqu'au centre de son corps, chaque nerf s'était réveillé. Lorsqu'il avança encore d'un pas vers elle, ils vibrèrent comme si quelqu'un avait posé une harpe avec les cordes rattachées à chaque partie de son corps.

Il tendit les bras vers elle.

Elle se lécha les lèvres tout en le regardant avec méfiance, mais sans crainte. L'anticipation de ce qu'il pourrait faire lutta contre son propre désir de le toucher, de lui laisser savoir ce qu'elle ressentait au plus profond d'elle-même. Puis, il toucha sa joue ; la paume de sa main était chaude contre celle-ci, mais provoquait une douleur également, lui rappelant la fureur de son père le soir précédent et la manière dont Fin avait réagi.

— Nous pouvons mieux nous entendre que cela, jeune fille, dit-il d'une voix basse et rauque. Je te promets que nous discuterons de tout ce que tu voudras aussi longtemps que tu le veux, pendant que nous voyagerons. James a dit que Morag veut aussi de l'intimité avec lui, alors ils nous laisseront seuls. Maintenant, à moins que tu ne veuilles que je leur dise que nous avons échoué à consommer notre mariage...

Il fit une pause.

Elle ne désirait certainement pas cela.

— Le leur dirais-tu vraiment ? demanda-t-elle même si elle savait ce qu'il dirait.

— Je ne leur mentirai pas, dit-il. Pas plus que toi, je pense. Ils examineront les draps de près.

Ressentant une sensation de soulagement juste au fait de savoir qu'elle l'avait jugé correctement, elle sentit les sensations plus chaudes augmenter.

La main sur sa joue se déplaça sur son épaule gauche, et vu qu'elle ne s'objectait pas, ses deux mains se placèrent sur ses cordons. Lorsque l'une d'elles effleura involontairement le bout d'un sein, la sensation qu'elle ressentit lui coupa le souffle.

La chaleur persistante du vin qu'elle avait bu accrut la sensation. Elle eut l'impression que cette chaleur se répandait partout dans son corps.

Il ouvrit son corsage, saisissant le velours couleur peau en même temps. L'air frais dans la chambre la fit trembler, tandis qu'il détachait ses rubans de chiffon et qu'il dénudait sa poitrine.

— Ah, jeune fille, murmura-t-il, que tu es magnifique! J'aimerais que nous puissions prendre notre temps pour que je te montre à quel point ceci peut être agréable. Mais je crains…

— … que quelqu'un ne vienne, je sais, dit-elle. Je sais quelque chose de ce qui doit être fait, car grand-mère me l'a dit. Mais cela *peut*-il être fait aussi rapidement?

⊸•⊱

La question en elle-même apporta une réponse suffisante au corps désireux de Fin, qui se dressa avec force à la vision qu'elle produisit dans sa tête. Mais il ne voulait ni lui faire mal ni lui faire peur, alors il dit :

— Cela est possible, chérie. Mais je préférerais que tu enlèves d'abord ta robe, ainsi tu te sentiras plus à l'aise.

Elle prit sa gaine cintrée d'or et la défit, puis la posa sur un meuble. Il l'aida à retirer sa tunique de velours, la jupe qui allait avec et son jupon de flanelle rouge. Debout devant lui, vêtue seulement de sa robe fourreau, le haut toujours ouvert qui révélait ses seins fermes aux bouts roses, elle était encore plus magnifique qu'il ne l'avait imaginée.

Enlevant sa robe fourreau puis la lançant sur le côté, il la prit dans ses bras et la porta, nue, jusqu'au lit que les femmes avaient défait pour révéler les draps immaculés. Il l'allongea, enleva ses chaussures, son collant et ses bas. Son sexe était prêt pour elle, et il remarqua ses yeux s'écarquiller en le voyant, mais elle ne protesta pas.

— Tu n'as pas dit si ta grand-mère t'a avertie que la première fois, tu pourrais avoir mal, dit-il. Mais je ferai de mon mieux pour que cela soit plus facile, surtout du fait que nous aurons un long trajet à parcourir ensuite. Mais nous ne devons que nous coupler, rien de plus, alors…

— Oui, bien sûr, je sais cela, dit-elle comme si elle se demandait pourquoi il disait une chose aussi évidente.

— Ah, mais il y a plus à cela que tu ne pourrais le croire, après que nous aurons terminé. Alors, tu devrais savoir avant que nous ne commencions que faire ce que j'ai l'intention de faire ne me permettra pas d'avoir vraiment du plaisir. Cela pèsera lourd sur mes épaules jusqu'à ce que je puisse alléger ce poids, ce que, ajouta-t-il maintenant en souriant, j'ai l'intention d'accomplir avant que nous ne dormions ce soir.

—◦—

Catriona put à peine respirer en le regardant. Il n'avait enlevé que son collant et ses bas, mais cela suffisait pour qu'elle pense que Lady Annis devait être folle de croire qu'un homme bâti comme lui pourrait un jour s'accoupler avec une femme aussi petite que Catriona.

Il jeta de nouveau un coup d'œil vers la porte menant à l'escalier central.

— En fait, monsieur, je doute que quiconque entre sans frapper avant, dit-elle.

— Tu as probablement raison, dit-il. Nous nous recouvrirons simplement avec les couvertures, si cela se produit.

Sur ces mots, il se mit au lit, s'allongea à côté d'elle et se redressa sur un coude pour se pencher au-dessus d'elle et l'embrasser. Son haleine avait une odeur agréable de whisky, et le pourpoint de velours qu'il portait encore sur lui caressa sa poitrine dénudée, éveillant de nouvelles sensations aux endroits où il la touchait.

— Respire profondément et essaie de te détendre, murmura-t-il contre sa bouche tout en caressant son ventre. Je serai aussi doux et aussi rapide qu'il me sera possible de l'être.

Sur ces paroles, sa main qui la caressait se déplaça vers la jonction de ses jambes. Lorsqu'elle se figea, il mit sa main sur sa cuisse et la caressa doucement, mais la redirigea lentement et inexorablement vers son objectif, jusqu'à ce que ses doigts effleurent les boucles qui s'y trouvaient. Lorsqu'il introduisit un doigt en elle, elle sursauta.

— Doucement, chérie, murmura-t-il en l'embrassant de nouveau. Je crois que ton corps est plus prêt à me recevoir que ne l'est ton esprit. Ne réfléchis pas ; concentre-toi seulement sur les sensations.

## Chapitre 16

— Je ressens tellement que je n'arrive *pas* à réfléchir, murmura Catriona.

Puis, Fin toucha un endroit qui fit que les sensations antérieures lui semblèrent fades en comparaison. Le feu parcourut son corps. Les lèvres de Fin réclamèrent de nouveau les siennes, les retenant prisonnières tandis que ses doigts continuaient à la chatouiller.

Sa langue envahit sa bouche, et elle réagit immédiatement avec la sienne.

Elle se rendit à peine compte qu'elle bougeait maintenant en réaction à deux doigts, essayant d'augmenter les sensations agréables qu'ils suscitaient en elle. Puis, il les retira et se déplaça, afin de les remplacer par une partie plus grande de lui-même.

L'enjambant à présent, ses jambes et ses mains supportant son poids, il la regarda dans les yeux, tout en pénétrant doucement en elle. Catriona essaya de se détendre, gémissant par de faibles protestations à une douleur atténuée. Il s'arrêta, se retira, puis reprit les mouvements. Maintenant sur ses genoux et ses avant-bras, il ne retint plus sa bouche, dont les lèvres et la langue étaient occupées, mais les sensations ressenties plus bas, à la fois ensorcelantes et quelque peu inquiétantes, gardèrent son esprit bien occupé.

Déplaçant une main pour prendre son sein gauche, il utilisa son pouce pour caresser son mamelon, détournant ainsi son attention tout en entrant entièrement en elle.

Haletant face à la douleur grandissante, elle sentit néanmoins son corps réagir au sien. Elle avait fermé les yeux, mais elle les rouvrit, pour voir son visage se contorsionner comme si c'était lui qui avait mal. Son corps eut tout à coup un sursaut, et sa grimace devint plus profonde, tandis qu'il prenait une longue et grande inspiration, avant d'expirer. Juste au moment où elle se demandait ce qui viendrait ensuite, son visage se détendit, et il se retira.

— Cela devrait satisfaire toute personne suffisamment prétentieuse pour enquêter sur ce sujet, dit-il d'un ton bourru tout en s'allongeant à côté d'elle. Était-ce si douloureux, jeune fille ?

— Cela a fait un peu mal, mais maintenant je ne ressens que de la chaleur et un peu de picotement, répondit-elle.

— Un mot bien choisi, dit-il avec un gloussement. Nous allons donc te nettoyer, ou veux-tu que j'appelle Ailvie ? Je dois changer de vêtements, pour le voyage.

— Je t'en prie, ne l'appelle pas avant que je ne m'arrange, mais tu dois faire comme tu veux.

— Je n'aime pas cela du tout, dit-il avec un sourire désabusé. Je préférerais rester exactement où je suis. Et je dois t'avertir que la seule chose à laquelle je penserai jusqu'à ce que nous soyons en sécurité ensemble dans le lit au château Moigh sera que j'ai des affaires inachevées avec toi.

Elle lui dit presque qu'elle penserait à peu près à la même chose. Ensuite, elle se rappela qu'elle était encore fâchée contre lui. Mais, sans qu'elle sache comment, ce petit détail était sorti de sa tête dès qu'il l'avait touchée.

Vu qu'elle voulait tout de même que ses sentiments soient clairs, elle se dit qu'il serait plus sage de ne pas admettre l'effet que lui procurait son toucher, alors elle dit à la légère :

— Tu pourrais ne pas te trouver en sécurité aussi tôt que tu le crois, monsieur. Toi et moi avons encore des sujets à discuter.

— Oui, bien sûr, jeune fille. Mais je te rappelle qu'un époux a plus de droits qu'un invité ou un ami, dans de telles discussions. À plusieurs reprises, tu as laissé libre cours à ton tempérament, depuis que nous nous sommes rencontrés. Je préfère que ma femme reste polie envers moi.

— Vraiment, monsieur ?

Il lui lança un franc regard.

— Oui, en effet.

— Alors, ne me donne pas de raisons de m'emporter, et tout ira bien.

Soutenant son regard, il dit :

— Nous verrons si cela fonctionne bien, d'accord ?

---

Fin lui fit un large sourire en sortant du lit et fut content de recevoir un sourire désabusé en retour. Il n'avait plus envie de débattre, jusqu'à ce qu'ils soient sur la route.

Peu de temps après, vêtus d'habits convenables pour monter à cheval, ils rejoignirent James, Morag, leurs employés, les invités et les membres de la famille au débarcadère, où les voyageurs s'entassèrent sur un des plus grands bateaux. Fin fut reconnaissant devant toutes les personnes présentes, les activités et sa cape, car son corps exprimait toujours son désaccord devant sa décision de quitter la douce chaleur de la gaine de Catriona.

Toutes les émotions qu'elle avait engendrées demeurèrent bien éveillées en lui, bien que moins fortes qu'au moment de son retrait. Puis, cela avait suscité un désir ardent, instinctif et primitif de la conquérir. Son sexe se contractait encore nerveusement en réponse à sa proximité, mais au moins, il n'avait plus mal.

Que sa décision ait été la bonne, cela, il le savait. De simplement l'observer sur le débarcadère avec sa famille, de voir son sourire naturel quand elle parlait aux autres et de constater la grâce avec laquelle elle monta sur le bateau l'assura que leur bref accouplement ne lui avait pas suffisamment fait mal pour lui causer de la souffrance pendant leur trajet.

Si Dieu était bon, il les récompenserait tous les deux d'ici à la tombée de la nuit. S'il était d'une humeur plus grincheuse, il ferait renaître la jeune fille antérieure plus irritable.

Fin ferait de son mieux pour éviter le deuxième choix.

Ils atteignirent le débarcadère sur la rive opposée et retrouvèrent Toby et Ian, qui les attendaient avec une queue de poneys des Highlands, les petits chevaux aux sabots solides qui pouvaient voyager sur presque tous les terrains montagneux sans faire un faux pas. Quatre d'entre eux étaient des poneys sauvages.

Les autres portaient des selles de cuir fin semblables à celles qu'utilisaient les frontaliers. Les femmes comme les hommes montaient à califourchon, leurs jupes étant assez larges pour assurer de la discrétion.

Ayant dit leurs au revoir sur l'île, ils montèrent rapidement sur leurs chevaux.

Fin n'avait pas monté un poney sauvage depuis des années, et il se souvint de la description de Rothesay à ce sujet. Ses pieds semblaient étrangement près du sol, mais les poneys sauvages étaient robustes et pouvaient transporter des poids plus lourds que le leur avec facilité.

Une fois installés sur la piste que lui et Catriona avaient suivie jusqu'à l'écoulement du lac, ils n'avancèrent que pendant un court moment, avant de voir une demi-douzaine d'hommes marcher vers eux à grands pas. Tous portaient des épées et des poignards.

— Maître, c'est le jeune avorton effronté qui a perdu son épée face à vous le jour où nous vous avons rencontrés, vous et madame la comtesse, juste en dessous, dit Toby Muir.

— Rory Comyn, dit Catriona en même temps. Que fait-*il* ici ?

— Je peux le deviner, dit James. Nous avons appris que lui et d'autres Comyn lancent des menaces, et il dit que vous serez son épouse avant la fin du mois. Nous les avons ignorés, nous doutant que grand-papa avait d'autres projets.

Il regarda Fin.

— Eh bien, il cherche à être pénible, maintenant, dit Catriona.

— Attends, et tu verras, jeune fille, dit Fin. Nous sommes trop nombreux pour qu'ils engendrent du trouble.

— Pour l'amour, monsieur, tous les six sont armés. Et même si notre groupe est plus nombreux, nos porteurs n'ont que des poignards. Toi, James et Ian êtes les seuls hommes bien armés avec nous.

— Je suis ici, moi aussi, m'dame, dit Toby avec indignation. Et votre autre jeune homme aussi, ajouta-t-il en montrant l'écuyer de James.

— Oui, tu l'es, dit Catriona.

Mais Fin put voir qu'elle croyait encore que si les six Comyn attaquaient, ceux-ci gagneraient.

Il ne pensait pas qu'ils attaqueraient. Jetant un coup d'œil derrière lui, il vit que les bateliers se trouvaient toujours à une distance qui permettrait de les appeler. Aussi, les six hommes qui s'approchaient semblaient plus déterminés que dangereux.

Sachant que le poney sauvage ne lui serait d'aucune utilité, il dit à Catriona de rester sur le sien, puis balança sa jambe par-dessus pour mettre pied à terre. Il vit James et Ian faire de même. Mais il ne remarqua pas que Catriona avait également mis pied à terre, jusqu'à ce qu'elle marche devant eux.

Il ouvrit la bouche pour l'appeler et lui donner un ordre, juste au moment où elle dit :

— Bonjour, Rory Comyn. C'était gentil de ta part ainsi que de celle des autres de venir me souhaiter bon voyage.

Fin referma sa bouche, quand, sauf leur chef aux cheveux roux, les autres Comyn s'arrêtèrent. Rory avança encore de quelques pas en direction de Catriona, mais, après avoir jeté un coup d'œil à Fin et un autre à James, il s'arrêta avant de se retrouver trop près d'elle.

— Qu'est-ce que c'est, alors ? demanda-t-il. Pourquoi devrais-je te souhaiter bonne route, jeune fille ?

— Parce que je suis maintenant une femme mariée, monsieur, dit-elle avec un sourire. Comme je sais bien que tu avais l'idée de me prendre pour épouse, j'ai pensé que c'était gentil de ta part de venir jusqu'ici pour nous aider à célébrer la journée.

— Je n'ai rien entendu à ce sujet, marmonna-t-il tout en fronçant les sourcils et en regardant Fin.

Puis, il regarda James, Ian et les autres derrière lui plus attentivement.

Prenant exemple sur Catriona, Fin se déplaça pour tendre une main vers Comyn, en disant :

— Je peux comprendre votre humiliation ; je serais aussi en colère, si vous aviez été avant moi.

— Oui, eh bien, j'*étais* avant vous, et je le serai après vous, tant qu'à y être, grogna Comyn en ignorant la main tendue de Fin.

Puis, il regarda Catriona et dit :

— Alors, vous célébrez la journée. Essaies-tu de me dire que l'événement vient tout juste d'avoir lieu, alors ?

— Il y a quelques heures, dit-elle en opinant de la tête. Et c'est aussi une belle journée pour un mariage.

— Il y aura des comptes à rendre, pour une telle trahison, jeune fille. Le Mackintosh — oui, et ton père aussi — savait que je voulais discuter plus longuement avec eux. Mais ils m'ont fait attendre. Je suis venu ici aujourd'hui pour leur faire comprendre clairement que je demande de poursuivre nos discussions.

— Il n'y a pas eu de véritable négo… intervint Catriona alors que Fin posait une main sur son bras.

Elle lui jeta un coup d'œil, visiblement impatiente de défier les paroles de Comyn.

Conscient que l'homme était entré dans une colère bouillonnante qui se transformerait en une colère noire avant peu, Fin dit :

— Doucement, ma lady. On peut voir qu'il croyait que les membres de ta famille réfléchissaient toujours à sa demande. Il y a peu de temps, quand nous l'avons rencontré auparavant, tu m'as dit que c'était le cas. Pour l'amour, tout homme serait agacé par un tel traitement.

— Oui, n'importe qui le serait, approuva Comyn. Mais je n'ai pas cru être dupé en amitié avec de telles paroles, car je vous verrai mort avant.

— Peut-être que oui, Comyn, répondit Fin calmement. Mais pas aujourd'hui. Les gardes du château qui se trouvent plus bas auront remarqué votre présence. Ils seront de même impatients de discuter plus tard de votre présence importune, si vous ne partez pas maintenant.

— Oui ? Eh bien, je ne les crains pas, ni le Mackintosh non plus, ni Shaw, ni aucun seigneur imposant qui se trouve avec eux qui pense exercer un pouvoir sur n'importe quel Comyn. Aucun d'eux ne l'a, et ils devraient tous très bien le savoir. Nous nous reverrons, Fin des Batailles. Ne vous méprenez pas là-dessus !

La main de Fin était toujours posée sur le bras de Catriona, et il la sentit se raidir. Croyant qu'elle était sur le point d'ajouter son grain de sel à la discussion, il serra son bras en guise d'avertissement.

Rory Comyn leur lança à tous les deux des regards noirs, puis se tourna et s'en alla, tout en faisant signe à ses hommes de le suivre.

James et les autres remontèrent, mais Catriona, au lieu de les suivre, se tourna vers Fin et dit avec humeur :

— Pourquoi ne m'as-tu pas laissée parler ?

— Je t'ai laissée parler, aussi longtemps que tu entretenais une conversation polie, dit Fin doucement. Mais quand j'ai vu qu'il se mettait en colère et que tu étais sur le point de le mettre encore plus en colère... Si tu te souviens, jeune fille, je t'ai *dit* de rester sur ton cheval.

Elle grimaça, mais ne dit pas un mot, se tournant abruptement vers son poney sauvage.

Il la suivit, l'attrapa par la taille, et l'installa lui-même sur le cheval.

---

Le geste de Fin surprit Catriona. Lorsqu'il la déposa sur son poney sauvage avec suffisamment de force pour faire claquer ses dents, elle inspira pour lui dire ce qu'elle pensait d'un tel comportement.

L'expression sur son visage la fit réfléchir de nouveau.

— Nous parlerons bientôt, promit-il. Nous allons d'abord laisser ce groupe partir bien loin de nous, pendant que j'ai un mot avec James.

— À quel sujet ?

— Oui, à propos de quoi ? demanda James, curieux.

— Comyn est au courant de tes invités haut placés, répondit Fin.

— Je ne vois pas comment il le serait, dit James en fronçant les sourcils. Rothesay s'est promené dans les Highlands en tant qu'un homme d'Alex, et Donald est venu à nous en tant que frère mendiant. Personne n'a pu reconnaître aucun d'entre eux.

— On peut l'espérer. Mais Comyn a suggéré que les maisons des seigneurs haut placés de Rothiemurchus exercent plus de pouvoir que le Mackintosh ou ton père.

James se renfrogna. Se tournant vers son homme, il dit :

— Retourne à cheval et raconte aux bateliers ce qui vient de se passer ici. Dis-leur de le rapporter au Mackintosh et à Shaw. Dis-leur aussi que nous pensons que Rory Comyn en sait plus qu'il ne le devrait.

Tout en regardant l'homme partir en se dépêchant, Catriona dit doucement à Fin :

— C'est ce que j'ai dit à Rory qui nous a valu cette information, n'est-ce pas ?

— Oui, en effet, admit-il.

— C'est donc une bonne chose que je l'aie agacé un peu.

— L'homme s'est mis en colère dès qu'il nous a vus, dit-il impassiblement. Je parie que lorsqu'il est parti, il nous a lancé à peu près les mêmes paroles.

— Mais il était venu pour négocier avec mon père, alors il n'était *pas* réellement en colère, jusqu'à ce que je lui dise que nous nous étions mariés.

— Tu en as fait une affaire personnelle, Catriona, une affaire entre toi et lui, Mackintosh et Comyn. Une femme qui dit à un homme qui la veut qu'il ne l'aura jamais prononce des paroles de bagarre, des mots qui *engendrent* des ennuis.

Il lui avait donné quelque chose sur quoi réfléchir, mais sa voix calme ne la berna pas. Elle décida de garder pendant un certain temps ses pensées pour elle-même.

Lorsque l'homme de James revint, ils continuèrent leur route en observant les hommes de Comyn maintenant distancés, jusqu'à ce que tous les six aient disparu de l'autre côté de l'arête nord du lac.

Leur propre groupe continua sur la piste à peine visible qu'elle et Fin avaient suivie le jour où ils s'étaient rencontrés, quand elle l'avait mené à Rothiemurchus. Au sommet de l'arête, ils prirent la direction nord-ouest et descendirent jusqu'à la rivière Spey. Passant à gué la rivière, ils marchèrent sur un chemin mouillé plus large d'une longueur d'environ quatre-vingts kilomètres, qui longeait la rivière jusqu'à son tuyau d'évacuation, où l'eau se jetait dans Moray Firth, près de la ville d'Elgin, où se trouvait une cathédrale.

Fin n'avait pas encore essayé d'ouvrir une discussion avec elle, alors, tout en avançant à dos de poney, elle répéta mentalement ce qu'elle lui dirait. Mais leur groupe demeura bien resserré, et elle n'eut pas plus envie que lui que James ou Morag entendent ce qu'elle avait dit. Alors, elle attendit son heure.

Lorsqu'elle vit Fin regarder derrière lui de l'autre côté de la rivière, et ensuite James, elle se rendit compte qu'ils attendaient que la rivière Spey soit située entre eux et les Comyn. À cette période de l'année, le gué suivant se trouvait à seize kilomètres vers le nord. De plus, ils arriveraient bientôt au centre du pays de Mackintosh et risqueraient moins de rencontrer un quelconque Comyn.

Les Comyn armés attireraient certainement l'attention, et l'annonce de leur présence se répandrait rapidement, jusqu'à ce que des Mackintosh les affrontent en grand nombre.

— Connais-tu le tournant que nous voulons, jeune fille ? demanda Fin.

— Oui, bien sûr, répondit-elle.

— Alors, toi et moi allons poursuivre à cheval, afin de pouvoir parler de tout ce que tu désires.

Ses mots neutres eurent sur elle un effet bizarre. Même si elle attendait une telle occasion, maintenant qu'il la lui accordait…

— Quoi, maintenant ? demanda-t-il en levant les sourcils.

— J'étais prête et désireuse de te dire exactement ce que je pense, répondit-elle. Mais je ne croyais pas que tu aurais autant envie de l'entendre. En fait, monsieur, ton invitation a agi comme de l'eau froide sur le feu de ma colère. Et je ne suis pas certaine que je préfère cela aux autres choses que tu as dites ou faites jusqu'à maintenant.

— Est-ce tout ? demanda-t-il avec un pétillement dans les yeux.

Ce regard eut un autre effet, plus profond. Mais elle lutta contre celui-ci, déterminée à soutenir le sien et à avoir son mot à dire.

— Ma foi, es-tu en train de te moquer de moi ?

— Je ne suis pas un tel idiot, l'assura-t-il. Maintenant, devrions-nous parler de ce que Rothesay a dit pour te mettre en colère juste avant que nous ne quittions la salle, ou as-tu un autre sujet que tu préférerais proposer en premier ?

Elle soupira.

— Par ma foi, monsieur, je crois que ce qui me met le plus en colère est presque la même chose dans chaque cas.

— Et c'est… ?

— Tu avais l'habitude d'écouter mes opinions et semblais les respecter. Mais maintenant, soit tu ignores ce que je te dis, soit tu l'écartes comme étant quelque chose sans importance. Mais si je te fais la même chose, tu deviens aussi en colère qu'Ivor.

— Il faudra que tu m'expliques comment cela s'applique à ce que Rothesay a dit à propos du fait que je sois né au château Tor.

— Dieu du ciel, tu sais très bien que tu m'as induite en erreur, quand je t'ai demandé si tu connaissais l'endroit, dit-elle.

— Je ne t'ai pas dit toute la vérité, car nous ne nous étions rencontrés que le jour précédent, dit-il avec un regard désabusé et contrit.

— Alors, qu'en est-il lorsque je t'ai demandé hier soir, avant d'accepter de t'épouser, si tu m'avais tout dit à ton sujet que je devais savoir ? *Ensuite*, tu as fait comme si les seules choses que tu ne m'avais *pas* dites étaient des choses auxquelles tu n'avais pas pensé ou des secrets qui appartenaient à d'autres. *Cela* n'était pas vrai, monsieur.

— Oui, j'aurais dû te le dire à ce moment-là, admit-il. Je m'en aperçois, maintenant. J'agissais alors selon les ordres de ton père de te persuader de nous marier. La vérité est que je voulais te persuader pour moi, ma chérie. Mais je craignais que si j'avouais que j'étais né à l'endroit précis pour lequel nos clans se battaient depuis des décennies, tu sois aussi agacée que tu l'es maintenant. Et notre dispute sur ce sujet n'aurait rien fait pour faire changer d'idée ton père ni Mackintosh.

Son explication la déconcerta. Mais elle se rallia bien vite, en disant :

— Tout cela est très bien, monsieur. Mais lorsque tu m'as dit que tu avais seulement *entendu* parler du château Tor, cela m'a tout simplement déçue. Comment peux-tu t'attendre à ce que je croie ce que tu me dis, alors que tu fais de telles choses ?

Des larmes lui montèrent de manière inattendue aux yeux, et elle fixa son regard droit devant elle, espérant qu'il ne les remarquerait pas.

Il tendit la main et attrapa la sienne.

— Regarde-moi, jeune fille.

Elle l'ignora. Elle ne lui laisserait pas voir que ses propres paroles avaient éveillé de telles sottes émotions en elle. Quand il serra sa main, une larme s'échappa. Mais elle venait de son œil gauche, et il se trouvait sur sa droite, alors il ne put la voir.

— Chérie, dit-il, j'aimerais pouvoir te promettre de ne plus jamais recommencer, mais je ne peux pas. Vois-tu, je suis au service d'un homme qui agit impulsivement et qui garde bien ses secrets. Cela signifie que je dois souvent, moi aussi, garder mes activités secrètes. J'ai passé des années à garder aussi des secrets personnels. Pour l'amour, je croyais que même Rothesay n'en savait rien. Je me suis trompé là-dessus, comme nous l'avons vu, mais même lui ne sait rien sur un dilemme que je n'ai pas réussi à résoudre avant de te rencontrer.

— Alors, tu l'as résolu ?

— Oui, en effet, et je suis certain d'avoir choisi la bonne manière.

— Me diras-tu quelle était la résolution et pourquoi c'était un tel dilemme?

— Il y a quinze jours, j'avais dit que je ne pourrais jamais en parler à personne, dit-il solennellement. Je ne suis toujours pas persuadé que te le dire serait la bonne chose à faire. Mais ce n'est pas parce que je n'ai pas confiance en toi, alors je te fais cette promesse. Je ne t'interdirai jamais de me questionner là-dessus, et peut-être que le jour viendra où je pourrai te le dire.

La larme sur sa joue sécha, tandis qu'elle réfléchissait à sa promesse.

Finalement, fixant toujours la route, elle dit :

— Je dois être en mesure de te faire confiance. Mais comment puis-je le faire, alors que je me demande souvent si tu faisais l'analyse grammaticale de tes mots ou si tu étais simplement en train de me mentir?

— Accepteras-tu de laisser tomber le sujet, si je te dis que je ne peux pas en parler?

Elle lui jeta un coup d'œil, vit qu'il la regardait avec intensité et ne put détourner son regard. Quelque chose dans l'expression de son visage la mettait au défi de réfléchir avant de répondre.

Finalement, léchant ses lèvres sèches, elle dit :

— Si je dis que je suis d'accord, promettras-tu de ne plus jamais prononcer ces paroles simplement parce que tu ne *veux* pas me répondre?

— Je le promettrai sans hésiter.

Sa voix sembla rauque, et son regard était plus intense que jamais. La façon dont il la regardait fit surgir de nouvelles sensations en elle, atteignant les endroits précis qui avaient réagi plus tôt lorsqu'il avait pris ses seins.

— Promettras-tu de ne plus jamais m'induire en erreur ? murmura-t-elle.

— Avec tout le respect que je te dois, Catriona, je ne t'ai pas vraiment induite en erreur à propos du château Tor. Tu m'as demandé si j'en avais entendu parler, et je t'ai répondu que c'était le cas et que je connaissais son emplacement exact. Nous étions alors sur la piste du lac et nous avons rencontré Comyn, ce qui a mis fin à notre conversation.

— Mais n'ayant pas été il y a 15 jours…

— C'était juste après que nous nous étions rencontrés. Souviens-toi que je ne savais toujours pas ce que pensaient les gens de Rothiemurchus à propos des membres de la confédération des Cameron. J'avais de bonnes raisons de marcher avec précaution.

— Nous avons une trêve, lui rappela-t-elle.

— Oui, mais les trêves ne sont pas en pierre, jeune fille. Les hommes les brisent sans arrêt.

— Les hommes brisent bien des choses, dit-elle. Comment saurai-je que je peux avoir confiance en ta parole ?

— Parce que j'aurai confiance en la tienne, si tu me dis que je le devrais. Le devrais-je ?

⧯

Fin remarqua ses joues en feu et sut qu'il avait touché une corde sensible. Il décida d'en profiter.

— Nous devons être capables de nous faire mutuellement confiance, jeune fille. Je sais que lorsque nous avons rencontré Comyn aujourd'hui, cela t'a mise en colère, et je t'ai dit de rester sur ton cheval.

— Et je t'ai agacé, lorsque j'en suis descendue et que je lui ai dit ce que j'ai dit.

— Oui, mais je me suis vite rendu compte que tu pouvais t'organiser avec lui, alors je ne suis pas intervenu. Puis, tu as commencé à le contredire au sujet de ses prétendues négociations, et j'ai pu voir que tu allais le mettre encore plus en colère qu'il ne l'était déjà.

— Par ma foi, monsieur, si je n'avais pas autant pensé à la façon dont tu réagirais face à mon mépris plutôt qu'à ce que je devais lui dire…

— Ne vois-tu pas, chérie? C'est exactement le genre de chose que nous devons apprendre l'un de l'autre. Jusqu'à ce que nous y arrivions, je te demanderais de m'obéir, quand je fais savoir clairement que je m'attends à de l'obéissance, simplement parce que j'ai une plus grande expérience de la vie que toi. En retour, ajouta-t-il avant qu'elle ne discute, je ferai de mon mieux pour t'accorder le même respect, lorsque nous discuterons de sujets que tu connais mieux que moi.

— Et si je ne t'obéis pas? demanda-t-elle en le regardant maintenant de sous ses cils. Tu sais, parfois, j'agis simplement parce que cela me paraît juste d'agir.

— Alors, je crains que tu doives accepter les conséquences que j'imposerai, quelles qu'elles soient. Je suis ton mari, maintenant, Catriona, alors la loi et la tradition m'accordent certains droits, de même que certains devoirs. Le plus important parmi eux tous est le devoir de te protéger des autres. Et de ta propre folie, ajouta-t-il sans prendre de gants.

Lorsqu'elle se lécha les lèvres, son corps réagit, lui faisant espérer que James et Morag soient en perdition. Ce qu'il avait envie de faire était de saisir d'un geste vif sa rebelle et magnifique épouse de son cheval, de la porter dans les bois tout près pour qu'ils soient seuls et de la maîtriser si profondément qu'elle saurait pour toujours qu'elle était sa femme.

—◦◦◦—

Catriona ne pouvait pas se tromper concernant le désir ardent dans les yeux de Fin, et puisque son propre corps lui rappela de nombreuses fois qu'ils avaient consommé leur union trop rapidement, son désir et même sa menace éveillèrent d'autres sensations encore plus fortes.

Préférant ne pas penser à ces conséquences qu'il venait de mentionner, car elle savait qu'il n'approuverait jamais son habitude de suivre sa propre route dès qu'elle le pouvait, elle fut heureuse d'apercevoir devant eux le tournant qu'ils voulaient. Tandis qu'ils montaient la piste escarpée et boisée dans les montagnes, elle se souvint de son penchant pour les chutes d'eau.

Appelant James, elle proposa qu'ils s'arrêtent à celle qu'ils connaissaient et qu'ils mangent le repas de midi qu'ils avaient apporté. Ce plan étant chaleureusement approuvé par tous, ils mangèrent si près du haut torrent spectaculaire qu'ils sentirent sa brume sur leurs visages. Regardant Fin, elle le vit détendu, souriant, et savait qu'elle avait fait le bon choix.

Une fois qu'ils eurent terminé, tout le monde remonta sur son cheval puis retourna sur la piste.

James et Morag semblèrent plus heureux également. Lorsque James proposa qu'ils poursuivent tous ensemble, ni Catriona ni Fin ne s'y opposa.

Ils atteignirent le lac Moigh bien avant le coucher du soleil, et les gardes sur les remparts du château les observaient, car un bateau avec deux rameurs venait juste de partir. Le château occupait une île de bonnes dimensions, et le lac était plus grand que le Loch an Eilein.

Lorsque le bateau s'approcha du débarcadère, James serra la main de Fin et dit :

— Nous allons partir immédiatement, car nous voulons arriver à Daviot d'ici l'heure du dîner. Mais je vous souhaite la meilleure des chances pour apprivoiser notre chatte sauvage, et tout le bonheur pour vous deux.

Catriona étreignit son frère et Morag, puis monta sur le bateau une fois qu'il arriva au débarcadère. Fin la suivit, laissant Ailvie, Ian et Toby superviser le déchargement des poneys et s'occuper des poneys sauvages.

— C'est un très bel endroit, n'est-ce pas ? dit Catriona tandis que le bateau s'éloignait du débarcadère.

— Oui, mais honnêtement, jeune fille, je pense à mon épouse et à notre lit, déclara-t-il.

Affichant un large sourire et consciente de la chaleur qui montait rapidement en elle, elle vit un homme portant une tunique et un plaid bleu-vert sortir du château et marcher à grands pas vers le débarcadère, à l'évidence pour les accueillir. Sentant Fin se raidir à ses côtés, elle dit :

— Le connais-tu ?

— Oui, je le connais. C'est mon frère, Ewan MacGillony Cameron.

## Chapitre 17

Toujours surpris, Fin fixa Ewan avec incrédulité.

— Pourquoi se trouve-t-il ici ? demanda Catriona.

— Je ne sais pas, répondit Fin. Mais je discerne la fine main de ton grand sire dans ceci. Il savait que je n'avais pas vu ma famille depuis Perth et que je voulais te présenter à eux. Mais pour qu'Ewan soit ici maintenant, il a dû faire en sorte qu'on l'envoie chercher il y a une semaine, bien avant de savoir que nous allions nous marier. J'espère seulement qu'Ewan n'a pas emmené toute la famille.

— Dieu du ciel !

Voyant son visage pâle, il dit :

— Ne te tracasse pas, ma chérie. S'il l'a fait et qu'ils s'attendent à perturber *mes* projets pendant que nous sommes ici, ils apprendront vite leur erreur.

Elle parut incertaine, et il espéra avoir raison. Ewan pouvait être féroce, et, malgré le salut amical de la main, Fin n'eut aucune idée de la manière dont son frère les accueillerait.

Lorsqu'ils atteignirent le débarcadère, il descendit du bateau et tendit une main à Catriona en disant :

— C'est une belle surprise, Ewan, et une bienvenue. Combien de membres de notre parenté as-tu emmenés à ta suite ?

— Aucun d'entre eux, juste une demi-douzaine de mes propres hommes, répondit Ewan en prenant chaleureusement la main de Fin. Tu as emmené encore moins d'hommes, à ce que je vois.

— Mon seigneur était réticent à prolonger mon congé au-delà de quelques jours, même si j'avais l'intention de me rendre au lac Arkaig pour te demander pardon. Mais maintenant…

Lorsqu'il s'arrêta de parler, Ewan dit chaleureusement :

— Je suis heureux de te voir bien et en pleine santé, jeune homme. Vois-tu, nous pensions tous que tu devais être mort. Alors, tu aurais pu me faire tomber avec un balai de paille, quand j'ai reçu le message du Mackintosh qui me demandait si j'étais d'accord pour accepter son hospitalité. Il était possible que je te retrouve ici. As-tu l'intention de me présenter cette jolie dame ?

— Si le vieil homme rusé ne t'a rien dit à son sujet, alors j'ai une surprise qui égale la tienne, dit Fin tandis que Catriona faisait la révérence. Elle est Lady Catriona Mackintosh, mon épouse. Et si tu es courroucé contre moi de m'être marié sans ton consentement, Ewan, tu pourras me hurler dessus plus tard. Pour l'instant, nous sommes tous les deux fatigués de notre voyage et…

— Au diable ton épuisement, jeune homme ! Depuis combien de temps êtes-vous mariés ?

Fin se détendit alors, reconnaissant l'humeur enthousiaste d'Ewan comme étant amicale.

— Depuis le lever du soleil, admit-il avec un sourire contrit.

— Le lever du soleil ! Soyons bénis, pourquoi n'as-tu pas invité ta propre famille au mariage ?

— Cette histoire sera longue à raconter, répondit Fin. Et je préférerais la raconter devant un bon dîner, car nous n'avons mangé que du pain avec du bœuf et du fromage, à midi. Mais ce que je désire maintenant est que nous nous installions, que nous nous arrangions et que nous mangions. Après cela, je te serai reconnaissant de te rappeler que c'est ma nuit de noces.

— Oui, bien sûr, je m'en souviendrai. Mais tu vas immédiatement me raconter ton histoire. Je n'ai aucun doute que ta lady voudra prendre un bain, après son long trajet. Mais à moins que tu aies oublié comment nager depuis que tu as quitté la maison, nous allons, nous, faire une baignade dans le lac à la place. Si je suis en colère contre toi, Fin, ce n'est pas parce que tu t'es marié. Mais tu mérites ma colère, non ?

Fin ne pouvait le nier, et le ton d'Ewan avait suffisamment changé pour qu'il comprenne qu'il valait mieux qu'il avance à pas comptés pendant un certain temps et qu'il se souvienne qu'Ewan n'était pas seulement son frère, mais aussi un chef de leur clan avec des droits de punition. En conséquence, Fin dit :

— Aller nager est exactement ce que j'aimerais, si tu me laisses voir ma femme s'installer d'abord.

— Oui, bien sûr, dit Ewan en souriant à Catriona. L'ai-je bien compris, lorsqu'il a dit que vous étiez une Mackintosh, ma lady ?

— Oui, monsieur. Mon grand-père est le Mackintosh.

— Lui-même, hein? Eh bien, c'est formidable de faire votre connaissance. Je vous souhaite du bonheur dans votre mariage ainsi que la bienvenue dans notre famille.

Avec un sourire, elle le remercia et se tourna vers Fin.

— Nous devons utiliser la chambre intérieure, monsieur. Devrions-nous entrer?

Se retournant derrière lui pour jeter un coup d'œil de l'autre côté du lac et apercevant Ian et Toby aider Ailvie à monter dans un autre bateau qui sans doute transportait déjà leurs bagages, il approuva.

— Ne prends pas trop de temps, Fin, dit Ewan. Je connais un bon endroit pour nager, à quelques pas de ce débarcadère. Je t'attendrai ici.

Approuvant, Fin escorta Catriona à l'intérieur, où elle le présenta à l'intendant de son grand-père et donna des ordres pour un bain. Elle demanda également qu'il retarde le service du dîner jusqu'à ce qu'ils aient eu le temps de s'installer.

Cela fait, elle mena Fin à la chambre intérieure. Il fut d'accord en le voyant que le lit qui s'y trouvait était bien plus large que celui de Catriona.

— Ton frère est-il en colère contre toi? demanda-t-elle lorsqu'il eut refermé la porte.

— Il est content de me voir, répondit Fin tout en regardant autour de la pièce et en remarquant le feu joyeux qui s'élançait dans le foyer, ainsi que le panier de bois supplémentaire. Mais il a des raisons de m'en vouloir de ne pas lui avoir dit où je suis allé et ce que je faisais.

— Vas-tu tout lui dire? Même les bouts que tu ne m'as pas encore dits?

— Je répondrai à ses questions avec honnêteté, dit-il. En ce qui concerne ce que je lui dirai de plus, je dois d'abord voir comment progresse notre conversation. Mais pour l'instant, je sais bien que toi et Ailvie pouvez vous occuper du rangement de ce que nous avons apporté et aussi de ton bain. Mais un jour prochain, j'aimerais t'assister moi-même à cette dernière tâche.

— Nous devrons simplement voir à cela aussi, n'est-ce pas? dit-elle en se ridant.

— Ne me tente pas, jeune fille. Je dois parler avec Ewan, mais j'essaierai de ne pas me disputer avec lui. Notre dîner sera plus agréable ainsi, et la suite aussi.

Entendant des pas s'approcher de la porte et s'arrêter devant, il l'embrassa rapidement et s'éloigna, alors qu'Ailvie entrait en transportant un grand panier.

—◦◦◦—

Informant Ailvie que l'intendant demandait de l'eau et un baquet, Catriona regarda Fin traverser la grande salle et souhaita pouvoir être une mouche sur une roche à proximité pour entendre sa discussion avec son frère.

Ne pas avoir informé sa famille qu'il avait survécu à la grande bataille de clans à Perth devait, elle le craignait, être un choix qu'un tel frère ne pardonnerait pas si facilement.

Elle n'eut pas besoin de se creuser les méninges pour imaginer comment elle se sentirait, si Ivor ou James avaient fait une telle chose. Elle voudrait voir le contrevenant, au minimum, mal digérer.

Fin et Ewan semblaient se ressembler plus que ses frères. Ewan paraissait avoir sept ou huit ans de plus que Fin et peser environ une pierre plus lourd. Les deux avaient des corps puissants, les cheveux foncés avec des reflets châtain-roux au soleil et des yeux gris. Mais les yeux de Fin étaient plus clairs, son corps plus souple et ses mouvements plus gracieux.

Elle avait toutefois noté des signes d'un tempérament similaire au sien chez Ewan.

— Ta grand-mère a dit que je devais fouiller dans ses affaires pour trouver quoi que ce soit dont tu aies besoin, dit Ailvie en refermant la porte, se souvenant de l'attention de Catriona.

La servante s'affaira alors, trouvant de la place pour les grands paniers et cherchant du savon français et des serviettes pour le bain de Catriona.

— Je veux me laver les cheveux, dit-elle. Nous pourrons les brosser ici, près du feu, pour les faire sécher.

— Tu seras contente de lever tes pieds, après cette longue journée, dit Ailvie. Mais je me pose encore des questions sur les Comyn. Ne trouves-tu pas qu'ils se sont soumis trop rapidement?

— Rapidement ou pas, ils devaient se soumettre, répondit Catriona en écartant ses propres inquiétudes antérieures. Nos bateliers se trouvaient à proximité, et les hommes sur notre mur pouvaient nous voir.

— Quand même, je n'avais confiance en aucun Comyn. Et Rory qui parlait depuis ces six derniers mois de te prendre pour épouse. Je n'ai jamais entendu dire qu'il s'éloignait sans raison.

Même si elle reconnaissait la vérité dans les paroles d'Ailvie, Catriona était peu inquiète. Contre Fin des Batailles, Rory Comyn devait toujours perdre.

—◦◦◦—

Observant la posture de son frère tandis qu'Ewan regardait le lac en lui tournant le dos, Fin reconnut des signes familiers comme quoi Ewan réprimait ses émotions plus fortes pour le bien de Catriona. Avec cette idée en tête, avant de se trouver trop près, il cria :

— Où est cet endroit pour nager que tu connais ?

Ewan se retourna, opina de la tête en silence et le mena le long de la rive jusqu'à un bras de rivière possédant un bloc de granite mou qui plongeait dans l'eau.

— Devrions-nous d'abord nager ou discuter ? demanda Fin en essayant toujours de jauger l'humeur d'Ewan.

— Nous pouvons faire les deux, si tu veux. J'ai découvert un autre bras de rivière semblable, à environ dix mètres au nord d'ici, autour d'un endroit là-bas. Personne n'y sera, alors que quelqu'un du château pourrait nous déranger ici.

— Promets-moi seulement que tu n'essaieras pas de me noyer en chemin, dit Fin.

Ewan le regarda, les sourcils relevés, puis sourit.

— Non, jeune homme. Je ne ferai pas semblant que je n'aimerais pas te donner une sacrée raclée, mais je vais d'abord t'écouter.

Fin opina de la tête, soulagé, et se pencha pour délacer ses bottes. Une fois qu'ils furent débarrassés de leurs vêtements, Ewan mena son frère dans l'eau, en disant :

— Je parie que cette roche est très glissante, au milieu de l'été. Mais pour l'instant, elle fournit une bonne traction pour le pied d'un homme.

Il plongea, et Fin suivit. Ils trouvèrent rapidement le bras de rivière inondé de soleil et chaud, puis ils s'affalèrent sur le granite pour se sécher.

Ewan resta silencieux. Alors, même si Fin aurait préféré se dorer au soleil, il reprit ses esprits et dit :

— Qu'as-tu entendu dire, au sujet de la bataille ?

— Seulement que nous avons perdu et que tous nos hommes sont morts sur le champ de bataille ou plus tard à la suite de leurs blessures, répondit Ewan en levant les bras pour les plier sous sa tête.

Fixant le ciel azuré, il ajouta :

— Mais il est évident que tu n'es pas mort.

— Je suis le seul Cameron qui ne le soit pas, dit Fin doucement.

Sans attendre la question évidente, il se tourna du côté d'Ewan pour le voir et il ajouta :

— La bataille avait presque cessé, mais il y avait quatre hommes encore vigoureux de leur côté, quand je... j'ai plongé dans la rivière Tay et l'ai laissée m'emporter vers la mer.

— Pour l'amour, je sais très bien que tu nages bien, mais cet estuaire s'élargit rapidement au-delà de Perth et devient aussi très agité, dit Ewan en fronçant les sourcils. Tu aurais pu te noyer !

— J'ai nagé jusqu'à la rive de Fife et ai poursuivi ma route vers St. Andrews.

— Où, sans doute, cette vieille canaille Traill t'a caché.

— Il ne m'a pas caché ni ne m'a offert de grande consolation, dit Fin. Selon lui, j'avais à peine choisi la solution la plus pratique vu les circonstances.

— Mais pas l'honorable ? Est-ce ce que l'homme a dit ?

— Pas dans ces mots, mais je me sentais ainsi moi-même, répondit Fin. Pour l'amour, il y avait onze hommes du clan Chattan encore en vie, les autres cruellement blessés. Néanmoins…

Ewan fronça les sourcils, mais parut plus pensif qu'en colère.

— Tu n'as jamais rien fait d'imprudent dans ta vie, Fin, à moins que tu n'aies énormément changé depuis que tu as quitté la maison.

— Je croyais que je devais avoir changé et que les autres diraient de même, oui.

Ewan se mit à parler, mais ne continua pas. Il demeura alors silencieux suffisamment longtemps pour rappeler à Fin qu'Ewan lui-même avait fait partie de ces « autres ».

Finalement, Ewan dit :

— Tu m'as fait réfléchir, jeune homme. Je n'avais alors aucune autorité et peu de capacité de compréhension sur ce sujet, ou des hommes, cela dit. J'aurais probablement pensé une telle chose et les autres, certainement. Tu n'aurais peut-être pas été en sécurité.

— Je n'ai pas pensé à la sécurité, dit Fin. Mais il y avait également d'autres raisons.

— Savais-tu par hasard ce qui était arrivé à notre père ?

— Il s'est battu près de moi, Ewan. J'étais avec lui, quand il est mort.

— Bénis sois-tu, jeune homme, cela a dû ainsi être plus facile pour lui. Ne t'a-t-il rien dit ?

De la tension s'empara de Fin, mais elle ne provoqua pas de quoi se tromper.

— Il m'a dit que je devais jurer de me venger du clan Chattan, qu'il me léguait cette responsabilité en tant que devoir sacré.

— N'avez-vous pas, tous les trente d'entre vous, juré au début que votre jugement par combat réglerait l'affaire entre nos clans et résulterait bientôt en notre trêve ? demanda Ewan sèchement.

— Oui, nous avons juré cela, dit Fin, sentant la tension en lui décliner.

— Et ce vœu n'a-t-il pas mené à notre accord actuel ?

— Cela a aussi permis en quelque sorte que tu restes au château Tor, en effet. Je n'ai jamais su exactement comment cela s'est passé, après que le clan Chattan eut gagné la bataille.

— Cela a pu se faire parce que ton Mackintosh est un homme rusé, voilà comment. Ce n'est pas pour rien qu'il a mené le clan Chattan pendant presque quarante ans. Vois-tu, avec tous nos hommes morts à Perth, certains à la maison ont suspecté de la tricherie. Je sais bien que s'il nous a donné l'ordre de quitter nos terres de Lochaber, cette trêve n'aurait pas duré une minute de plus. Alors, il a proposé que si nous honorions l'ancien accord et que nous recommencions à payer le loyer annuel, nous puissions continuer à louer nos terres du clan Mackintosh et être pacifiques.

— Les Cameron avaient-ils alors réellement un tel accord antérieur ?

— Oui, bien sûr, mais ne me demande pas quand et pourquoi nous avons cessé de payer. C'était avant ma naissance. Le vieil homme connaît bien le montant et a dit qu'il resterait le même jusqu'à ce que les choses se règlent autrement. Nous sommes satisfaits, et eux aussi, je crois.

— J'ai entendu dire que tu es maintenant gendarme du château Tor.

— Je le suis, en effet. Je ramasse les loyers et agis comme hôte, quand le Mackintosh vient chaque Noël pour y demeurer, comme il le fait encore. Et lorsqu'il mourra, je verrai à ce qu'il soit enterré là, dans le cimetière. Mais comment diable en es-tu venu à épouser sa petite-fille ? Je me dis que ce devait être un autre geste rusé de *sa* part, pour s'assurer que nous respections tous la trêve.

— Il a dit que si quelqu'un faisait quoi que ce soit pour la rompre, ce ne serait pas le clan Chattan.

— Nous verrons, je suppose. Il ne vivra pas éternellement, et moi non plus — ni notre chef de clan. Alors, parlemoi de ton mariage.

Fin expliqua ce qui s'était passé, et, même s'il trouvait qu'Ewan riait à des moments inappropriés, l'histoire lui plut, à l'évidence. Toutefois, lorsque Fin le mit à jour concernant les événements, Ewan resta de nouveau silencieux pendant un moment.

Puis, il dit :

— À propos des Comyn..., ne sais-tu rien de plus là-dessus ?

— Seulement qu'ils sont faibles et amers, répondit Fin. Le Mackintosh et Shaw ont eu occasionnellement des ennuis avec eux, pendant un certain temps. Pourquoi le demandes-tu ?

— Écoute, je garde de jeunes hommes de sortie avec les yeux ouverts et les oreilles tendues, car notre trêve est essentielle à la paix générale. Dernièrement, le nom de Comyn est mentionné chaque fois que quelqu'un parle d'ennuis ayant lieu n'importe où à l'est du château Tor. Certains disent que les Comyn cherchent à aider le duc d'Albany en causant des ennuis au seigneur du Nord, peut-être en attisant le feu de notre vieille querelle en quelque chose de plus explosif.

— Ce n'est pas un secret qu'Albany veut que son propre fils remplace Alex Stewart.

— Mais ne sais-tu rien de plus sur ce qu'ils mijotent? Tu sais, je crois que des ennuis pour Alex pourraient encourager Donald des Îles à nous attaquer ici, dans l'Ouest.

— Oui, j'en sais davantage, admit Fin. Mais comme je te l'ai dit, je suis au service de Rothesay, alors je ne peux pas te dire tout ce que je sais sans trahir ses confidences. Je te dirai que Donald souhaite étendre plus qu'il ne le devrait son pouvoir à la partie ouest des Highlands. Maintenant, il veut plus que seulement les terres dont son épouse a hérité.

— Je le sais bien, oui, dit Ewan. Quoi de plus sur Alex?

— Son intérêt concerne uniquement Lochindorb et le fait de conserver la seigneurie du Nord.

— De la garder loin d'Albany, tu veux dire.

— Oui, mais je crois qu'il va aussi la défendre contre Donald.

Une brise se leva alors, apportant du froid depuis le lac, alors Fin se redressa. Croisant le regard de son frère, il dit:

— Avons-nous fini, Ewan, ou veux-tu toujours essayer de me donner une raclée?

— Oh, jeune homme, le passé est derrière, et je n'ai pas à te dire ce que tu aurais dû faire ou ne pas faire pendant que j'étais en sécurité à la maison. Je suis seulement reconnaissant du fait que ton idée de vengeance contre le Mackintosh consistait à épouser sa petite-fille.

— T'ai-je mentionné que son père est le chef guerrier du clan Chattan?

Ewan ricana.

— Tu as oublié de le dire, mais je parie que tu n'as pas l'intention de tuer l'un ou l'autre, et je te remercie pour cela aussi. La paix est toujours préférable à la guerre, mais cela durera seulement jusqu'à ce que cela ne dure plus. Alors, il est bon de savoir que tu n'as aucune intention de la rompre. Mais je m'attends dorénavant à te voir plus souvent, si tu n'y vois pas d'objection. Vous viendrez habiter au château Tor avec nous, vous deux, une fois que tu auras réglé les affaires actuelles avec Rothesay et eux.

— Le Mackintosh m'a octroyé une charte à vie pour vivre au château Raitt, comme cadeau de noces, déclara Fin. Ma femme adore sa maison, et Raitt se trouve à un peu plus de trois kilomètres de là, alors je m'attends à être un Highlander de nouveau avant même de le savoir.

— Tu es un Highlander-né, jeune homme. Tu ne peux être autre chose.

Fin inspira profondément puis expira, ressentant une sensation de confort qu'il n'avait pas connue depuis bien avant d'avoir plongé dans la rivière Tay. Il n'avait pas tout dit à Ewan, car il n'avait pas parlé de la partie concernant Ivor, mais maintenant son frère en savait plus que quiconque, à part l'évêque Traill, sur ce qui s'était passé à Perth.

⚬◦⚬

Catriona arpentait la grande salle du château Moigh, se demandant encore combien de temps Fin et Ewan seraient partis. Ses cheveux étaient secs, elle avait revêtu une robe propre et elle avait faim.

Elle s'était rendue jusqu'à la roche où elle supposait qu'Ewan avait l'intention qu'ils nagent et y avait trouvé leurs habits. Ne voyant aucun autre signe de leur présence, elle était revenue au château, mais seulement parce que c'était ce qu'il y avait à faire de plus poli.

Ewan pourrait être un de ces hommes rares qui préféraient ne pas parader nu où des femmes, particulièrement sa nouvelle belle-sœur, pourraient le voir. Et elle ne ressentait aucune urgence à voir un homme nu à part Fin.

Qu'elle semble impatiente devant cette idée lui fit se demander si toutes les jeunes mariées ressentaient la même chose. Elle demeurait incertaine quant à l'avenir, car elle était convaincue qu'elle et Fin se disputeraient souvent devant tout le monde, comme ils l'avaient fait. Mais elle espérait qu'il continuerait également d'obtenir les fortes réactions qu'elle avait ressenties ce matin-là — aussi souvent, sinon plus.

À la suite de cela, elle marcha à grands pas, et une fois que les deux hommes entrèrent enfin dans la salle, elle les accueillit en disant :

— Enfin ! Ma foi, je commençais à craindre que vous vous soyez tous les deux noyés et que je doive me passer de dîner !

— Tu pourrais avoir à te passer de dîner, en tout cas, si c'est ainsi que tu accueilles un invité de cette maison, madame épouse, dit Fin avant de l'attraper par les épaules et de l'embrasser avec fougue.

Le repoussant dès qu'il lui en laissa l'occasion, elle fit une rapide révérence à Ewan. En se relevant, elle dit :

— Si vous êtes aussi idiot que votre frère, monsieur, et croyiez que je ne cherchais qu'à taquiner, je m'excuse humblement et jure que je m'amenderai.

Riant de bon cœur, Ewan dit :

— Je crois que vous êtes exactement ce qu'il lui faut pour le garder hors d'ennuis, ma lady. Si toutefois je peux vous aider à cette tâche, vous n'avez qu'à demander. Vous savez, il a mérité une raclée, alors il marche encore sur une fine couche de glace, avec moi.

— Même là, j'ai confiance que tout va bien entre vous deux, maintenant, monsieur, dit-elle.

— Oui, en effet, répondit-il en souriant à Fin.

— Comme je ne vois pas Ian ici, j'aurais besoin de ton aide pour revêtir une tunique propre pour le dîner, jeune fille, dit Fin. Tu peux venir avec moi et voir ce que *tu* as mérité.

— Je veux aussi une tunique propre, dit Ewan. Je doute que vous ayez besoin de mon aide pour vous occuper de lui, là, tout de suite, Lady Catriona, mais si c'est le cas…

— Non, monsieur, je n'en aurai pas besoin, dit Catriona.

Mais malgré ses paroles faites de confiance, elle se demanda si son accueil impertinent avait peut-être irrité son mari.

Alors qu'ils se tournaient vers la chambre intérieure, il mit un bras autour de ses épaules, mais ne dit rien. Elle espéra qu'il ne faisait que lui rendre la monnaie de sa pièce pour les avoir taquinés, mais elle ne put en être certaine. Levant les yeux, elle vit qu'il avait resserré les lèvres, ce qui était de mauvais augure.

⌒◦⌒

Conscient de son malaise, Fin se réjouissait un peu, croyant que cela donnait l'occasion à sa chatte sauvage de se demander si elle avait dépassé les bornes de ce qu'il tolérerait. Le ciel savait qu'elle avait la mauvaise habitude de parler de manière impulsive, et qu'il serait plus sage de réfléchir plus longtemps avant d'offenser quelqu'un.

Adressant un signe de tête au jeune porteur, qui se dépêcha d'ouvrir pour eux la porte de la chambre intérieure, il poussa Catriona à l'intérieur, mais ne la relâcha pas quand la porte se referma doucement derrière eux. Au lieu de cela, il la retourna pour qu'elle se retrouve face à lui.

— Sais-tu ce que tu mérites pour avoir taquiné ainsi ton mari et son invité ? demanda-t-il en la regardant sévèrement.

— Oui, monsieur, plus de baisers.

N'ayant pas envie de se disputer là-dessus, il l'embrassa de nouveau, mais ne s'arrêta pas là. À peine quelques petites secondes plus tard, il avait ouvert son corsage et regardait avec avidité ses seins excitants aux extrémités roses, tout en les tenant dans ses mains.

Il la souleva dans ses bras et la porta jusqu'au lit, puis, la déshabillant, il commença à découvrir à quelle vitesse son corps réagirait à son toucher. Il voulait qu'elle soit chaude pour lui. En même temps, il souhaitait lui donner une petite leçon.

— Reste allongée et ne bouge pas, jeune fille, et ferme les yeux, dit-il en se débarrassant de sa cape et de ses bottes, qu'il lança à côté de lui. Je veux que tu ne penses qu'à ce que tu ressens.

Relevant sa tunique, il grimpa sur le lit et l'enfourcha, attrapant ses poignets et les pressant contre le lit avant de se pencher pour l'embrasser de nouveau.

Elle ouvrit les yeux tout grands et regarda les siens, mais répondit avec impatience à ses baisers. Attrapant sa

bouche, il fit descendre son corps plus bas en plaquant toujours ses poignets et en faisant porter son poids sur ses
coudes et ses jambes. Sachant que sa tunique était suffisamment rugueuse pour taquiner ses mamelons, il bougea de
façon à ce qu'elle se frotte contre eux.

Elle essaya de libérer ses mains, puis d'éloigner sa
bouche de la sienne, désireuse à l'évidence de parler.

Libérant brièvement ses lèvres, il murmura :

— Tais-toi. Laisse-toi faire.

— Mais je veux aussi te tenir et te toucher.

— Non, ma chérie, pas encore. Pour l'instant, tu seras
aussi douce et obéissante au lit que ce que tu m'as promis
d'être ce matin, c'est-à-dire, ajouta-t-il, que tu feras ce que je
dis maintenant, si tu veux essayer plus tard d'être douce et
obéissante à mon bord.

— Je te rappelle, monsieur, que c'est le bord de mon
grand-père, et pas du tout le tien.

— Ah, mais ici, à Moigh, je suis *son* invité. Et tu sais
bien qu'un invité dans toute maison d'un homme peut
ordonner son propre plaisir.

— Oui, alors tu le peux, jusqu'à ce que j'appelle les
servantes.

— Crois-tu que n'importe laquelle d'entre elles me
désobéira, si j'annule un ordre que tu donnes ? demanda-t-il
gentiment.

Voyant la réponse dans sa grimace, il murmura :

— Exactement, ma chérie. Maintenant, fais ce que je
t'ordonne. Je promets que tu ne le regretteras pas…, eh bien,
pas à la fin, en tout cas, ajouta-t-il consciencieusement.

Catriona le fixa, se demandant ce que ces derniers mots de mauvais augure voulaient dire. Mais elle ne pouvait nier les sensations qu'il éveillait en elle.

Son corps était devenu vivant et réclamait à cor et à cri son attention.

Il descendit petit à petit pour embrasser ses seins, et, en même temps, son corps et sa tunique embrasèrent de nouveaux nerfs, quels que soient les endroits où l'un ou l'autre la touchait.

— Tu sens bon, dit-il tout en léchant un mamelon avec le bout de sa langue.

Ses deux seins réagirent en se gonflant.

Haletant en réponse aux sensations qui partaient de ce mamelon jusqu'à d'autres endroits de son corps, elle bredouilla :

— C'est le savon français de grand-mère. Ailvie l-l'a trouvé.

— J'aime son odeur. Tu dois demander à Lady Annis où elle l'a acheté.

S'occupant toujours de ses mamelons, et sans libérer ses mains, il descendit ses genoux plus bas.

Elle savait qu'elle ne pourrait lui échapper, à moins qu'il permette que cela éveille de nouvelles sensations en elle, plus fortes qu'avant. Elle se sentit sans défense, comme si elle était sa prisonnière. Mais aussi longtemps qu'il continuerait ce qu'il faisait, elle ne désirait pas être libre. Il glissa un genou puis l'autre entre ses jambes, puis les écarta bien grand.

Déposant une traînée de souffle chaud et de baisers le long de son ventre tandis que sa tête descendait plus bas, il pinça sa peau entre ses lèvres et même, de temps en temps, avec ses dents, doucement. Elle était si concentrée sur ce qu'il pourrait faire ensuite qu'elle ne remarqua pas qu'il descendait aussi ses mains plus bas, jusqu'à ce qu'elles soient plus près de sa taille que de sa tête.

— Que fais-tu ? demanda-t-elle lorsque son souffle chatouilla les boucles à la jonction de ses jambes.

— Chut, dit-il.

Et elle trembla, lorsque son souffle envoya une bouffée de chaleur dans ses endroits les plus intimes.

Ses mains étaient maintenant à égalité avec ses hanches, et il les tenait toujours. Ce qu'il faisait lui procura de telles sensations qu'elle eut envie de crier et de lui dire d'arrêter. Mais le supplice était trop agréable, et la dernière chose qu'elle voulait était qu'Ewan frappe à la porte pour demander ce qui se passait, ou même qu'il l'enfonce.

Mais c'était près quand Fin la toucha avec sa langue, et encore plus près quand sa langue envahit ses endroits les plus secrets, caressant celui qui l'avait fait s'envoler ce matin-là. Le toucher de sa langue était plus doux, plus engageant, et beaucoup plus stimulant. Son corps se souleva, l'encourageant de son plein gré à faire ce que bon lui plaisait. Les sensations augmentèrent, l'envoyant plus haut et encore plus haut, jusqu'à ce qu'il s'arrête.

— Oh, je t'en prie, ne t'arrête pas, dit-elle en haletant. C'est une sensation magnifique, et cela commençait à donner l'impression que quelque chose d'encore plus fort était sur le point de se produire. C'était la sensation la plus étrange et la plus fantastique que j'aie ressentie jusqu'à maintenant, et très prometteuse, de surcroît.

— Mais souviens-toi que j'ai nagé longtemps, chérie, alors maintenant j'ai faim de nourriture, et *tu* as dit que tu voulais ton dîner, ajouta-t-il avec un sourire taquin. Nous pourrons continuer cela plus tard, si tu veux. Comme l'a dit ton grand-père ce matin même, nous en profiterons davantage, si nous avons d'abord de la nourriture.

— Quoi !? Alors, pourquoi as-tu commencé, si… ? dit-elle presque en hurlant.

— Maintenant, jeune fille, nous devons rejoindre Ewan, l'interrompit-il. À cette heure, il doit avoir peur que nous l'ayons complètement oublié.

— Mais, certainement, s'il a attendu aussi longtemps, il attendra quelques minutes de plus.

— Peut-être que oui, mais je ne veux pas que seulement quelques minutes de plus avec toi. Je désire prendre mon temps et profiter de chaque minute.

— Dieu du ciel, quand tu me laisses un répit, Fin Cameron, fais attention !

— Je n'ai besoin de te laisser aucun répit, dit-il, cette fois avec un large sourire. Je pourrais à la place te donner l'ordre de rester ici et de m'attendre en restant comme tu es.

En lançant des regards noirs, elle dit :

— Très bien, monsieur. Mais ne crois *pas* que j'oublierai.

— Ma chérie, j'ai l'intention de m'en assurer — tout de suite après le dîner.

━◦◦◦━

Souriant toujours, bien qu'avec plus de difficulté qu'elle ne l'eut cru, Fin la relâcha et ramassa sa cape. Il était douloureusement conscient qu'au moins une partie de son corps avait l'intention de lui faire savoir qu'en la punissant, il se punissait également, et considérablement.

Après avoir mis sa cape convenablement, il l'aida à s'habiller, remarquant avec joie que chaque fois que ses doigts effleuraient sa peau, elle réagissait. Alors qu'il la pressait de retour dans la salle, il se jura que si Ewan avait traîné, l'homme deviendrait affamé.

Mais Ewan se trouvait sur l'estrade, examinant les paniers et les plateaux de nourriture déjà posés sur la table. Regardant Fin, il secoua la tête.

— Tu as pris ton temps, jeune homme.

— Pas tout à fait suffisamment, répondit Fin en souriant de nouveau et avec plus de facilité. J'ai l'intention de t'abandonner de nouveau dès la fin du dîner, alors tu devras te distraire, ce soir.

— Vu que c'*est* ta nuit de noces, je suppose que j'y arriverai, dit Ewan en gloussant. Mais ne crois pas que tu resteras dans ton lit toute la matinée. Je veux que tu me racontes tout sur tes aventures de ces quatre dernières années, et je parie que cela prendra du temps.

— Tu peux m'avoir jusqu'à midi, si tu veux, car j'ai l'intention de faire en sorte que ma femme soit tellement fatiguée qu'elle dormira toute la matinée.

Jetant un coup d'œil à Catriona, il s'aperçut que ses joues étaient aussi rouges que le feu. Mais ses yeux lancèrent des éclairs, et ses lèvres roses formèrent une ligne droite, indiquant qu'elle était rongée par le désir de lui dire ce qu'elle pensait de ses tactiques. Toutefois, elles semblaient fonctionner.

Croisant son regard et le soutenant, remarquant qu'elle reprenait son souffle de manière audible en même temps que lui, il sut que sa chaleur n'avait pas décliné le moindrement.

Pendant qu'elle ne parlait pas, il consacra sa discussion à Ewan jusqu'à la fin du repas, tout ce temps conscient de sa présence à côté de lui autant qu'il la savait consciente de sa présence à lui. Une fois ou deux seulement, il bougea une main pour toucher sa cuisse chaude, ou laissa sa jambe à lui se frotter contre la sienne. Chaque fois, sa réaction l'encouragea à croire que même si elle avait entretenu la plus petite crainte persistante qu'elle puisse de nouveau ressentir la douleur qu'elle avait décrite ce matin-là, elle n'y pensait *pas* en ce moment.

⊸◦⊷

Catriona avait commencé le repas avec une envie pressante de tuer Fin pour avoir excité ses sens à un tel point et s'être arrêté trop vite. Mais elle était tellement consciente de chacun de ses gestes et de chaque fois qu'il la touchait par inadvertance que bien avant la fin du repas, ce fut Ewan qu'elle eut envie de tuer pour avoir un si grand appétit.

Au début, Fin lui offrit de plus en plus de nourriture, comme s'il continuait à la taquiner. Mais elle avait remarqué au cours du dernier quart d'heure non seulement qu'il avait cessé de lui en proposer, mais qu'il répondait à peine poliment aux commentaires de son frère.

Finalement, Ewan repoussa son tranchoir, mais lorsque le serviteur le prit, l'homme diabolique demanda une autre cruche de vin. Catriona grinça des dents, puis soupira bruyamment, lorsque Fin se leva en disant :

— Si tu veux bien nous excuser, nous allons te souhaiter bonne nuit.

— Oui, j'ai bien pensé que tu le ferais, dit Ewan en lui adressant un grand sourire.

Catriona aurait juré avoir entendu Fin grogner, mais ses pensées filèrent rapidement vers ce qui se passerait dans la chambre à coucher. Toutefois, elle n'eut pas le temps d'y penser bien longtemps, car dès qu'il eut fermé la porte, il ne perdit pas de temps pour la déshabiller.

Le feu se répandit en elle partout où il la toucha, mais lorsqu'elle tendit les bras pour les mettre autour de lui, il l'arrêta comme il l'avait fait précédemment. Puis, il la souleva et la porta jusqu'au lit soigneusement rabattu, l'allongeant nue dessus.

Lorsqu'elle s'avança pour remonter les couvertures, il dit :

— Non, chérie, laisse-les. Il fait suffisamment chaud, ici, et je veux penser à toi allongée telle que tu l'es pendant que j'attise le feu et que j'allume d'autres flambeaux. Ensuite, je veux te regarder.

## Chapitre 18

$\mathcal{F}$in s'occupa rapidement du feu et des flambeaux, mais l'image de Catriona telle qu'il l'avait laissée suscita chez lui une plus grande précipitation à ôter ses vêtements. En le faisant, il se rendit compte qu'une tunique et une cape étaient bien plus commodes dans de telles situations qu'un pourpoint et une chemise, des manches, des collants, ainsi que des chaussures et des bottes.

— Aucun de vous deux n'a rien dit, à moi ou entre vous, à propos de votre discussion, murmura-t-elle en le regardant enlever sa tunique. Que t'a dit Ewan ?

— Pas assez, vu qu'il pensait à l'évidence que j'avais encore besoin de ma propre sauce au dîner, dit-il tout en se déplaçant pour la rejoindre dans le lit. Nous n'allons pas parler d'Ewan. Où en étions-nous, avant de nous arrêter ?

— *Nous* n'avons pas arrêté, marmonna-t-elle, haletant ensuite lorsqu'il se rappela ce qu'il faisait et qu'il atteignit le même endroit pour voir si elle était toujours aussi prête qu'elle l'avait été.

Elle l'était presque autant, et il s'aperçut de l'impatience avec laquelle elle accueillit son toucher.

Sachant que son sang-froid était limité vu ses tactiques antérieures, il se força à ne pas tenir compte d'une envie presque irrépressible de la prendre avec force et rapidité.

Elle était déjà en train de gémir au plus léger effleurement et s'arquait contre lui. Alors, doucement, il plia ses jambes en les ouvrant et se positionna. Se frayant un chemin dans sa gaine soyeuse, il attendit de voir si elle montrerait un signe quelconque d'inconfort.

Au lieu de cela, elle se souleva pour venir à lui, comme si elle voulait l'aider et l'encourager.

L'instinct prit le dessus, et le résultat vint rapidement pour lui. Conscient qu'elle avait presque atteint son propre orgasme, il la serra, jusqu'à ce qu'elle aussi se relâche.

Ensuite, allongée à ses côtés avec le couvre-lit qui les recouvrait, son bras l'entourant, et sa tête reposant au creux de son épaule, elle soupira et dit :

— Grand-mère a dit que ce pouvait être agréable. Et plus tôt, tu m'as promis que je ne l'oublierais pas. Mais je n'avais aucune idée de ce dont vous parliez l'un et l'autre.

Il gloussa.

— Crois-tu que tu pourrais aimer cet aspect de notre mariage ?

— Ah oui, même si cela n'a duré qu'un court moment. Et *tu* as dit...

— Pour l'amour, jeune fille, nous venons à peine de commencer, dit-il, toujours en souriant.

Ils restèrent allongés, silencieux pendant un certain temps, avant qu'il ne repousse le couvre-lit de sa main libre et commence à la caresser de nouveau. Les flambeaux continuaient à lancer une lueur dorée tout autour de la pièce. Se redressant sur un coude, il se délecta à observer ses réactions pendant un moment, tandis que ses mains cherchaient à mémoriser les surfaces planes et les courbes magnifiques de son corps.

Bougeant intentionnellement, il lui fit lentement et sensuellement l'amour, jusqu'à ce qu'elle se torde de plaisir sous lui, haletant son nom et le suppliant de la libérer.

Au milieu de la nuit, il la prit de nouveau. Et ensuite, dans la lumière grise de l'aube, elle s'approcha de lui. Après, alors qu'ils étaient allongés l'un à côté de l'autre, rassasiés, il sut que Dieu avait enfin parlé et que tout allait bien.

Tel qu'il l'avait promis, il passa la matinée avec Ewan, pendant que Catriona dormait. Mais elle s'était levée avant midi pour les rejoindre et les supplier de partager leurs réminiscences sur leurs années passées ensemble au château Tor. Elle écouta aussi passionnément, lorsque Fin raconta certaines de ses aventures avec Rothesay et d'autres.

Ils se retirèrent tôt de nouveau ce soir-là et passèrent le jeudi à faire plus ou moins comme la veille. Le vendredi, peu après midi, Tadhg arriva avec de grandes nouvelles.

— Lui-même a dit que vous devez revenir immédiatement, monsieur Fin, dit-il en traversant la salle en courant jusqu'à l'estrade où ils étaient assis, en train de prendre leur repas de midi.

— Pourquoi si vite ? lui demanda Fin. Nous rentrons demain, de toute façon.

— Ces foutus Comyn, monsieur. Ils ont tué trois de nos hommes à terre, et Lui-même a entendu dire qu'une grande force d'Albany se rassemblera de ce côté de Perth, et peut-être aussi une armée de Douglas près de Glen Garry. Il croit qu'ils ont l'intention de se joindre aux Comyn pour essayer de prendre le château Lochindorb, et peut-être même aussi

Rothiemurchus, si les Comyn leur ont dit que trois grands lairds y seraient.

— Qu'a-t-il fait alors de nos nobles invités ? demanda Fin.

— Donald des Îles est parti hier matin, avant que l'annonce de l'armée à Perth ne parvienne aux oreilles de Lui-même. Mais le duc de Rothesay doit encore s'y trouver.

— Et le seigneur du Nord ?

— Oui, lui aussi. Lui et votre père ont parlé d'envoyer plus d'hommes, quand je suis parti, mais Lui-même a dit que le seigneur du Nord ne devrait pas quitter l'île jusqu'à ce qu'ils soient certains qu'il sera en sécurité. Il a dit qu'ils devraient envoyer monsieur Ivor pour aller chercher plus d'hommes de Lochindorb, car les seigneurs savent bien que monsieur Ivor est quelqu'un de bien et qu'ils ont confiance en lui.

— Si monsieur Ivor est parti en même temps que toi, il devrait être à Lochindorb, car c'est à la même distance que ce que tu as parcouru, dit Fin. Mais je n'ai que quelques hommes, ici.

— Lui-même a dit de laisser ici les hommes de Moigh, et qu'Ewan Cameron devrait choisir ce qu'il fera. Mais il a dit aussi qu'avec du grabuge qui menace, peut-être qu'Ewan Cameron devrait aller avertir Lochaber que des tumultes à Strathspey pourraient encourager Donald des Îles à les attaquer à l'ouest. Qui pourrait être ce Ewan Cameron ?

— Ce gentleman ici, répondit Fin en faisant un geste dans sa direction. Il est mon frère et un chef du clan Cameron de Lochaber. Tu as bien fait, jeune homme.

— Oui, bien sûr, mais je me suis posé des questions sur Ewan Cameron, car Lui-même a dit que s'il est toujours ici, vous devriez lui dire le tout et ensuite lui laisser choisir la manière.

— Je ferai cela, mais va maintenant te chercher à manger, dit Fin.

— Ne quitte pas l'estrade tout de suite, Tadhg, lui dit Catriona en faisant signe à un serviteur. Tu peux t'asseoir ici, à la table haute, et me donner des nouvelles de Rothiemurchus, pendant que nous attendons qu'ils t'apportent ta nourriture. Tu mérites une gâterie, si tu as couru tout *ce* chemin.

— Oh, m'dame. J'ai seulement couru depuis le débarcadère de votre bateau jusqu'à cette salle, parce qu'Aodán m'a laissé monter un poney sauvage. Il a dit que ce serait ainsi plus sûr et plus facile d'arriver jusqu'ici.

Mais il prit le siège qu'elle lui indiquait, affichant un large sourire, à l'évidence enchanté de s'asseoir à la table haute.

Fin les laissa bavarder et demanda à Ewan de venir dehors pour lui faire part de tout ce qu'il ne lui avait pas encore révélé au sujet de la présence de Rothesay dans les Highlands.

Une fois qu'il eut terminé, Ewan dit :

— Je dois alors rentrer. Avec Alex et Shaw à Rothiemurchus, tu auras des hommes en abondance, sans moi ni les miens, et Mackintosh a raison. Je dois laisser des hommes dans le Great Glen et à l'ouest, sachant ce qui se passe. Donald utilise le même réseau d'informateurs que feu son père, et il est sûr de voir l'invasion des Highlands par Albany comme une occasion de commettre lui-même des méfaits.

— Donald et Albany luttent pour le pouvoir ; ils ne sont pas des alliés, dit Fin.

— Mais Donald saisira toute occasion qui lui offrira des gains, dit Ewan.

∼◦∼

Catriona discutait toujours avec Tadhg, lorsque Fin et Ewan revinrent. Elle les accueillit et dit à Fin :

— Je dois dire à Ailvie et à Ian de faire nos bagages immédiatement.

Mais lorsqu'elle commença à se lever, elle vit qu'il secouait la tête.

— Tu resteras ici, jeune fille. Tu seras bien plus en sécurité ainsi.

— Ne sois pas idiot, monsieur. Bien sûr, je devrai partir avec toi. Je le dois.

L'expression sur son visage se transforma en une mine sévère qui lui donna le frisson. Mais après un coup d'œil à Tadhg, il dit :

— Tu feras selon ce que je souhaite, Catriona. Je ne te laisse pas avec des étrangers. Tu connais les gens de ton grand-père aussi bien que tu connais les tiens.

— Vous ne pouvez pas la laisser, dit Tadhg avec le plus grand sérieux. Lui-même a dit qu'il installera des lumières sur les remparts, pour que vous puissiez voir quand vous serez au sommet de l'arête. Tout un tas, si tout va bien ; trois s'il y a des Comyn dans les environs, et rien qu'une si vous ne descendez pas du tout.

— Toutefois, je peux me souvenir de tout cela sans madame la comtesse, dit Fin.

— Peut-être que vous vous en souviendrez, répondit Tadhg avec un large sourire presque provocateur. Mais Lui-même a dit qu'il est moins probable que vous fassiez quoi que ce soit pour la rendre veuve si elle est avec vous. Alors, il n'y aura pas de mise à l'eau d'un bateau ni d'ouverture de porte jusqu'à ce qu'elle fasse son cri de hibou, comme elle avait l'habitude de le faire, pour réveiller l'écho. Mais vous feriez mieux de vous remuer, ajouta-t-il en les regardant l'un après l'autre. Il y a des nuages noirs qui s'en viennent.

Catriona fit presque un sourire pour répondre à celui de Tadhg, mais se ravisa quand Fin fronça les sourcils en la regardant.

— Vraiment, monsieur, je ne te ralentirai pas, dit-elle d'un ton sérieux.

Gardant toujours les sourcils froncés, Fin dit :

— Le Mackintosh ne me laisse pas le choix de t'emmener, jeune fille, alors dis à Ian de s'occuper de nos affaires. Tadhg, trouve la cuisine et dis-leur de nous préparer de la nourriture. Viens, Ewan, ajouta-t-il. Nous prendrons ton matériel et tes jeunes hommes. Puis, je traverserai avec vous en bateau pour parler à Toby.

Catriona attendit qu'ils aient quitté l'estrade, avant d'envoyer en silence le serviteur qui avait servi Tadhg chercher Ian Lennox et Ailvie.

Lorsqu'elle leur eut dit de faire leurs bagages et expliqué pourquoi elle et Fin s'en allaient, Ailvie dit :

— Et qu'en est-il de nous, alors, maîtresse ?

— Sir Finlagh prendra Toby et moi, jeune fille, dit Ian. Alors, je m'attends à ce qu'il te prenne toi aussi, à moins que tu veuilles plutôt rester ici, au chaud et au sec.

— Je *veux* rester, bien évidemment, répondit Ailvie en faisant la grimace. Mais ma place est avec ma maîtresse quoi qu'il arrive, alors je partirai.

Ian opina de la tête, et les deux remplirent les grands paniers. Lorsque Fin revint, tout était prêt pour leur départ.

Au grand soulagement de Fin, et un peu à sa surprise, le voyage se déroula sans incident, même si l'obscurité était tombée une heure avant qu'ils ne passent à gué la rivière Spey.

Il n'y avait pas de lune et seulement quelques rares étoiles, mais il était certain que Rory Comyn ne s'attendrait pas à les voir. Exactement comme Fin, qui savait combien de temps il faudrait à Ian pour atteindre Lochindorb, rassembler les forces d'Alex et revenir, Comyn le saurait aussi et s'attendrait à ce que cela prenne au moins jusque tard le lendemain pour que tout renfort arrive à Rothiemurchus.

Tandis qu'ils avançaient côte à côte à dos de cheval à travers les bois dans une presque totale obscurité pour atteindre le sommet de la dernière arête, Fin s'aperçut que Catriona réfléchissait à peu près à la même chose, lorsqu'elle dit doucement :

— Crois-tu que Rory savait que nous allions à Moigh, lorsque nous l'avons rencontré ?

— Je ne sais pas, murmura Fin, aussi conscient qu'elle l'était que les sons se promenaient facilement la nuit. Mais nous supposerons que les Comyn savent que nous sommes ici.

— Mais les jeunes hommes de Rory ne surveillent pas de près, *ici*, ce soir, dit-elle. Il y a beaucoup de lumières plus bas sur le château.

— Ou bien les Comyn ont d'une façon laissé à croire le château en un faux sentiment de sécurité, répondit-il. Ils pourraient jusqu'à commettre des bêtises, et personne du château ne les y a attrapés. Nous devrions procéder comme si c'était le cas. Souviens-toi qu'ils ont tué trois de vos observateurs. Je parie que Shaw y a mis plus de jeunes hommes à l'extérieur, sans doute groupés deux par deux pour veiller sur chacun. Mais le long périmètre du lac le rend impossible à sécuriser entièrement, surtout lors d'une nuit sans lune comme celle-ci.

— Au moins, ces nuages devraient donner de la pluie, dit-elle. Nous avons vu des parcelles de lumière des étoiles, depuis qu'il fait nuit.

Ils avaient d'abord utilisé des torches, mais Fin leur avait donné l'ordre de les éteindre dès qu'ils avaient passé à gué la rivière Spey en sécurité. Néanmoins, son instinct l'avertit que les Comyn les avaient probablement suivis à l'aller ainsi qu'à leur retour.

Avertissant les autres de garder un œil attentif tandis qu'ils guidaient leurs chevaux en bas de la pente, Fin garda sa main droite en l'air pour pouvoir sortir son épée en l'espace d'une seconde.

Tout était silencieux, lorsqu'ils atteignirent la rive. Tout le tas de lumières sur les remparts du château, il le savait, aurait dû le rassurer. Mais ce ne fut pas le cas.

— Réveille l'écho, chérie, murmura-t-il.

Avec un léger gloussement qui fit brièvement penser à Fin à des choses plus agréables, elle hulula doucement. Lorsque l'écho ne répondit pas, elle hulula de nouveau, plus énergiquement, et le son leur revint en écho. Tandis qu'il faiblissait, un autre hululement se fit entendre.

— C'est Aodán — pas l'écho, murmura-t-elle. Sois attentif au bateau qui viendra.

Les rameurs firent peu de bruit et les prirent rapidement. Fin dit à Toby, à Ian et à Tadhg d'enlever les grands paniers et de libérer les poneys sauvages.

— Oui, monsieur, dit Tadhg. Ils trouveront de l'herbe et nourriront les leurs.

Ils firent le trajet de retour sans le moindre ennui, et Aodán les assura que tout avait été tranquille.

— Le laird doit être loin, rassemblant des hommes pour se diriger vers Glen Garry, pendant que les forces de Sir Ivor et du seigneur du Nord continuent vers l'est, dit-il. Mais le laird a laissé ici suffisamment de jeunes hommes pour assurer une surveillance régulière. Nous changerons la garde dans environ une heure, et nous en saurons davantage quand nos hommes nous feront un rapport sur ce qu'ils ont peut-être vu.

— Le Mackintosh est donc le responsable, n'est-ce pas ? murmura Fin.

— Oui, monsieur, répondit Aodán. Mais il a dit de vous dire que si vous réussissez à revenir ici ce soir, même si Sir Ivor et Shaw devaient être en mesure de contenir pour nous les troubles bien à l'est et au sud pendant un certain temps, tous ici vous obéiront comme ils obéiraient à Lui-même. Et nous le ferons, monsieur. Voyez-vous, lui ainsi que les femmes sont déjà en train de penser à leurs lits.

Lorsque Fin, Catriona et leurs employés entrèrent dans la grande salle, il parut évident que les femmes et le Mackintosh étaient prêts à se retirer.

Fin discuta brièvement avec Mackintosh, qui l'assura que leurs gardiens donneraient des avertissements à temps en cas d'ennuis. Puis, se demandant si son instinct habituellement fiable devant le danger l'avait simplement induit en erreur, Fin mena sa femme au lit, y resta allongé avec elle de la façon la plus agréable, et dormit jusqu'à ce qu'Aodán le réveille.

— Ces fichus Comyn ont capturé nos jeunes hommes à terre, souffla-t-il à l'oreille de Fin. Pire que cela, monsieur, ils ont gardé notre dernier bateau et ont l'intention de tous nous noyer pendant que nous dormirons, car ils ont condamné le lac à l'endroit de l'écoulement du ruisseau !

———◦◦◦———

Lorsqu'une patte mouillée frappa la joue de Catriona, elle s'éveilla, pour trouver la petite ombre de Boreas frissonnant sur son oreiller et Fin qui n'était plus allongé à côté d'elle.

Se levant et revêtant une robe, elle prit le chaton frissonnant et, remarquant que ses pattes et son ventre étaient mouillés, le blottit contre elle en se rendant à la fenêtre et en ouvrant le volet. Au lieu de la pluie qu'elle s'attendait à voir, elle vit des étoiles parmi les nuages.

Elle ne put voir que trois lumières sur les remparts, ainsi les observateurs avaient aperçu des Comyn, et Aodán avait laissé un signal. Elle espéra que cela ne voulait rien dire de pire que cela.

Laissant le volet ouvert et revenant sur ses pas, elle put s'apercevoir que Boreas ne se trouvait pas dans la pièce et que la porte était entrouverte. À travers l'entrebâillement, qui avait à peu près la largeur du chaton, pénétrait une faible lueur dorée, provenant d'un flambeau sur le débarcadère.

Séchant le chaton du mieux qu'elle le put et le laissant à sa place encore chaude sur le lit, elle saisit sa robe fourreau sur le sol où Fin l'avait lancée et prit sa vieille tunique sur le crochet. S'habillant rapidement, elle ceintura son poignard autour de ses hanches sous sa jupe, saisit du même crochet un châle qui la tiendrait chaud et se précipita en bas.

Jetant un coup d'œil dans la grande salle depuis le palier afin de s'assurer que Fin n'y était pas, elle descendit jusqu'à l'arrière-cuisine, puis à la poterne. Là, elle posa de côté la barre, ouvrit la porte et se déplaça rapidement pour scruter la cour. Les lumières qui se trouvaient au-dessus révélèrent qu'il n'y avait personne, et elle ne vit que deux hommes sur les remparts, tous deux regardant vers l'extérieur.

Elle se précipita jusqu'à la porte et la trouva ouverte de quelques centimètres.

Se demandant à quelle distance pouvait se trouver Fin, elle ouvrit plus grand la porte pour se glisser à l'extérieur, puis la referma presque complètement.

Lorsqu'elle ne vit pas de torche et n'entendit rien pour lui indiquer où pouvait être Fin, soudain il lui vint à l'esprit qu'il pouvait simplement être parti au poste de garde. Mais Boreas ne l'aurait pas suivi là, et le chaton s'était mouillé quelque part. L'instinct et la logique lui firent comprendre que la porte ouverte signifiait que tous les trois étaient allés de l'autre côté du mur.

Tandis qu'elle se tournait vers le débarcadère, elle entendit des pas approcher. Même si elle souhaitait que ce soit Fin, elle avança silencieusement dans l'ombre, jusqu'à ce qu'elle puisse en être certaine.

Elle reconnut plutôt la silhouette d'Aodán réfléchissant sur la planéité aqueuse derrière lui, tandis qu'il marchait à grands pas vers la porte, pour se glisser par l'ouverture et la refermer avec un bruit sec.

Elle se rendit alors compte que si Fin ne se trouvait *pas* à l'extérieur du mur, elle aurait des explications désagréables à donner. Un frisson monta le long de sa colonne, et elle modifia cette pensée. Il serait furieux et dirait qu'elle aurait dû parler à Aodán et rentrer avec lui. Elle avait encore la possibilité de frapper à coups redoublés sur la porte, mais elle se dit qu'elle n'oserait pas faire un tel bruit. De plus, elle était curieuse.

⚬

Les bois étaient dans l'obscurité. Aucune lune ne brillait encore, et des nuages étaient apparus pour cacher les étoiles. S'il n'en avait été de la faible lueur de l'eau pour les guider à travers les arbres de plus en plus épais, Fin et Aodán auraient heurté des choses.

Après qu'Aodán l'eut réveillé, il s'était habillé puis était sorti dehors avec lui pour voir jusqu'où l'eau était montée, emmenant Boreas pour l'empêcher de réveiller Catriona. Quand le chaton s'était précipité dans l'embrasure de la porte et qu'il avait descendu l'escalier, Fin avait laissé la porte entrouverte afin que le chaton n'ait pas à gratter pour rentrer.

Les deux hommes n'avaient pas dit mot, jusqu'à ce qu'ils commencent à patauger dans l'eau. Même alors, les bois leur offraient un abri, alors Fin douta que quelqu'un les ait vus.

Mais la nuit était tranquille, plus silencieuse que d'habitude.

— Généralement, on peut entendre le grondement de l'eau qui s'écoule, lors d'une nuit calme comme celle-ci, dit alors Aodán. À quelle vitesse va-t-elle monter, monsieur?

— Cela dépend du temps, répondit Fin en levant les yeux, pour s'apercevoir que des nuages cachaient presque toutes les étoiles. Mais personne ne se noiera ici pendant un certain temps.

Il espérait qu'aucune personne ne se noierait. Mais la vérité était que le bol escarpé formé par les collines, plus le fait qu'il n'y avait qu'un seul ruisseau qui coulait et de nombreux affluents, signifiait que le niveau de l'eau monterait à la hauteur où les Comyn avaient construit le barrage. Et Aodán avait dit qu'il était haut.

De plus, ils n'avaient pas de bateau. Lorsque les hommes relevés à terre n'étaient pas revenus dedans, Aodán avait été suffisamment inquiet pour nager jusque là-bas et les chercher. Évitant l'emplacement du débarcadère, il avait exploré la rive ouest pour voir ce qu'il pouvait, avant de revenir en nageant et de réveiller Fin. Les Comyn avaient frappé, et frappé fort.

Mais Fin avait l'intention d'avoir le dernier mot.

— Monsieur? Il y a quelque chose que j'aurais dû vous dire avant, murmura Aodán.

— Quoi?

— Le jeune homme, Tadhg. Il était éveillé, monsieur, et je l'ai laissé partir avec le bateau.

— Nous allons les retrouver tous, dit Fin. Lorsque tu rentreras, réveille tous les hommes que tu as au château, et sécurise-le. Je vais traverser à la nage et voir ce que je peux voir.

— Est-ce que je réveille aussi les grands seigneurs?

Sachant que Rothesay et Alex insisteraient alors tous les deux pour prendre en charge les opérations, Fin dit :

— Laisse-les dormir. Si tu as besoin de quelqu'un, réveille d'abord le Mackintosh.

— D'accord. Eh bien, avec la porte fermée, l'endroit devrait être imprenable pour tous, sauf pour l'eau montante. Mais j'aurais bien aimé que nous ayons un bateau. S'ils l'ont détruit...

Ne voulant pas penser à cela, Fin avait renvoyé Aodán et conçu son propre plan. Sa vision nocturne était excellente, et il savait qu'en se trouvant dans l'eau, il verrait suffisamment bien pour savoir où il était. Quel que soit le type de lumière, on pouvait différencier l'eau de la terre, mais trouver un endroit d'où nager était moins facile.

Non seulement l'eau avait monté, mais il avait toujours nagé du côté le plus long de la rive est du lac. Ainsi, il ne connaissait pas la rive ouest assez bien pour être sûr du meilleur trajet pour l'atteindre depuis l'île. Il devrait sentir son chemin sans patauger, et l'eau, il le savait, serait glacée.

Son intention était de voir exactement ce qu'avaient fait les Comyn et de juger de la difficulté que ce pourrait être de le défaire. Lui et Aodán avaient ramassé quelques affaires qu'il pourrait apporter, et qui pourraient ou non lui être utiles.

Un museau froid toucha sa main, et il s'aperçut que Boreas n'était pas rentré avec Aodán.

— Tu devras rester ici, mon gars, lui murmura-t-il en lui caressant la tête.

Il nagerait sans faire de bruit, et la plupart des ennemis seraient endormis. Mais ils auraient des gardes au barrage et avec les prisonniers. Sans doute qu'ils avaient aussi d'autres hommes pour surveiller le château et le lac, aussi bien que possible, dans l'obscurité croissante.

Malgré cela, tous leurs observateurs auraient sommeil.

— J'ai pensé que tu devais être ici.

La voix faible de Catriona la précéda, alors qu'elle arrivait derrière lui. Elle était tout sauf invisible, lorsqu'il se retourna, et il ne l'avait pas entendue approcher. La vérité était que même maintenant, il pouvait sentir sa présence plus facilement qu'il ne pouvait distinguer sa silhouette.

— Que diable fais-*tu* ici ? demanda-t-il, comprenant que Boreas avait peut-être essayé de l'avertir qu'elle arrivait.

— Le chaton m'a réveillée. Il était tout mouillé. Pourquoi l'eau est-elle si haute ?

— Les Comyn ont condamné l'écoulement. Ils ont aussi capturé les deux groupes de gardiens, au moment du changement de garde, et ils ont aussi gardé le seul bateau qu'il restait.

— Alors, tu auras besoin d'aide, murmura-t-elle. Quoi que tu aies l'intention de faire, tu devrais avoir quelqu'un avec toi. Et vu que tu n'as pas gardé Aodán…

Elle laissa la phrase suspendue dans les airs.

— J'y vais seul, car une personne peut être silencieuse plus facilement que deux, dit-il. De plus, une grande partie de ces ennuis est causée par ma venue ici.

— Balivernes, dit-elle. Rory Comyn causait déjà des ennuis bien avant ta venue. Grand-père a essayé de faire la paix avec les Comyn. Mais la paix exige que les deux parties la veuillent, et même si bien des Comyn approuvent qu'ils la fassent, Rory n'en fait pas partie. Mais c'est une discussion idiote, ajouta-t-elle. Qu'ont-ils fait d'autre ?

Il lui dit tout ce qu'Aodán avait découvert.

— Et Tadhg était avec les jeunes hommes.

Hurlant son choc à propos de la perfidie des Comyn, elle ajouta :

— Dieu du ciel, au début, j'ai cru qu'il avait simplement beaucoup plu pendant que nous dormions ! Veulent-ils nous noyer tous ?

— Ils en ont peut-être envie, répondit-il, mais pour ce faire, l'eau devra monter suffisamment haut pour submerger la plus grande partie du château. Leur barrage ne peut pas être si haut, être...

— Pas encore, dit-elle d'un air sévère. Mais nous devons nous en débarrasser, avant que l'eau ne monte plus haut. Comment pouvons-nous le faire, sans un tas d'hommes ni même un bateau ?

— Jusqu'à ce que je voie le barrage, je ne saurai pas si quelqu'un peut le démanteler sans se faire tuer, admit-il. Une fois que je saurai exactement ce à quoi nous avons à faire face, nous...

— Tu n'as pas l'intention de le démanteler tout seul, n'est-ce pas ?

Il ne répondit pas.

Après avoir attendu impatiemment une réponse qui ne vint pas, Catriona dit laconiquement :

— Comment penses-tu *pouvoir* démanteler un tel barrage tout seul ?

— Jeune fille, rentre à l'intérieur, avant que je ne perde patience avec toi.

— Que feras-tu, alors, monsieur ? Tu peux à peine me hurler dessus ou me battre sans faire assez de bruit pour gâcher toute occasion que nous avons ce soir.

— Mais j'aurai beaucoup de temps pour m'occuper de toi plus tard.

— Eh bien, si tu n'as pas encore appris que je ne réagis pas bien aux ordres arbitraires, tu aurais dû y prêter plus attention. Est-ce qu'Aodán t'a décrit ce barrage?

Fin soupira bruyamment.

— Il a dit qu'il semble qu'ils aient utilisé deux rangées de postes avec des planches empilées de leurs côtés entre elles pour retenir l'eau, pendant qu'ils empilaient des bûches, des branches et de la boue derrière eux, comme un barrage de castor derrière un mur.

— Alors, je me doute que tu veuilles d'une certaine manière percer des trous dans ces planches, car tu ne peux pas, seul, les enlever en toute sécurité *et* retirer les débris. Mais si tu ne perces pas des trous suffisamment grands, ou si tu ne perces pas *suffisamment* de trous, tu ne feras que créer des tuyaux de descente qui cracheront de l'eau de l'autre côté. Et si tu perces de trop *grands* trous, la force de l'eau qui se déversera à travers détruira le barrage avant que tu ne puisses t'enfuir, et le torrent qui en résultera t'entraînera jusqu'en bas, dans la rivière Spey. Alors, comment *comptes*-tu procéder?

— Baisse le ton, chérie. Rappelle-toi comme il y a facilement de l'écho, ici.

Obtempérant, elle murmura :

— Mais j'ai raison, n'est-ce pas? Tu m'as entendue.

— Oui, en effet.

Étant donné qu'il ne poursuivit pas, elle sut que, malgré l'affection qu'il lui portait, il se sentait encore vexé. Il voulait qu'elle rentre, et il ne voulait plus de dispute.

— Ne me dis pas de nouveau d'aller me coucher, dit-elle. J'ai l'intention de rester ici, ou d'aller avec toi, et je ne promettrai *pas* de ne pas te suivre. Je nage aussi bien que toi.

— Vraiment, jeune fille ? Peut-être que c'est vrai, mais tu n'as pas opposé tes compétences aux miennes encore, alors j'en doute. Tu n'es pas aussi forte que moi.

Elle ne pouvait nier cela, mais de le savoir ne la dissuada pas.

— Je n'ai pas besoin d'être aussi forte que toi, dit-elle. Je peux prendre le radeau.

Fin avait complètement oublié le radeau, mais il réfléchit, puis écarta l'idée.

— Trop bruyant, dit-il. Essayer de ramer sur ce radeau d'ici au barrage serait également fatigant. Il est effectivement petit, mais ils pourraient le voir depuis la rive, avec toi debout dessus.

— Pour l'amour, il y fait trop nuit pour voir quoi que ce soit. Je peux à peine distinguer ta silhouette juste devant moi. Je pouvais entendre ta respiration en m'approchant, et je savais que Boreas était aussi par là, ajouta-t-elle avec empressement, ne voulant pas qu'il croie qu'elle aurait parlé à n'importe qui qu'elle aurait rencontré dehors.

— Cat, réfléchis, dit-il. Même lors de la nuit la plus sombre, ne peux-tu pas voir l'eau suffisamment bien depuis ta fenêtre pour savoir que ce n'est pas la rive ?

— Je le peux, oui, admit-elle. Mais tout observateur qui verrait le radeau penserait plutôt qu'il est simplement parti en flottant depuis ici lorsque l'eau est montée.

— Tu te tiens debout pendant que tu rames la chose, n'est-ce pas ?

— Oui, bien sûr, mais si je me tiens baissée, je peux facilement te suivre. Vois-tu, je sais bien comment ramer sans faire de bruit. J'ai souvent…

— Souvent quoi ? demanda-t-il sévèrement.

Nullement intimidée, elle gloussa au fond de sa gorge.

— Arrête d'essayer de faire venir l'ogre sur moi, monsieur. Je me dis simplement que tu as plus de chances de revenir en sécurité si nous prenons le radeau. Nous pouvons nager à côté de lui, si tu penses que cela nous serait plus utile.

— *Nous* n'irons pas.

— Mais tu *prendras* le radeau. Si tu as l'intention de faire des trous dans ce barrage, tu en auras besoin simplement pour te garder à flot, si le barrage cède avant que tu ne t'y attendes.

— Comme tu l'as dit toi-même, jeune fille, s'il cède, je serai emporté avec lui, radeau ou pas, dit-il d'un air mécontent. Et il en sera de même pour tous ceux qui se trouveront tout près sur le lac. Le courant y sera violent, jusqu'à ce que le lac retrouve son niveau normal.

— Alors, ce serait aussi bien si nous… c'est-à-dire si *tu*… es hors de l'eau bien avant que cela n'arrive, dit-elle. Pour éviter un désastre, tu dois avoir l'intention de boucher tes trous d'une façon ou d'une autre. Ou as-tu simplement l'intention de percer des trous *jusqu'à* ce que le barrage se brise ?

— J'ai des chiffons pour les boucher et une grosse balle de ficelle, dit-il en comprenant qu'elle pensait que de tels bouchons garderaient le barrage assez solide pour qu'il tienne.

Mais en même temps, il ne voulut pas augmenter ses craintes en expliquant que chaque trou qu'il percerait affaiblirait cette planche, qu'il y ait des bouchons ou non, et qu'il ne ferait qu'empêcher l'eau qui se déverse de lui nuire pendant qu'il se frayerait un passage jusqu'aux planches les plus vulnérables se trouvant plus bas. Il attacherait ensemble les bouchons, afin de pouvoir les arracher rapidement, dans l'espoir de *diminuer* la pression de l'eau si une planche se mettait à céder ou à craquer de façon inquiétante pendant qu'il travaillait.

Il espérait que ce court répit lui donnerait le temps de sortir de l'eau.

— Une balle de ficelle ne suffit pas, dit-elle. Nous… *Tu* as besoin d'une corde, d'une longue corde.

— Ce soir, je veux seulement mettre en place les bouchons, pour voir si un tel plan est réalisable, dit-il. À la vitesse à laquelle l'eau monte, elle n'atteindra pas la grande salle avant demain après-midi ou demain soir. Demain soir, Aodán et moi pourrons y retourner, si cela devient…

— Écoute, murmura-t-elle.

Il entendit alors aussi le chuchotement sibilant de gouttes de pluie tombant sur la voûte au-dessus.

— Tant mieux, dit-il en tendant les bras et en l'approchant tout près de lui. La pluie m'aidera à me cacher, chérie. Je dois partir, mais je reviendrai le plus vite possible.

Maintenant, embrasse-moi, cesse tes querelles, rentre à l'intérieur de ce château et va au lit.

Elle s'appuya tout contre lui en l'entourant de ses bras et en le serrant tout contre elle. Puis, elle releva la tête et l'embrassa, pressant sa langue contre ses lèvres.

Les entrouvrant, il savoura le goût des siennes, conscient qu'il ne pourrait peut-être plus jamais les goûter si quelque chose tournait mal. Plongeant sa langue dans la douceur de sa bouche, il gémit doucement, tout en désirant pouvoir la ramener au lit et y rester.

Il la relâcha à contrecœur.

— Comment iras-tu ? demanda-t-elle.

— J'ai pensé nager directement le long du lac à partir d'ici, dit-il. Mais étant donné que maintenant, il pleut, je crois que je peux à la place nager en sécurité jusqu'à la rive et marcher au moins partiellement, peut-être aussi loin que jusqu'au tournant, si je peux rester près de l'eau.

— Je crois que ce chemin se trouvera encore au-dessus de l'eau. Mais ne vont-ils pas l'utiliser ?

— Si un quelconque Comyn se promène dans les alentours à cette heure sous la pluie, je m'occuperai de lui, répondit Fin. Il ne s'attendra pas à voir quelqu'un, et moi, si. Ne te tourmente pas.

— Non, alors, je le promets.

— Je veux que tu me promettes autre chose.

— Oui, oui, je sais bien *ce* que c'est. Va, maintenant, pour que tu puisses me revenir.

Il l'étreignit et enleva sa cape, ne gardant que la mince tunique qu'il avait revêtue pour sortir, simplement pour amortir les coups de son épée pendant qu'il nagerait. Après des semaines, ses pieds nus s'étaient endurcis.

Lui tendant sa cape pour qu'elle la tienne pendant qu'il bouclait la ceinture qui tenait son poignard dans sa gaine, il attacha le sac en tissu qui contenait ses chiffons, sa ficelle et sa cuillère à elle. Le sac gênerait sa nage plus que l'épée, mais il était une charge nécessaire. La distance qu'il avait à nager était plus courte, alors il ne le gênerait pas beaucoup.

Confiant que Catriona et Boreas rentreraient en sécurité au château, il marcha avec elle jusqu'à l'endroit où il avait dit que ce serait plus facile d'entrer. Il l'embrassa une fois de plus, s'avança dans l'eau et ficha le camp sans bruit.

De la pluie bombardait l'eau autour de lui, mais même en direction du nord, la nage fut courte ; son sens de l'orientation était fiable et il choisit rapidement sa destination.

$\mathcal{C}$atriona regarda Fin nager en s'éloignant, soulagée de
voir qu'il *arrivait* à nager avec la lourde épée attachée
sur son dos. Mais à cause de la pluie, elle le perdit rapidement de vue.

Satisfaite de savoir que même un Comyn suffisamment
fiable pour faire attention au milieu d'une nuit pluvieuse
ne le verrait pas puisqu'elle-même ne le pouvait pas, et
certaine que Fin gagnerait contre tout adversaire seul,
elle tourna le dos à la rive, mais ne se dirigea pas vers le
château.

Au lieu de cela, elle retourna dans les bois et pataugea
jusqu'au radeau rattaché à une extrémité à un arbre. Posant
la cape de Fin sur un arbuste dont le feuillage était épais sur
le dessus, elle se mit à dérouler la longue corde qui ratta-
chait le radeau à l'arbre.

Boreas pressa son museau dans sa main.

— Bon chien, dit-elle. Mais tu restes ici.

Enroulant la corde, elle fit basculer le radeau, et le poids
encombrant la mit en échec, ce qui fit que le radeau produisit une grosse éclaboussure lorsqu'il atterrit. Elle était
certaine que la pluie devenue plus bruyante avait couvert le
bruit, et, comme elle l'avait espéré, l'eau était suffisamment

profonde à cet endroit pour qu'il puisse flotter. Elle prendrait la corde avec elle.

Attachant le radeau à un jeune arbre, elle retourna chercher sa rame. Pour autant qu'il continue à pleuvoir, elle ramerait debout, comme le faisaient elle et Ivor quand ils étaient enfants. Mais ce soir, il n'y aurait pas de courant comme il y en avait alors pour l'aider.

Tandis que cette pensée traversait son esprit, une autre suivit. Il y *aurait* un courant, après qu'elle et Fin auraient détruit le barrage, ainsi revenir à l'île pourrait être difficile. Elle se demanda combien de temps il faudrait au lac pour qu'il revienne à son niveau habituel.

Il était évident que Fin n'avait pas pensé à cela. Bien sûr, s'il n'avait que l'intention de percer ses trous, de les boucher avec ses chiffons, puis de relier tous les chiffons ensemble avec de la ficelle…

Une autre pensée terrifiante lui vint à l'esprit. Et si depuis le début, son intention était de se sacrifier pour tous les sauver en pénitence pour avoir tué les hommes du clan Chattan à Perth ?

Une goutte de pluie glissa sous sa tunique et le long de son dos, l'arrachant brusquement à l'image affreuse et restaurant son bon sens. Fin ne se sacrifierait pas lui-même volontairement. Mais si son plan allait fonctionner, il fallait qu'il fonctionne cette nuit. Même les idiots de Comyn examineraient leur barrage, quand viendrait la lumière du jour, pour s'assurer que tout était bien en place. S'ils voyaient de la ficelle ou des chiffons, toute chance de les enlever plus tard serait perdue.

Consciente que si elle tombait, elle nagerait mieux sans sa tunique, elle l'enleva presque pour la laisser derrière elle.

Mais il lui vint à l'esprit que le courant créé par l'eau qui se déversait hors du lac empêcherait probablement tout retour d'eau avant le matin. Si tel était le cas, elle aurait à affronter son grand-père et d'autres personnes en portant un vêtement trempé avec son poignard ceinturé autour de ses hanches, et escortée par un Fin aussi mal habillé.

À cette pensée, elle revint sur ses pas et prit la cape de Fin, puis décida de garder sa tunique sur elle plutôt que de prendre le risque de la perdre dans le noir si elle tombait du radeau.

Des habits mouillés seraient mieux que d'arriver face à face avec *n'importe qui* en ne portant qu'une mince robe fourreau trempée.

---

Fin atteignit la rive sans y voir un quelconque signe de mouvement humain. Même s'il savait qu'un observateur sensé se cacherait, il savait également que deux heures ou plus après minuit, tous les hommes seraient moins en alerte.

Toutefois, les Comyn auraient posté au moins deux hommes pour garder un œil sur les rétrécissements entre l'île et la rive. Peu de temps après, il fut satisfait qu'ils n'en aient posté *que* deux et qu'aucun d'eux ne l'inquiète plus.

Aodán avait dit que les prisonniers se trouvaient sur le coteau situé au-dessus de l'embarcadère, mais Fin ne pouvait être certain qu'ils se trouvaient toujours là et ignorait le nombre de gardes qu'ils avaient.

Son premier objectif était le barrage.

Se déplaçant aussi vite que l'obscurité et que sa vision nocturne le lui permettaient, restant sur le bord herbeux lorsque c'était possible, il se rendit rapidement compte que la pluie avait diminué, même si elle restait stable. Elle était chaude, aussi. Si elle continuait à tomber pendant la nuit ou si elle devenait de nouveau plus forte, la vitesse à laquelle l'eau monterait augmenterait de façon significative, car elle ferait fondre presque toute la neige au-dessus d'eux qui restait sur les coteaux aux alentours.

Les Comyn, sans ingérence et en ayant le temps, pourraient faire monter la hauteur de leur barrage aussi haut que nécessaire. La crevasse de granite dans laquelle coulait le ruisseau était étroite, avec des côtés abrupts suffisamment hauts pour facilement forcer l'eau du lac à monter assez pour recouvrir une grande partie du château si le barrage tenait.

Fin était content de ne pas avoir promis à Catriona qu'il ne ferait rien de dangereux par lui-même. Il devait faire ce qu'il pouvait pour éviter une catastrophe.

Il réfléchit alors aux promesses qu'elle lui avait faites. À ce moment-là, cela avait réduit son inquiétude à son sujet, mais quelque chose à leur propos maintenant le tannait.

Un bruit le sortit de ses pensées. S'apercevant que c'était un filet d'eau coulant goutte à goutte devant lui, maintenant rempli de pluie fraîche et de neige fondue qui descendaient rapidement jusqu'au lac, il concentra son esprit sur d'autres sons nocturnes. S'il laissait de nouveau ses pensées vagabonder, il risquait de foncer droit dans les ennuis.

Lorsqu'il atteignit la courbe où la piste bifurquait par-dessus et autour de la colline, près du ruisseau qui coulait, et ralentissant le pas, il entendit un faible bruit sourd qui ressemblait à du bois se frottant contre du bois, à une courte distance à sa droite sur le lac.

Dégainant son poignard, il s'ôta du chemin et descendit à travers des arbustes lui montant à la taille, jusqu'à ce qu'il sente le sol détrempé sous ses pieds. Puis, il se tapit dans les buissons pour attendre.

~∘~

Gelant sur place, jurant mentalement à propos de sa maladresse lorsqu'elle laissa le radeau heurter le manche de sa rame lorsque agenouillée, elle l'avait tenue devant elle pour sentir la rive, Catriona savait qu'elle avait atteint la courbe intérieure juste avant la rive, qui serpentait vers l'extérieur et autour pour rencontrer le ruisseau que les Comyn avaient bloqué avec leur barrage. Elle avait nagé souvent près de cette rive et la connaissait bien. Cette fois méfiante, elle demeura vigilante.

La pente qu'il y avait là était raide, comme la plupart des pentes autour du lac, mais elle réussit à faire flotter le radeau jusqu'à être assez proche pour saisir des arbustes et se tirer vers le rebord de granite d'où elle nageait souvent. Le radeau fit un bruit de chuchotement tandis qu'elle s'approchait, et elle se rendit compte qu'il grattait au-dessus d'autres arbustes qui se trouvaient sous l'eau.

Agenouillée comme elle l'était, elle aurait à s'asseoir pour descendre du radeau en sécurité. Elle ne voulait pas marcher pieds nus sur un buisson ou tomber dans l'eau pendant qu'elle attachait le radeau. Mais elle se trouvait dans un bon endroit. La piste d'un cerf menait du rebord au chemin faisant le tour du lac.

La pluie continuait doucement à tomber et s'égouttait de ses cils, l'obligeant à cligner des yeux et à s'en essuyer l'eau. Elle atteignit une autre branche…

— Ne fais pas de bruit, murmura Fin depuis l'obscurité, ce qui la fit sursauter et presque pousser un cri aigu.

Ce n'est que par ce qu'elle jugea être un effort surhumain qu'elle réussit à étouffer le son dans sa gorge. Rejeter sa main en arrière ne fit qu'incliner dangereusement le radeau, mais une main chaude et robuste saisit rapidement son poignet jeté sur le côté, ce qui la stabilisa.

— Peux-tu descendre, maintenant ? demanda-t-il.

Sa voix parut calme et apaisée, comme s'il ne faisait que s'enquérir du temps ou de l'état de sa santé.

James se serait mis immédiatement à la gronder. Et Ivor aurait montré le côté de sa personnalité où sa colère faisait trembler la terre. Mais Fin…

Elle aurait aimé pouvoir percevoir plus que sa silhouette, car même si elle savait qu'il devait être en colère, elle ne pouvait rien sentir dans sa voix lui indiquant *à quel point* il l'était.

— Attention, dit-il, tandis qu'elle utilisait sa main libre pour repousser ses jupes hors de son chemin et balançait avec précaution ses pieds nus hors du radeau pour chercher une prise sur le granite.

— J'ai apporté ta cape, murmura-t-elle. Et la corde du radeau.

— Tu as aussi apporté de la compagnie, murmura-t-il tout en tirant le radeau sur la rive.

Jetant un coup d'œil par-dessus son épaule, elle vit sur le lac le sillage en forme de V, avant de se rendre compte qu'elle avait oublié de dire à Boreas de rester derrière.

⤙○⤚

Fin observa l'approche silencieuse du chien, se rappelant que les chiens-loups étaient des animaux au naturel silencieux. Malgré cela, il eut envie de secouer Catriona, ou pire.

À la place, il dit :

— Je suis content que Boreas soit venu avec toi, parce que je dois te laisser ici...

Entendant sa respiration retenue, il s'arrêta de parler suffisamment longtemps pour poser un doigt ferme sur ses lèvres, l'obligeant à se taire, avant d'ajouter :

— Écoute seulement, Cat. Ne parle pas.

Elle fit oui de la tête, ce qui lui parut sage de sa part. Boreas, émergeant de l'eau près d'eux, se secoua et attendit à l'endroit où il se trouvait.

— Je vais vous laisser ici, tous les deux, et tu y *resteras*, dit Fin, parce que je dois voir ce qu'il y a devant. Je ne veux pas être distrait à avoir à me demander si tu garderas le silence ou si un de vous les avertira d'une manière ou d'une autre de notre approche.

Lorsqu'elle fit de nouveau oui de la tête, il enleva son doigt.

— Combien de temps ? chuchota-t-elle.

Le chuchotement ne donna aucune indication sur ses émotions. Il ne désirait pas non plus les connaître.

— Cela te paraîtra long, en restant ici, dit-il. Je vais monter sur cette colline pour voir ce que je peux depuis le sommet. J'ai besoin de savoir combien de gardes ils ont postés près de leur barrage, ainsi que sa hauteur. Je te laisse mes outils.

— Je peux être patiente, si tu es prudent. J'espère seulement que tu pourras nous retrouver.

— Je te trouverai, dit-il. Mais ne te félicite pas, jeune fille, car je suis mécontent de toi. Ta venue ici rend ma tâche plus dangereuse qu'elle ne le serait sans toi. De plus, tu as promis...

— J'ai simplement promis de ne pas m'*inquiéter* à ton sujet, lui rappela-t-elle. Si tu te souviens...

— Oui, et je me souviens aussi qu'après, quand j'ai dit que je voulais une deuxième promesse de ta part, tu m'as coupé la parole pour dire « oui, oui », n'est-ce pas, comme si tu...

— Oui, mais je...

— Tu l'as fait, et tu *sais* que j'en ai déduit que tu comprenais la promesse que je cherchais à obtenir et que tu étais d'accord. Non, n'essaie pas de te défendre, ajouta-t-il en l'entendant inspirer avant de parler. Tu sais bien que tu as tort, Cat. Mais si tu veux faire semblant que tu ne le sais *pas*, plus tard je te le ferai bien comprendre.

⚬

Catriona se tortilla, ne ressentant rien de son impatience habituelle à débattre avec lui. Son ton de voix avait rendu ses émotions aussi claires qu'elles le seraient si elle avait pu voir l'expression sur son visage. En effet, elle put facilement l'imaginer, et maintenant elle le connaissait suffisamment bien pour être certaine qu'elle ne voulait pas tester sa tolérance à cet instant en lui rappelant qu'elle avait également dit plus tôt qu'elle ne promettrait *pas* de ne pas le suivre.

— Nous t'attendrons, dit-elle. Mais je devrais te dire que même si tu me punis cruellement pour ceci, monsieur, je suis contente d'être venue. Si rien ne devait t'arriver...

— Je sais, jeune fille, et j'aimerais pouvoir te promettre que rien n'arrivera, mais je ne le peux pas. Ton grand-père ne pense rien de bien des Comyn, mais ils ont réussi dans cette entreprise, et ils pourraient même avoir des hommes encerclant en ce moment le lac, surveillant et attendant que Rory Comyn les fasse venir.

— Tu ne crois pas cela.

— Non, mais il vaut mieux, d'après mon expérience, supposer que l'autre type en sait plus que moi et qu'il est aussi intelligent, sinon plus, et aussi adroit avec une épée.

— Dieu du ciel, même Ivor dit que personne ne peut être meilleur que toi avec une épée. Je me suis inquiétée de te savoir nageant ici avec elle, mais je suis contente que tu l'aies fait.

— J'ai aussi mon poignard, dit-il. Maintenant, prends ces affaires que nous avons apportées et Boreas, et monte la pente jusqu'à ce que tu trouves un endroit où tu peux voir le chemin, mais sans être vue de là.

Il fit une pause.

— Je dois être certain que je peux me fier à toi et que, cette fois, tu m'obéiras.

— Je le ferai, monsieur.

Le suivant jusqu'au chemin, elle claqua la langue à Boreas.

Dès qu'elle put distinguer la silhouette mobile du chien, elle fit un grand signe vers le coteau, et se sentit plus en confiance lorsqu'elle vit Boreas traverser le chemin et commencer à se placer en faisant des allers-retours. Fin ne lui dit plus rien et disparut rapidement dans l'obscurité.

Le temps qu'elle s'installe où elle pouvait encore distinguer le chemin, elle se dit qu'il devait avoir atteint le sommet de la colline et qu'il reviendrait le temps de le dire.

La pluie s'atténua encore. Les minutes avancèrent lentement.

————◦◦◦————

Prenant son temps, Fin se mit en chemin vers le sommet de la colline, veillant à ne pas déranger un quelconque Comyn qui pourrait se trouver dans les alentours. Se disant qu'il devait vivre au moins assez longtemps pour gérer correctement les affaires avec sa femme qui se trompait, il savait que sa véritable intention était de vivre assez longtemps pour lui faire l'amour jusqu'à ce qu'ils s'épuisent l'un l'autre.

Malgré cette agréable fantaisie, ses sens affûtés restèrent en alerte. La pluie se transforma en brume légère. Une fois qu'il atteignit la crête et qu'il trouva un poste d'observation, il distingua rapidement du mouvement au-delà du barrage, près du lit silencieux du ruisseau condamné.

Une voix d'homme, poussée par le vent, vint à ses oreilles.

— Seront-ils tous endormis, en bas ?

Un autre dit :

— Je garderai deux observateurs, oui, et tous ceux près du ruisseau. Crois-tu que cette chose tiendra ? Car ils vont être complètement trempés, s'il cède.

— Oui, bien sûr, il tiendra. Nous avons empilé du bois et des roches assez haut pour tenir les planches en place contre l'eau montante. Aussi, elle montera vite, maintenant. Si cette pluie reprend, l'eau pourrait devenir assez haute pour les noyer tous d'ici au matin, et peut-être les hommes de Shaw également. J'espère seulement que nos gars les surveillent pour se garder en sécurité.

— Je suis surpris que Rory n'ait pas voulu qu'ils restent tous en bas avec les autres.

— Il n'avait pas envie d'entendre les Mackintosh déplorer leur groupe toute la nuit, dit-il. Arrivera ce qui doit arriver ; j'ai l'intention de me trouver un endroit pour m'asseoir bien au-dessus de cette grosse pile.

— Oui, moi aussi. Mais nous ferions mieux de nous mettre chacun d'un côté, comme l'a dit Rory.

Satisfait de ce qu'il avait entendu, Fin changea de place pour avoir une meilleure position, sortit son poignard et attendit que celui qui surveillerait de ce côté du barrage vienne vers lui.

Le résultat fut presque trop facile, car l'homme s'approcha imprudemment, ne prêtant aucune attention à quoi que ce soit, sauf à l'endroit où il posait bruyamment ses pieds.

Mettant un bras autour de lui depuis l'arrière, Fin mit son poignard contre la gorge de l'homme.

— Un petit cri aigu, et tu es mort, murmura-t-il en feignant l'accent du coin. Combien d'observateurs avez-vous, autour de ce lac ?

— Deux à leur débarcadère et trois autres, si vous n'avez pas compté nous deux ici.

— Qui surveille vos prisonniers ?

— Les trois autres dont je vous ai parlé. Tous les autres sont rentrés à notre campement, plus bas. Il n'y a personne d'autre là-bas, car personne ne peut rien voir ce soir !

— Combien dorment, en bas ?

— Presque un grand nombre qui peut être sur pied et prêt à partir à l'aube, c'est-à-dire tous, je le jure !

— Cela comprend-il l'armée d'Albany ou celle de Douglas ? demanda Fin doucement.

Son prisonnier se figea, mais garda le silence.

— Ah, maintenant, tu es un type bien et honnête, dit Fin. Une plume dans le chapeau de ton chef, tu es. Je vais juste aller voir si ton ami là-bas est aussi bien et honnête, d'accord ? Non, maintenant, cesse de te tortiller. Je ne te dérangerai pas plus longtemps, je le promets.

⸺◦◦◦⸺

Catriona était certaine que quelque chose d'horrible était arrivé à Fin. Elle n'avait rien entendu depuis qu'il l'avait laissée avec Boreas, et le chien était allongé et sommeillait à côté d'elle.

Elle garda son poignard à portée de main, juste en cas, et elle s'était enveloppée dans la cape de Fin. Même si elle était reconnaissante de la chaleur qu'elle lui procurait, son humidité pénétrait jusqu'à sa peau, lui faisant penser avec nostalgie au feu de la salle à Rothiemurchus.

Le chien releva la tête, et, un instant plus tard, une ombre surgit en silence au-dessus d'eux.

— Dieu du ciel, j'espère que c'est toi, marmonna-t-elle en tenant plus fort son poignard.

— Oui, c'est moi, dit Fin. Je suis venu chercher ce sac et ta corde.

— Combien de gardes y a-t-il ?

— Aucun qui ne nous ennuiera, répondit-il. Maintenant, viens, car je veux en finir. L'armée d'Albany viendra en contournant les Cairngorms, et celle de Douglas depuis le sud en passant par Glen Garry. Ils pourraient arriver ici demain, si Ivor, Shaw et leurs hommes n'arrivent pas à les arrêter. Albany s'attend à ce que les Comyn capturent Rothesay et Alex Stewart pour lui, ainsi que le plus grand nombre de prisonniers du clan Chattan qu'ils le pourront. Je ne vais pas laisser faire cela.

— Ni mon père ni Ivor non plus, dit-elle avec indignation. Et même s'ils devaient en quelque sorte échouer, crois-tu que Rothesay et le seigneur du Nord soient si lâches qu'ils laisseraient ceux d'entre nous ici affronter seuls Albany et Douglas ?

— Non, mais si Albany les fait prisonniers, cela mettra tout le monde ici en danger, car il nous déclarera tous comme faisant partie de leur conspiration. Je suis d'accord que les hommes de Shaw et ceux d'Ivor de Lochindorb vont vraisemblablement arrêter les armées d'Albany, ou bien ce sera l'état du terrain et le mauvais temps qui s'en chargeront, car aucun des chefs n'a l'expérience des Highlands. Mais si Albany est suffisamment déterminé à mettre la main sur Rothesay et Alex, il se pourrait qu'il le fasse.

— Par ce temps, nous ne pouvons pas utiliser nos signaux de feu pour recevoir de l'aide supplémentaire, dit-elle.

— Non, mais si nous pouvons éviter une confrontation armée, nous réglerons les choses. Toutefois, nous devons battre les Comyn ici. Ensuite, si Albany gagne, il devra négocier avec ton grand-père. Si quelqu'un peut transiger avec lui, c'est bien le Mackintosh.

— Il a intimidé des hommes plus féroces que le duc d'Albany, dit-elle. Et mon père et Ivor *réussiront*. Mais qu'en

AMANDA SCOTT

est-il de Rothesay et d'Alex? Aucun des deux ne sera heureux de ne pas faire partie de l'action, et ni l'un ni l'autre n'est facilement susceptible de persuasion.

— J'espère qu'Alex persuadera Davy d'aller avec lui, dit-il. Mais je ne peux pas penser à cela. Je dois d'abord voir si je peux effectuer une prouesse de magie avec ce barrage.

— Que puis-je faire? Et, je t'en prie, ne me dis pas que je ne peux rien faire.

— Toi et Boreas viendrez avec moi pour monter la garde, pendant que je percerai mes trous et les boucherai, dit-il. Trois gardiens surveillent les prisonniers sur la colline au-dessus de ton débarcadère, mais les deux qui surveillent le barrage ne s'attendaient à aucune pause pour personne avant l'aube.

— Comment sais-tu tout cela?

— Je le leur ai demandé.

— Tu le leur as *demandé*?

— Oui, bien sûr, sinon de quelle autre manière aurais-je eu une telle information?

— Mais tu as dit qu'ils ne nous embêteront pas. S'il y en a *deux*, ne vont-ils pas éveiller...?

— Non, ils ne le feront pas. Maintenant, viens-tu?

Prenant conscience que ce qu'il devait avoir fait avait de lourdes conséquences, et se souvenant des premiers mots qu'il lui avait dits concernant les gardes, elle sut qu'elle aurait dû alors comprendre ce qu'il avait voulu dire. Elle resta silencieuse, ne sachant quoi ajouter.

Il garda le silence aussi, alors elle sut qu'il attendait à ce qu'elle lui demande s'il les avait tués. Au lieu de cela, elle demeura immobile, secoua ses jupes et dit :

— Je porte ta cape, monsieur. La veux-tu, pour te réchauffer pendant que nous marchons ?

— Non, elle doit aussi être humide, et ma tunique me suffira aussi longtemps que je continuerai de bouger. Je ne vois pas l'utilité de me réchauffer juste pour retourner dans cette eau.

Ils retournèrent rapidement au barrage, Boreas courant silencieusement devant eux en bondissant, allant de l'avant vers l'arrière comme il le faisait toujours. Fin avertit Catriona :

— Ne le laisse pas aller trop loin devant.

— Il ne le fera pas, dit-elle. Lorsqu'il arrivera à la bifurcation, il nous attendra. Et, comme tu as pu le voir, il s'arrêtera aussi s'il sent quelqu'un approcher.

Contournant la pente au lieu de passer par-dessus comme l'avait fait Fin avant, ils atteignirent le devant du barrage sans incident. L'eau avait grimpé de plusieurs mètres au-dessus de la normale.

Il se dit qu'il pourrait se tenir debout pour percer un grand nombre de ses trous, mais il savait qu'il devrait en percer d'autres en ayant la tête sous l'eau simplement pour avoir le bon angle de la vrille. Les planches près du fond étaient les plus importantes, car peu importe la hauteur du barrage, tout s'écroulerait quand le soutien lâcherait. Même là, il ne pouvait être certain que son plan s'élèverait à plus que de la pure folie.

Alors qu'il retirait son épée et sa tunique, il lui tendit cette dernière et dit :

— Je serai dans l'eau pendant un certain temps, alors mets ceci sous la cape pour la réchauffer contre ton corps. Mais retourne maintenant au sommet de la colline et reste cachée dans les buissons.

Il s'approchait de l'eau et mettait son épée en bas, près de l'endroit où il travaillerait, lorsqu'elle dit tout bas :

— Comment vont tes pieds ?

— Cela ira. Ils se sont endurcis, depuis que je suis venu à Rothiemurchus.

La vérité était qu'ils lui faisaient mal, mais la douleur était supportable.

Il put sentir qu'elle le regardait, tandis qu'il ramassait le sac et pataugeait le long de la pente de granite, vers le centre du barrage. À cet endroit, l'eau lui montait jusqu'aux aisselles.

— Comment vas-tu t'organiser avec ce sac *et* la vrille ? murmura-t-elle.

Sans détourner son attention de ce qu'il y avait devant lui, il répondit sur le même ton :

— Je vais les tenir entre mes dents, jeune fille. Maintenant, va. Tu dois rester attentive.

N'entendant qu'un bref raclement de galets pour toute réponse, il sentit du soulagement parcourir son corps. Elle serait plus en sécurité au sommet de la colline avec Boreas.

—⸎—

Catriona se déplaça suffisamment loin pour être certaine qu'elle avait disparu dans l'obscurité, comme Fin lorsqu'il l'avait laissée plus tôt sur le coteau. Elle y resta jusqu'à ce qu'elle croie qu'elle lui avait laissé suffisamment de temps pour la faire sortir de son esprit. Ensuite, ordonnant tout bas à Boreas de rester sur ses gardes, elle revint vers Fin.

S'il était comme la plupart des hommes qu'elle connaissait, une fois qu'il commencerait à percer ses trous, il se concentrerait entièrement sur eux. Mais il aurait besoin d'aide. Il lui sembla que plus d'une heure devait avoir passé depuis qu'ils avaient quitté l'île, mais elle ne put en être certaine. Cela lui avait paru au moins deux fois plus long, lorsqu'elle l'avait attendu auparavant.

Elle savait que ce n'avait pas été aussi long. Mais avec les Comyn rôdant toujours dans les environs, et Albany et Douglas en route, chaque minute comptait.

La pluie s'était arrêtée, et, regardant vers le ciel, elle aperçut quelques étoiles éparses.

Boreas l'avertirait, si quelqu'un venait, et elle serait en mesure d'avertir Fin plus rapidement si elle se trouvait près de l'eau qui si elle restait docilement au sommet de la colline.

Mais elle savait qu'il y avait mieux à faire que de proposer cela à Fin.

Elle pouvait entendre ses mouvements, puis le bruit de l'eau tandis qu'il installait la vrille à une planche et qu'il se mettait à percer, tournant la poignée suffisamment vite pour éclabousser l'eau. Le bruit sembla fort, mais elle doutait que cela alerte quiconque, à moins que cette personne ne se trouve tout près. Et, grâce à Boreas, elle sut qu'il n'y avait personne.

Le travail de Fin se passait bien, malgré des conditions diaboliques.

Les planches dégrossies étaient installées serrées entre deux rangées de poteaux de soutien distancées, exactement comment Aodán les avait décrites. L'eau du lac grimpait alors qu'il se tenait là, mais il devait percer près du milieu des planches dans l'espoir que ses deux lignes de trous verticales étroitement espacées les feraient se casser.

Plus l'eau monterait, plus il y aurait de poids qui s'exercerait sur les planches plus bas. Il savait qu'une fois qu'elles craqueraient et que l'eau se mettrait à couler rapidement, sa force transporterait au loin les planches et tout ce que les Comyn avaient empilé derrière eux.

Perçant avec régularité, puis bouchant chaque trou, il enroula ensuite de la ficelle autour des bouchons de chiffon, qu'il coupait en longueurs de tissu suffisantes pour pouvoir les relier toutes ensemble. Il s'accroupit plus bas au moment où cela devint nécessaire, travaillant maintenant la plupart du temps avec la tête sous l'eau. Il se fraya un chemin en descendant depuis la ligne de flottaison, trouvant de plus en plus difficile de garder son équilibre alors qu'il se penchait, et cela fut encore plus ardu de presser la vrille de façon efficace dans le bois.

Avant d'avoir terminé de percer la troisième planche du bas, il se rendit compte que la deuxième était trop basse pour qu'il s'accroupisse sans flotter. Émergeant, essayant de réfléchir et pensant uniquement au froid intense, il murmura un juron de frustration.

L'eau s'agita, et il sentit une main chaude sur son épaule. S'avançant vers elle, il s'aperçut que Catriona était nue.

— Qu'est-ce qu'il y a ? murmura-t-elle. Puis-je aider ?

— Tu es censée surveiller s'il y a des Comyn, murmura-t-il en retour.

— Boreas fait cela. Je l'entendrai grogner, s'il entend ou sent quiconque s'approcher, mais nous devons finir ceci et repartir.

— Je dois encore percer des trous dans les deux planches du fond, lui dit-il. Vois-tu, les planches qui se trouvent plus bas supportent plus de poids d'eau que celles situées plus haut, alors le barrage va vraisemblablement céder à partir du bas vers le haut. Mais quand je me penche aussi bas, mon corps cherche à flotter. Crois-tu que tu peux me tenir en bas ?

— Je vais me mettre debout sur toi, si nécessaire, dit-elle. Je peux prendre appui contre le barrage, pour garder l'équilibre. Tu n'auras qu'à toucher mon pied, quand tu auras besoin de remonter pour respirer.

Même si Catriona s'attendait à ce que Fin refuse son aide, il dit :

— Si tu te mets debout sur la pente, tu pourras mettre tes pieds sur mon dos, lorsque je me pencherai. Puis, je pourrai m'arc-bouter, pendant que je travaille. Et je t'avertirai, oui, avant de me redresser.

Ensuite, il termina rapidement, même si de se tenir debout sur lui pendant qu'il travaillait s'avéra être plus difficile pour Catriona qu'elle ne l'eut cru. Plus d'une fois, elle faillit tomber dans l'eau, et juste avant qu'il ne touche son pied, elle entendit le son d'un étrange râlement et sentit les planches contre lesquelles elle prenait appui trépider. Elle fit de même, mais se détendit lorsque rien ne se produisit.

Elle s'enleva de sur son dos et se déplaça jusqu'à un endroit où elle put se tenir debout, et il se redressa que pour la soulever et la porter hors de l'eau, jusqu'où ils avaient laissé la corde.

Elle vit Boreas sortir de l'arbuste au-dessus d'eux, vigilant à leur approche.

Une fois que Fin la déposa sur ses pieds, elle voulut prendre la corde, mais il dit :

— Oublie-la pour le moment, jeune fille. Nous devrions nous rendre de l'autre côté de la colline, car le barrage pourrait céder avec suffisamment de force pour envoyer dans les airs des bouts de planches et d'autres débris aux alentours.

— Mais nous devons d'abord ôter les bouchons.

— Non, dit-il. Les deux planches inférieures ont commencé à céder vers l'extérieur, et j'ai entendu des craquements, alors je me suis arrêté. C'est maintenant devenu trop dangereux pour y retourner.

— J'ai effectivement entendu un gémissement bizarre, dit-elle en touchant sa tunique. Mais en ce moment, je n'entends rien. Combien de temps faudra-t-il, avant qu'il cède ?

— Je ne sais pas, admit-il. Mais à moins que tu veuilles te promener nue, dépêche-toi.

Gardant une oreille dressée au cas où surviendraient d'autres bruits menaçants, tandis qu'elle se débattait avec sa tunique mouillée, elle put distinguer suffisamment de sa silhouette pour se rendre compte qu'il avait déjà remis sa tunique, sa ceinture et son poignard. Avant de remettre son épée dans sa sangle, il l'aida à lacer ses vêtements.

Tout en le faisant, il dit :

— La pression au fond augmentera à mesure que l'eau montera, et je crois que c'est sur le point de se produire. Mais je ne prendrai pas le risque d'attendre de percer la dernière planche, surtout avec toi debout sur moi, jeune fille, alors je ne sais même pas si cela fonctionnera. Je suis tenté de rester juste pour m'assurer que oui.

— Veux-tu dire que si ce n'était pas le cas, tu y retournerais et percerais plus de trous? demanda-t-elle en sentant un frisson glacé d'effroi à l'idée que le barrage cède avec lui toujours debout sur le chemin du torrent.

Il demeura silencieux pendant trop longtemps.

— Ne sois pas idiot! dit-elle d'un ton brusque, oubliant de baisser la voix. Pour l'amour, monsieur, nous devons encore faire ce que nous pouvons pour sauver Tadhg et les autres prisonniers.

Il posa un doigt sur ses lèvres.

— Chut, dit-il. Nous ne sommes pas encore sortis de là.

— Mais tu ne peux pas rester ici. Je ne te *laisserai* pas!

— Non?

Sa voix était douce.

Elle posa une main contre sa joue et approcha son visage du sien.

— Non, Fin Cameron. Je ne te laisserai pas. C'est une bataille que tu ne livreras *pas* seul, monsieur. Rothiemurchus est la maison de ma famille. Si tu dois rester, alors Boreas et moi resterons aussi.

— Non, nous partons, dit-il. Pluie ou pas, ce barrage s'écroulera avant que l'eau ne soit assez haute pour noyer qui que ce soit.

Il l'étreignit alors, la forte chaleur de son corps réchauffant le sien.

— Tu frissonnes, dit-il. Mais nous marcherons rapidement, et tu porteras ma cape jusqu'à ce que tu aies plus chaud. Cette chose sent la laine mouillée, mais cela ne te dérangera pas.

— Tu gèleras, murmura-t-elle tandis qu'il l'enveloppait avec sa cape humide.

— Non, je n'ai pas gelé dans la rivière Tay, dans la glace fondante d'un mois de septembre. Je ne gèlerai pas ici alors que c'est presque l'été.

— Nous sommes à peine le premier juillet, monsieur, et il neige encore plus haut, par le fait même.

— Ceinture ton poignard par-dessus ta jupe, chérie, et pas en dessous. Nous laisserons Boreas prendre la tête, ajouta-t-il en saisissant sa main chaleureusement, une fois qu'elle eut fait signe au chien.

— Je continue d'attendre pour entendre le barrage céder, dit-elle tandis qu'ils marchaient d'un pas vif su le chemin.

— L'astuce sera que nous soyons revenus au château lorsqu'il *cédera*.

— Le courant à la surface pourrait alors être trop fort, oui, dit-elle. Mais nous avons encore un bateau, à moins que les Comyn l'aient détruit aussi. Si nous *pouvons* revenir, nos hommes seront capables d'amener Rothesay et Alex en bateau à terre pour qu'ils puissent partir.

— J'ai réfléchi à cela, dit-il. S'ils suivent la rivière Spey, ils vont probablement tomber sur les armées de Douglas en venant ici. Il y a peu de bonnes routes, à partir d'ici.

— Miséricorde, monsieur, tu me contredis, ainsi que toi-même, dit-elle.

Il gloussa, et le son la réchauffa encore plus.

— Je ne te contredis pas, dit-il. Je ne fais que soulever de nouveaux arguments sur lesquels discuter.

Avant qu'elle n'ait eu le temps de s'opposer à cette déclaration idiote, il ajouta :

— Je crois bien qu'Alex saura comment les envoyer loin tous les deux, en sécurité.

— Il le saura. Non pas qu'ils doivent s'en aller du tout. Les hommes du clan Chattan et du Nord *vont* s'imposer. Mais nous devons faire part à grand-papa des propos que tu as entendus de ces deux gardes.

— Pas nous, chérie. *Je* le lui dirai.

Elle ne discuta pas, sachant qu'elle éviterait volontairement cette discussion. En son absence, Fin ne préciserait pas au Mackintosh ou à Shaw qu'elle était avec lui. Toutefois, si elle était là, les affrontant avec lui…

Elle soupira. La probabilité était que le Mackintosh, son père et Ivor apprendraient d'une façon ou d'une autre tout ce qu'il y avait à savoir et auraient beaucoup à lui dire. Mais Fin était son mari. Ils lui laisseraient décider toute forme de punition. Et même si elle l'avait vexé, cela ne semblait plus être le cas.

— Garde Boreas près de toi, dit-il. Je ne veux pas qu'il fonce contre un Comyn errant.

— Tu as dit qu'il n'en restait que trois, tous surveillant les prisonniers.

— Je ne me fie pas au fait qu'un quelconque Comyn se trouve où je m'attends qu'il soit — pas ce soir.

Juste à ce moment, Rory Comyn se plaça devant sur le chemin, son épée à la main.

# Chapitre 20

in sut qu'il était fatigué, car jusqu'à ce qu'il eut reconnu Rory Comyn, il avait à peine remarqué la lune qui avait commencé à poindre au-dessus des collines, à l'est. Se plaçant rapidement devant Catriona et tirant son épée de sa sangle, il dit brusquement :

— Éloigne-toi bien loin de nous, jeune fille, et garde Boreas près de toi. Ne le laisse pas interférer.

Elle ne répondit rien, mais il l'entendit s'enlever du chemin. Et il connaissait suffisamment le chien pour être certain qu'il resterait près d'elle.

— Je m'attendais à ce que tu sois profondément endormi, dit-il en regardant Comyn.

— Je ne suis pas aussi idiot que cela, rétorqua Comyn. Je devrais te demander quel mauvais coup tu as préparé, n'est-ce pas ? Je ne savais pas que vous étiez revenus.

— Alors, tu as dû avoir été ailleurs, quand nous l'avons fait, dit Fin.

Testant le sol sous ses pieds nus, il remarqua d'un air mécontent qu'ils auraient peu de place pour manœuvrer.

— Nous ne l'avons pas gardé secret.

Il entendit le chien grogner faiblement dans sa gorge et espéra que Cat arriverait à le maîtriser. Il ne voulait pas voir

Boreas en tournebroche sur l'épée de l'autre homme, pas plus qu'il ne voulait que le chien intervienne auprès de lui. Mais le grognement cessa, et Comyn fit un bond en avant.

Parant son premier coup dans les airs, Fin se concentra sur le suivant, préférant laisser Comyn se fatiguer pendant qu'il laisserait du temps à Catriona pour bien s'éloigner.

∞

Catriona regarda les deux hommes suffisamment long-temps pour s'assurer que Fin ne se trouvait pas en danger immédiat. Mais à moins qu'elle fasse vraiment erreur, il laissait Rory Comyn mener le combat à l'épée, choisissant de se défendre uniquement.

Elle avait souvent observé ses frères pratiquer leur art de l'épée et reconnut facilement le maître en défense qu'était James contre Ivor.

Mais elle avait compris le grognement de Boreas, contrairement à Fin. Que Rory se promène seul lui avait tout de suite paru étrange. Espérant que quiconque dans les bois qu'ils avaient parcourus près de la piste devant eux soit plus intéressé par les bretteurs qu'à elle, elle monta la colline en prenant soin de faire en sorte que sa jupe mouillée ne s'accroche pas à chaque branche d'arbustes qu'elle croisait.

Alors que la lune montait, sa lumière augmenta. Elle ne serait pas pleine, mais du genre que les Écossais appelaient « lune en aval », car elle avait la forme du ventre d'une femme enceinte. Catriona était reconnaissante pour la lumière, mais espérait que le silence de Boreas signifiait que personne n'était tapi devant elle et pas encore en train d'obéir à son ordre antérieur de silence.

Assurée qu'il l'empêcherait de se retrouver en danger, elle se déplaça plus rapidement. Dans les bois, la lueur de la lune perçait suffisamment la voûte pour lui permettre de trouver son chemin, mais, sachant qu'un allié de Comyn se tenait quelque part devant, elle fit attention de ne faire aucun bruit évitable.

Passant un piège, elle vit une solide branche qui pourrait lui servir de massue, la ramassa, puis toucha la poignée de son poignard pour s'assurer qu'elle pourrait le trouver rapidement en cas de besoin. Tenant fermement la massue, elle écouta le bruit métallique des épées sur la piste, tandis qu'elle avançait, rassurée par le rythme régulier de leurs cliquetis.

Puis, elle le vit — une silhouette ombrageuse solitaire se tenant près d'un arbre dos à elle, qui regardait le combat. Stupéfaite qu'il ne semble pas conscient de sa présence, elle en comprit la raison en le voyant tenir un arc près de sa hanche droite et placer une flèche à sa corde. La silhouette de l'arc et de la flèche se réfléchissant sur l'eau éclairée par la lune rendit son intention indubitable.

Faisant signe à Boreas de rester derrière elle, elle se déplaça aussi rapidement qu'elle l'osa.

Lorsque l'archer s'éloigna de l'arbre, leva l'arc et qu'il ramena la corde près de sa joue, Catriona saisit fermement de ses deux mains la massue et frappa sa tête aussi fort qu'elle put.

Il s'effondra à ses pieds sans faire entendre plus qu'un bruit sourd et un bruissement de feuilles. Dès qu'elle avait frappé, une voix au plus profond de son esprit lui avait

murmuré qu'il pouvait être un des leurs. Une vague de soulagement s'empara d'elle, lorsqu'elle vit que ce n'était pas le
cas.

Il était mort ou inconscient, l'arc et la flèche à moitié
sous lui. Faisant signe à Boreas de surveiller le bandit, elle
se retourna pour regarder les bretteurs.

Fin parut fatigué, comme il devait l'être, se dit-elle. Elle
se souvint de ses pieds récemment si tendres et était certaine qu'après qu'il eut passé tant de temps dans l'eau, ils
devaient être aussi engourdis que les siens. Mais les siens
étaient aussi durs que du cuir. Ceux de Fin, pas encore.

D'un autre côté, le froid ne sembla pas l'ennuyer, et Ivor
était pareil. Ivor n'avait qu'à voir la lumière du soleil pour
dénuder son torse et se dorer au soleil.

Fin semblait affronter Rory aussi adroitement qu'avant.
Puis, il trébucha, et Rory posa son épée contre lui. Tandis
que Catriona haletait, Fin fit dévier la lame meurtrière et
reprit son équilibre, mais elle en avait vu assez.

Regardant avec méfiance sa victime et voyant qu'il était
aussi immobile qu'un homme pouvait l'être, et que Boreas le
surveillait étroitement, elle tira l'arc de sous lui et la flèche
de sous son coude. Puis, s'éloignant prudemment, elle
regarda les deux bretteurs sur la piste.

Aucun des deux n'avait des mouvements aussi agiles
qu'avant, mais même si elle espérait que Fin reprendrait vite
le rythme et continuerait de façon offensive, il ne le fit pas. Il
trébucha de nouveau, et Comyn bondit en avant.

Une fois encore, Fin fit dévier le coup et se reprit.

Catriona plaça la flèche contre la corde et se prépara à
tirer. Elle n'était pas une archère particulièrement adroite,

mais Ivor le lui avait appris, comme il lui avait enseigné à utiliser son poignard. Prenant sa position, elle tira la corde suffisamment en arrière pour s'assurer qu'elle y arriverait. Elle en était maintenant certaine ; même s'il ne s'agissait pas d'un tir facile, c'était possible. Elle visa un point dans les arbustes à quelques mètres à gauche des deux bretteurs, attendit qu'ils soient plus éloignés l'un de l'autre sur le chemin et lâcha.

À son impact, juste au moment où elle tirait, Comyn bondit sur le coteau au-dessus de Fin, se retourna pour attaquer de nouveau, et la flèche passa exactement entre les deux.

Les deux hommes sursautèrent en la voyant, mais Fin récupéra plus rapidement. Avec une reprise de son épée et un petit mouvement de poignet, il envoya l'épée de Comyn tournoyer au-dessus de sa tête, puis tomber dans le lac en faisant une grande et satisfaisante éclaboussure.

Comyn hurla dans la direction des bois :

— Bâtard, idiot ! Tu m'as presque tué !

Mais c'est tout ce qu'il dit, avant que le poing de Fin ne touche le menton de son adversaire et que ce dernier s'effondre presque de la même façon que l'homme allongé à quelques mètres de Catriona.

La voix douce de Tadhg, venant de derrière, la fit presque sortir de son corps.

— Pour l'amour, m'dame, dit-il, vous avez raté le bandit. Il aurait eu meilleure apparence avec votre flèche dans la tronche !

Fin s'accroupit, attendant que l'archer caché se montre. Lorsque quatre silhouettes costaudes apparurent dans la lueur de la lune depuis les ombres de la forêt, il ressentit la même sensation de fatalisme qu'à Perth en se rendant compte qu'il était seul contre quatre hommes supplémentaires du clan Chattan. Rory Comyn se trouvait toujours allongé à l'endroit où il était tombé.

Alors que Fin se replaçait, il vit qu'il n'en était pas de même pour les autres. Puis, Tadhg et Catriona sortirent des bois derrière eux, et Boreas bondit vers lui.

Catriona se précipita devant les autres, et Fin l'attrapa dans ses bras.

— Ne me dis pas que tu as libéré nos hommes pendant que je jouais là-bas avec Comyn, jeune fille.

— Non, j'ai fait cela, dit Tadhg en dansant derrière elle. Vingt Comyn nous attendaient, nous, les neuf nouveaux gars, quand nous sommes arrivés par le bateau, Sir Fin. Mais lorsqu'ils ont bondi hors des bois, ils se sont précipités sur tous nos grands gars sans tenir compte de moi. Alors, dans la diatribe, je me suis couché au sol et me suis caché dans les buissons.

— C'est bien pour nous qu'il ait fait cela, dit l'un des hommes.

— Tadhg a été très courageux, dit Cat. Un jour, il fera un bon chevalier.

— Oui, je le serai, dit Tadhg. Celui-là que vous avez frappé en a pris un autre, et ils sont allés voir s'ils avaient eu tous nos observateurs. Alors, j'ai attendu longtemps, vous voyez, jusqu'à ce que je pense qu'ils ne reviendraient pas et que leurs gardiens étaient tous endormis. Puis, je me suis glissé et ai détaché deux de nos hommes. Mais celui-là et son homme sont alors revenus, alors nous devions nous coucher. Puis, les deux ont dit qu'ils feraient mieux de revenir au barrage. Tout de suite après, des épées faisaient un bruit métallique. Leurs gardiens regardèrent pour voir ce qui se passait, alors nos gars que j'avais libérés se sont occupés d'eux. Ensuite, nous avons libéré les autres.

— Tu as dit qu'il y avait deux hommes, Tadhg, mais je n'ai vu que Rory Comyn, dit Fin. Il m'a défié seul, mais il avait un archer caché dans les bois, parce que Comyn lui a hurlé dessus. Pour l'amour, mais vous avez dû avoir vu le type, les gars, ajouta-t-il. Il m'a tiré dessus juste avant que tu ne sortes de ces bois.

— Non, alors, elle n'a pas tiré sur *vous*! dit Tadhg avec indignation. Elle…

Fin avait déjà senti Catriona se figer. La tenant éloignée de lui, il dit sèchement avec stupéfaction :

— *Tu* as tiré cette flèche?

———◦○◦———

Catriona entendit de l'étonnement dans sa voix, mais espéra que la lueur de la lune ne se trouvait pas derrière lui, afin qu'elle puisse voir son expression. Ses mains la tinrent serrée.

Les autres hommes et Tadhg étaient devenus silencieux. Personne ne bougea.

— Je ne voulais que surprendre Rory, monsieur, car je pouvais voir que tu étais fatigué et que tu avais mal aux pieds, dit-elle. Je vous visais bien, tous les deux, vers le haut, mais il a sauté de ce côté juste au moment où j'ai lâché ma flèche, qui a frappé entre vous deux.

— Où as-tu trouvé l'arme? demanda-t-il.

Même si sa voix était douce, son ton augmenta la tension de Catriona.

Elle essaya de penser à la meilleure façon de répondre à la question.

— Tadhg, dit Fin. As-tu vu d'où provenait l'arme?

— Non, mais elle devait être au type allongé à ses pieds, dit le garçon. Deux de nos gars doivent être en train de le réveiller, maintenant. Je lui ai dit qu'elle aurait mieux fait de mettre cette flèche directement dans la grosse tête de ce Comyn, mais après vous l'avez frappé, alors tout va bien. Sera-t-il mort, Sir Fin?

— J'espère que non, car je veux le donner comme cadeau au Mackintosh. Mais d'abord, madame épouse, ajouta-t-il, je veux savoir comment tu as obtenu cet arc.

Sachant qu'il pouvait voir son visage mieux qu'elle ne pouvait voir le sien, et bien consciente de leur public, Catriona ne voulut pas discuter là de ce sujet.

— Nous devrions rentrer, dit-elle.

— Dans quelques minutes, dit-il, la note d'avertissement maintenant bien claire dans sa voix.

— Oui, très bien, dans ce cas. Mais tu n'aimeras pas cela, car lorsque j'ai vu cet homme, je…

Elle s'arrêta, quand ses oreilles affûtées entendirent un son étrange dans la nuit.

Fin l'entendit aussi et regarda vers l'extrémité nord du lac.

L'eau semblait calme, d'un argenté brillant à la lueur de la lune, mais elle perçut un raclement grinçant. Puis vint un mélange chaotique de sons plus bruyants, suivi de bruits plus faibles. Quelques instants plus tard, elle entendit des hommes crier au loin, une deuxième explosion de bruits et le grondement d'eau qui se déversait.

— Regarde, dit Fin. La surface du lac bouge.

— Le barrage a cédé ! s'exclama-t-elle.

Puis, elle se tourna vers lui avec un large sourire.

— Nous avons réussi !

Il mit un bras autour d'elle et la serra de nouveau contre lui.

— Oui, dit-il, nous avons réussi.

— Et pas trop tôt non plus, dit Tadhg. Regardez ces nuages. Je dirais qu'ils se rassemblent pour qu'il pleuve de nouveau avant demain matin, et je suis encore tout mouillé.

L'humeur de Fin s'était égayée, grâce à l'effondrement du barrage, mais Catriona savait qu'il n'avait pas oublié l'arc et la flèche. Elle était certaine qu'il avait déduit la plus grande partie de la vérité, car il ne pouvait imaginer qu'elle était simplement tombée sur eux par hasard.

Mais elle se demanda s'il était reconnaissant de ce qu'elle avait fait. Les hommes pouvaient se montrer imprévisibles, dans de telles situations.

∞∞

— Nous ne ramènerons pas Rory Comyn avec nous, monsieur, dit à Fin un homme qui s'était agenouillé devant Comyn. Sa tête est gravement entaillée. Il s'est probablement blessé sur cette roche lorsqu'il est tombé, quoique vous l'ayez peut-être fait vous-même quand vous l'avez frappé.

— Lui-même s'épargne ainsi le trouble de le pendre, dit un autre homme. Et je suppose que le vieux gentleman sera heureux de l'entendre. Allons-nous maintenant traverser, monsieur ?

Malgré la grande noirceur des nuages qui s'abaissaient au-dessus, la lune brillait quand même entre eux, et Fin reconnut un rameur parmi les prisonniers d'autrefois.

— Que pensez-vous de ce courant ? lui demanda-t-il. Et avons-nous un bateau ?

— Oui, bien sûr, monsieur, répondit l'homme. Le bateau est au débarcadère, car les bandits pensaient qu'ils le voulaient. Et nous ramerons en suivant le courant, ce qui sera aussi facile que de respirer. Revenir en ramant sera une autre histoire, jusqu'à ce que l'eau se calme de nouveau.

— Je ne veux pas que nous y allions tous, dit Fin. Les huit qui sont venus prendre la garde jusqu'à l'aube reste-ront, ainsi que tous ceux qui ont dormi. Traitez le corps de Comyn et les deux que vous trouverez près du débarcadère avec respect, car nous les rendrons à leurs familles. D'autres Comyn seront réveillés, si le torrent ne les a pas emportés, et il y en aura une vingtaine, alors gardez les yeux ouverts. Les autres viendront avec nous, si nous arrivons tous à embarquer.

Le rameur gloussa.

— Pour l'amour, si Lady Cat peut ramer avec vous et ce Boreas dans l'embarcation, je pense que nous pouvons ramer avec vous trois et nous dans notre bateau.

— Et moi ? demanda Tadhg précipitamment.

— Et toi, dit Fin en lui tapotant l'épaule.

Alors qu'ils se tournaient vers le débarcadère, Fin devint de nouveau conscient de l'eau qui coulait au nord et décida que le ruisseau était probablement maintenant une jolie cas-cade d'eau.

Ils firent le chemin du retour au château aussi facilement que les rameurs l'avaient prévu. Le bateau était plein à craquer, mais Fin savait que le poids supplémentaire aidait les rameurs à le garder sur le bon cap. Le courant étant plus fort dans les rétrécissements, les rameurs l'utilisèrent à leur avantage pour atteindre le débarcadère. Grâce à la lueur de la lune persistante et aux observateurs sur les remparts, Aodán et un autre homme d'armes s'y trouvèrent pour les aider à sortir du bateau et tirer celui-ci hors de l'eau.

Remarquant à quel point Catriona était devenue silencieuse, Fin mit un bras autour de ses épaules, alors qu'ils marchaient avec les autres jusqu'à la porte.

— As-tu froid, chérie ?

— Un peu, admit-elle, mais pas autant que je le devrais, probablement.

— Je ne vais pas te tuer, Cat, murmura-t-il près de son oreille.

— Mais je t'*ai* vexé.

— Un peu, oui, approuva-t-il. Mais pas autant que j'aurais pu l'être.

Tout en souriant, elle s'appuya contre lui.

— Dois-tu parler à grand-papa tout de suite ?

— Oui, et à tous ceux qui seraient réveillés. Nous ne réveillerons pas Rothesay ou Alex, car avec un bateau ici, nous pouvons facilement les faire partir tôt, si nécessaire. Mais tu vas monter directement et te mettre au lit, même si les autres nous attendent.

— L'un d'eux me donnera peut-être l'ordre de rester, dit-elle.

— Je ne le permettrai pas, dit-il.

Catriona le crut, même si elle n'était pas certaine que Fin pouvait annuler un ordre venant de Rothesay ou d'Alex, ou de son grand-père.

Toutefois, son grand-père était le seul dans la salle, lorsqu'ils y entrèrent, et même s'il lui lança un regard qui semblait montrer à moitié du soulagement et à moitié de l'énervement, il ne s'adressa qu'à Fin. Alors, quand Fin lui fit un signe de tête en indiquant l'escalier, elle lui tendit sa cape, qu'elle avait gardée enveloppée autour d'elle sans dire un mot.

— Elle t'aidera à garder ta dignité, monsieur, parce que ta tunique est encore humide, dit-elle. La cape te gardera aussi plus au chaud.

— Je me réchaufferai bien assez vite. Et si ce n'est pas le cas, tu pourras y voir, lorsque je me mettrai au lit.

Son corps réagit immédiatement à ces mots, et elle se précipita en haut de l'escalier, pour trouver Ailvie endormie sur une palette au pied de son lit. La servante se réveilla et se mit debout, s'exclamant devant l'apparence de sa maîtresse.

— Que fais-tu ici? demanda Catriona. C'est le milieu de la nuit.

— Oui, bien sûr, et que croyez-vous que j'ai pensé, lorsqu'Aodán m'a réveillée pour me dire que votre chaton miaulait si fort qu'il est monté se glisser dans votre chambre et a trouvé votre porte entrouverte, et vous nulle part?

— Oh, Ailvie, dit Catriona en comprenant maintenant l'expression sur le visage de son grand-père. Je suis désolée si mon absence t'a fait peur, mais j'étais avec Sir Finlagh, et maintenant je suis de retour.

— Vous l'êtes, oui, alors je ne demanderai pas pourquoi vous êtes mouillée de la tête aux pieds et sans doute frissonnant près de la crise. Je vais simplement vous enlever vos vêtements et vous mettre dans ce lit.

Elle partit rapidement, et Catriona resta allongée, nue dans le lit, avec un chaton ronronnant pour la réchauffer. Boreas ne l'avait pas suivie en haut, préférant sans doute la chaleur du feu dans la salle.

Écoutant le bruit apaisant d'une douce pluie dehors, elle s'attendait à s'endormir rapidement. Toutefois, au lieu de cela, elle se retrouva rapidement en train d'essayer d'imaginer ce qui se passait en bas et ce que Fin pourrait lui dire lorsqu'il viendrait au lit.

Le temps qu'il arrive, elle sommeillait, mais le bruit sec du loquet la réveilla complètement. Lorsqu'elle reconnut sa silhouette contre la lueur du flambeau provenant du palier, elle demanda :

— Qu'est-ce que grand-père a dit ?

— Vu que tu es réveillée, je vais allumer une bougie ou deux, dit-il.

En prenant une d'une petite table qui se trouvait tout près, il l'alluma avec le flambeau, puis l'utilisa pour en allumer deux autres. Une fois qu'il eut terminé, il ôta sa cape et sa tunique, les mit de côté et se glissa dans le lit à côté d'elle. Le chaton fila.

— Tu es chaud, murmura-t-elle tandis qu'il la ramenait près de lui. Mais je ne sais pas pourquoi tu as allumé des bougies, si c'est seulement pour venir au lit.

— Tu ne sais pas ?

Il déplaça une main pour prendre son sein gauche, brossant son mamelon avec son pouce.

— Qu'a dit grand-papa ? lui demanda-t-elle de nouveau, essayant d'ignorer les sensations qu'il éveillait en elle assez longtemps pour obtenir une réponse à sa question.

— De ne pas t'inquiéter, dit-il.

— Fin, si me faire attendre pour savoir est une autre de tes façons de punir…

— Ce ne l'est pas, chérie, je veux simplement faire l'amour à ma femme.

— Et alors, tu le peux, mais à propos de… ?

— Je te l'ai dit, il a dit de ne pas t'inquiéter — ni d'Albany ni de Douglas. Il a dit que le temps et nos hommes qui attendent en grand nombre de les rencontrer les reconduiront.

— Les rivières *gronderont* haut, dit-elle en hochant la tête. Pas seulement à cause de la pluie, mais aussi parce que la pluie est chaude et fera fondre ce qu'il reste de neige. Il doit y avoir quelques gués suffisamment sûrs à utiliser n'importe où dans les alentours ou à Glen Garry.

— Alors, c'est ce qu'il dit, oui, mais nous entendrons parler de tout cela demain.

— As-tu dit à grand-papa que j'étais avec toi au barrage ?

— Oui, je le lui ai dit. Il a demandé les détails, Cat, alors je lui ai tout raconté.

Elle soupira.

— Il aura beaucoup à me dire, ainsi que mon père et Ivor.

— Je ne crois pas, mon amour.

— Tu ne penses pas ?

Le nouveau signe d'affection la réconforta.

— Il s'attendra peut-être à ce que j'aie des choses à dire, ou même des choses que je devrais faire, mais je suis ton mari, maintenant, alors il ne s'en mêlera pas. Pas plus que ton père, je pense.

Il ricana alors.

— Je ne parlerai pas au nom d'Ivor.

— Ah, mais tu peux me protéger contre lui. Même lui dire que tu es bien meilleur que lui avec une épée.

— Je le suis, mais tu ne le pensais pas, ce soir, n'est-ce pas ?

Elle déglutit bruyamment, puis une douleur remplit sa gorge. Vu qu'il ne poursuivit pas, elle sut qu'il attendait qu'elle parle, qu'elle s'explique au sujet de l'arc et lui dise pourquoi elle avait tiré la flèche.

— Ce n'est pas ce que tu croyais, dit-elle.

— Comment sais-tu ce que je croyais ?

— Tu viens juste de me le dire, répondit-elle. J'étais terrifiée pour toi, car je pouvais voir que tes pieds étaient endoloris. Et ce vilain homme était sur le point de te tirer dessus depuis les bois.

— Oui, mais je suis curieux à ce sujet. Comment se fait-il qu'il ait échoué ?

Choisissant la vérité, elle dit :

— Il se concentrait sur ce qu'il allait faire, alors j'ai grimpé furtivement et l'ai frappé avec une solide branche que j'ai trouvée près d'une chute d'eau asséchée.

— Et ensuite ?

Sa voix comportait un son étrange et serré, alors elle décida qu'elle ferait mieux de ne pas le regarder jusqu'à ce qu'elle lui ait tout dit.

— Je t'ai vu trébucher deux fois.

— Comyn a aussi trébuché, à plusieurs reprises. Ce chemin est rocheux. Tu le sais bien.

— Oui, mais je ne l'ai jamais *vu* trébucher, et l'arc se trouvait juste là. J'ai pensé que je pouvais le surprendre, si je tirais une flèche près de lui. Je n'ai jamais eu l'intention qu'elle passe entre vous deux. Je pourrais... Dieu du ciel, j'aurais pu t'atteindre!

Au départ, elle crut qu'il tremblait, même qu'il frissonnait. Mais ensuite, elle se rendit compte qu'il tremblait davantage, et elle le regarda.

— Tu ris!

— Je... Oui, approuva-t-il en pouffant presque de rire. T'imaginer simplement en train de marcher vers lui et de flanquer une claque à ce scélérat...

— ⚬ —

Fin eut l'impression qu'elle semblait sur le point de le tuer, alors il l'embrassa et dit :

— Tu m'as très probablement sauvé la vie encore une fois, chérie, et je sais que tu n'aurais pas tiré sur moi. Si tu avais tiré sur quelqu'un, cela aurait été sur Comyn pour avoir été assez idiot de bondir devant ta flèche.

— Es-tu en train de suggérer que pour que j'arrive à atteindre quoi que ce soit, il faudrait que cela bondisse devant moi? demanda-t-elle.

— Non, ce n'est pas ce que je dis. Souviens-toi que tu m'as dit que tu sais tirer. J'en avais déduit que c'était Ivor qui t'avait appris, et même si je doute que tu sois aussi adroite au tir que lui, je te ferais confiance; tu ne me tirerais pas dessus par erreur. Appelle cela de la confiance instinctive, si tu veux. Je ne pense pas que je serais assez idiot pour croire une telle chose, simplement parce que je t'aime.

— Vraiment?

— Peux-tu en douter? Aurais-je fait confiance à une jeune fille que je n'aime pas ou qui ne m'aime pas au point de la laisser se trouver sur moi pendant que j'étais sous l'eau à percer des trous dans ce barrage diabolique?

— Tu peux faire confiance à tes instincts, monsieur, dit-elle en posant une douce main contre sa joue. Je t'aime et j'ai vu que tes instincts sont judicieux.

— J'aurais dû moi-même leur faire confiance bien avant maintenant, dit-il d'un ton sérieux. J'en suis venu à m'en rendre compte, pendant que je perçais ces trous.

— Ma foi, comment?

— Vu que je ne croyais pas utile de réfléchir à ce qui pourrait se passer si le poids de l'eau seul arrivait à faire tomber ce barrage, ni de me tracasser au sujet de l'eau glacée, j'ai focalisé mon esprit sur d'autres choses. Peut-être que cela sera plus facile si j'explique qu'une fois, j'ai dit à Ian que je croyais en l'enseignement par leurs propres erreurs pour les hommes, car je pense que cela leur apprend à prendre de meilleures décisions. Ensuite, tu m'as demandé si l'entraînement d'un homme n'était pas la meilleure façon pour développer les instincts en lesquels il fait confiance lors d'une bataille... et dans la vie, en fait. Tu m'as aussi rappelé qu'un homme honorable ne peut pas tuer pour protéger son honneur. Bref, jeune fille, j'en suis venu à comprendre qu'une personne peut prendre une décision en ne la prenant *pas*. J'ai fait cela.

— Ton dilemme, dit-elle. C'est alors ce que tu pensais ? Cela veut-il dire que tu es maintenant prêt à m'en parler ?

— Je me suis dit que tu devais avoir vite déduit que l'ami qui avait le dilemme dont je t'ai parlé était moi. Je peux me souvenir d'Ivor racontant ce genre d'histoires avant d'apprendre qu'il pouvait tout me dire.

— Tu as raison, dit-elle. Qui était le parent que tu as trouvé mourant ?

— Mon père.

— Oh, Fin.

Elle se rapprocha et l'entoura de ses bras.

— Et qui… ?

Elle se raidit, mais se détendit rapidement.

— Ton père était le chef guerrier, dit-elle. Alors, il aurait voulu vengeance contre mon père, au moins. Et tu es venu ici…

— Je suis venu parce que Rothesay m'a envoyé. Je ne savais pas que Shaw était ton père, jusqu'à ce que tu me le dises, et j'ai accepté votre hospitalité ici parce que je devais voir le Mackintosh. Mais, chérie, ce que j'essaie de te dire, c'est que j'avais déjà choisi entre ces deux serments. C'est juste que je ne le savais pas. Cat, la bataille à Perth date d'il y a quatre ans et demi. Si j'avais pensé que tuer ton père était juste…

— Tu l'aurais fait depuis longtemps, oui. Je vois cela. Alors, je suis d'accord sur le fait que tu as pris la décision sans t'en rendre compte, simplement en ne choisissant pas. Cela s'appelle l'instinct, non ? Mais il aurait mieux valu, je crois, que tu aies compris depuis longtemps le simple fait qu'il vaut toujours mieux choisir la vie plutôt que la mort.

— Oui, peut-être, mais je suis un guerrier, chérie, et un bon. La probabilité est que je tuerai de nouveau, et tu le sais.

— Je le sais, mais je ne veux pas parler de guerre ou de tuerie maintenant. Je veux que tu me prennes dans tes bras. Et en fait, monsieur, si tu veux me prendre, tu ferais mieux de le faire bientôt, car autant je t'aime, autant je suis si fatiguée que je peux à peine garder les yeux ouverts.

— Tu ne sais pas à quel point je suis heureux d'entendre cela, murmura-t-il en l'embrassant. Je vais éteindre ces bougies.

— Il y a quelque chose que je devrais te dire, moi aussi, dit-elle. Vois-tu, pendant ces quatre années et demie, j'ai cru que tous les Cameron étaient des fils du diable. Ensuite, je t'ai rencontré et en suis venue à te voir comme un bon ami. Alors, plus tard, que tu sois un Cameron ne m'a pas paru si terrible. Mais j'ai supposé que ta famille verrait les Mackintosh comme je voyais les Cameron. Puis, j'ai rencontré Ewan, et il était juste ton frère, et moi, ta femme. Je doute que je l'aie perçu comme un méchant Cameron, même lorsque tu m'as dit qui il était. Je l'apprécie, et je veux voir le château Tor avec toi.

— Je pense quand même que nous passerons la plupart de notre temps au château Raitt, dit-il. Mais nous verrons Ewan souvent aussi. Et nous passerons Noël tous ensemble au château Tor.

⬦

Cat le regarda éteindre les bougies et le sentit remonter dans le lit, mais elle n'en sut pas plus jusqu'à ce que le chaton demande d'être libéré le lendemain matin. Même là, elle remarqua à peine Fin se lever pour le laisser sortir et se rendormit avant qu'il ne revienne.

Lorsqu'il la réveilla, la lumière du soleil de la mi-journée entrait par la fenêtre ouverte, et il était déjà habillé.

— Il est presque l'heure de manger, dit-il. Et Ivor est revenu.

— Déjà ?

— Oui, et terriblement énervé.

Elle releva les sourcils.

— Pourquoi ? S'il est rentré, alors Albany doit être retourné dans les Cairngorms. Alors, quelle que soit la nuisance qu'il avait l'intention de provoquer…

— Nous n'avons plus besoin de nous en inquiéter pour le moment, dit-il. Mais même si l'armée qui a essayé de traverser par là brandissait une bannière royale, c'était Sir Martin Redmyre, un des capitaines d'Albany, qui la menait. Il n'y avait aucun signe de la présence d'Albany ; c'est ce qu'Ivor a entendu de la bouche des observateurs qui l'ont rencontré et qui lui ont dit que le temps sur le haut col les avait vaincus. Il serait rentré plus tôt, s'il n'avait pas plu aussi fort, mais ils ont trouvé un abri et se sont fait un campement. Alors, il est aussi ennuyé d'avoir raté tout ce qui s'est passé ici. Et ton père a envoyé un messager.

— Alors, il doit avoir dirigé les hommes de Douglas à Glen Garry.

— Oui, et de même sans une bataille, dit Fin. Il a envoyé deux types devant pour rencontrer Douglas, prétendant être un Comyn. Ils lui ont dit que Rothesay et Alex avaient filé et l'ont assuré que le temps diabolique empêcherait l'autre armée d'arriver à traverser les hauts cols. Ils ont également mentionné que l'armée de ton père attendait au sommet de la vallée encaissée. Douglas a immédiatement fait demi-tour.

— Mais Rothesay n'a toujours pas d'alliance, dit-elle.

— Alex fera ce qu'il pourra, mais Donald ne fera rien, dit Fin en enlevant sa tunique. Le messager de Shaw a aussi apporté encore plus de mauvaises nouvelles. Douglas a dit à ses hommes que la reine est souffrante. Ils disent que ce n'est pas grave, mais Rothesay est contrarié.

— Comme le serait n'importe qui, dit-elle. Elle est sa mère, après tout.

— Elle est plus que cela, jeune fille. Elle est sa plus grande alliée. Annabella Drummond a des alliés puissants à elle. Mais sans elle pour les remuer à sa défense, ils pourraient ne pas être aussi désireux de le soutenir. Si Davy la perd...

— Il aura encore moins d'amis que maintenant, dit-elle. Pourquoi enlèves-tu tous tes vêtements, si nous sommes sur le point de déjeuner, monsieur ?

— Parce que nous pouvons avoir à manger n'importe quand, mon amour, et je crois qu'hier soir, nous avons commencé quelque chose que nous étions tous les deux trop exténués pour terminer. De plus, ainsi, je peux t'apprendre plus de manières de me faire plaisir.

Après cela, leurs activités prirent un sens d'urgence. Dès qu'il s'allongea à côté d'elle, elle sentit son sexe se dresser impatiemment contre elle, cherchant son nid. Son propre corps réagit immédiatement, mais Fin descendit plus bas, la serrant, la taquinant avec ses caresses et l'embrassant, s'attardant à goûter ses seins pendant qu'une main cherchait à savoir si elle était prête pour lui.

Elle savait qu'elle l'était, mais il prit son temps pour l'embrasser lentement le long de son corps, le taquinant encore, jusqu'à ce qu'elle le supplie de la laisser. Enfin, saisissant une poignée de ses cheveux, gloussant, elle se retourna en se redressant et essaya de se libérer de sous son corps. Mais il l'attrapa et la pressa sur son dos, s'allongeant sur elle comme il l'avait fait à Moigh, avec un large sourire.

— Veux-tu me conquérir, jeune fille ?

— J'ai pensé que je pourrais essayer, dit-elle, les yeux brillants.

— Pour l'amour, je vais moi-même te montrer comment.

Elle avait déjà appris des manières de l'exciter, mais il lui en montra quelques autres, et elle obéit impatiemment à ses instructions. Il lui apprit aussi de nouvelles façons qui l'exciteraient, elle, surtout avec sa langue agile.

Mais à la fin, il la prit rapidement et avec force, demandant encore et encore d'elle, jusqu'à ce que leur passion les envoie finalement s'élancer vers l'extase.

Après, allongée dans les bras de son mari, rassasiée, Cat ronronna.

Cher lecteur, chère lectrice,

J'espère que vous avez apprécié *Le maître des Highlands*. L'histoire vient d'une légende des Mackintosh concernant les Comyn condamnant un lac. L'incident n'a jamais été daté, mais il s'est probablement produit au château Moigh ou sur l'île du château à Loch an Eilein, connu sous le nom de Rothiemurchus (comme l'était alors la plus grande partie de Strathspey jusqu'à aujourd'hui). J'ai choisi de situer l'intrigue à Rothiemurchus, car le bassin dans lequel est assis Loch an Eilein me paraissait être un endroit plus vraisemblable pour un tel barrage efficace que ne le serait Loch Moy.

À l'époque médiévale, les loups étaient courants en Écosse et dans la partie nord de l'Angleterre, et il y a de nombreuses légendes sur leur extinction. Le dernier loup au nord-est de l'Écosse est mort à Kirkmichael, Banffshire, en 1644. Sir Ewen Cameron de Lochiel à Killiecrankie a tué le dernier à Perthshire en 1680. Et un MacQueen, administrateur au service du seigneur Mackintosh, a tué le tout dernier loup en 1743 (*Dictionary of Scottish History*).

La bataille de clans à Perth en septembre 1396 a été beaucoup étudiée, mais une controverse subsiste pour déterminer quels deux clans furent précisément impliqués. Presque tous les historiens sont d'accord quant au fait que le vainqueur fut le clan Chattan, mais nombreux sont ceux qui ont suggéré que d'autres clans que celui des Cameron aient été leurs adversaires. Le seul qui me paraisse logique est le clan Cameron.

Le clan Cameron ne fut pas seulement une autre confédération puissante, mais une confédération ayant suscité continuellement des querelles avec le clan Chattan, surtout les Mackintosh, à propos de territoires que les deux réclamaient. Qu'une dispute incessante entre deux confédérations, avec de nombreuses tribus dans chacune, ait pu causer suffisamment d'ennuis dans les Highlands pour faire en sorte que le roi se déplace en personne pour intervenir a du sens.

De plus, une trêve qui a commencé peu de temps après la bataille de clans a effectivement existé entre les deux pendant de nombreuses années. Mais l'issue légale n'a été résolue qu'au XVI<sup>e</sup> siècle, lorsque les cours de justice ont penché en faveur des Mackintosh. Il existe un point de friction concernant le fait que ce soit le clan Cameron qui ait été le deuxième clan ; ils auraient continué d'habiter à Loch Arkaig, à Lochaber, qui était le territoire disputé. Logiquement, les Mackintosh auraient dû être en mesure de les chasser.

Toutefois, j'ai consulté mon chef expert, et nous avons été d'accord que ma solution à cette question pour *Le maître des Highlands* était la plus probable, étant donné les circonstances.

Les armées d'Albany et celles de ses alliés ont fréquemment tenté de poursuivre des Highlanders dans les Highlands, mais elles ont rarement réussi.

Des lecteurs me demandent souvent où je trouve des renseignements sur les cérémonies de mariage. Les paroles pour celle dans ce livre proviennent d'un missel utilisé sous le règne de Richard II d'Angleterre (1377-1399). À cette époque, les rites des Églises tant écossaises qu'anglaises dérivaient de ceux des romaines, alors les cérémonies auraient été les mêmes.

Après avoir servi en tant que capitaine du clan Chattan pendant près de quarante ans, Lachlan Mac William Mackintosh est décédé à un âge avancé en 1407, laissant par son épouse Agnes, fille de Hugh Fraser de Lovat, un fils nommé Ferquhard qui lui succéda, et une fille, dont le prénom n'était probablement pas Ealga, qui épousa Chisholm de Strathglass, et non Shaw Mackintosh. Celui-ci épousa « une fille de Robert Mac Alasdair Vic Aona », donc sa fille dans mon histoire, Catriona, est purement fictive, ainsi que Fin.

Mes sources pour *Le maître des Highlands* incluent *The Confederation of Clan Chattan, Its Kith and Kin*, de Charles Fraser-Mackintosh de Drummond, Glasgow, 1898 ; *The House and Clan of Mackintosh and of the Clan Chattan*, de Alexander Mackintosh Shaw, Moy Hall, n.d. ; et, bien sûr, le toujours impressionnant Donald MacRae.

Je dois aussi remercier mon webmestre, David Durein, d'avoir partagé ses connaissances d'expert et son expérience personnelle pour avoir à la fois créé et enlevé un barrage situé dans un endroit similaire, mais bien intentionné, et Julie Ruhle, toujours efficace, qui me garde saine d'esprit en s'occupant des futilités quand elle le peut.

Comme toujours, je remercie mes merveilleux agents, Lucy Childs et Aaron Priest ; mon éditrice fantastique, Frances Jalet-Miller ; mon éditrice senior, Selina McLemore ; ma directrice de production, Anna Maria Piluso ; mon extraordinaire relecteur, Sean Devlin ; ma directrice artistique, Diane Luger ; l'artiste de la couverture, Claire Brown ; ma directrice éditoriale, Amy Pierpont ; la vice-présidente et éditrice en chef, Beth de Guzman ; et toutes les autres personnes chez Hachette Book Group Grand Central Publishing/Forever qui ont contribué à ce livre.

Si vous avez aimé *Le maître des Highlands*, veuillez vous procurer *Le héros des Highlands*, l'histoire de Sir Ivor Mackintosh, une jeune femme impertinente qui ne tient pas compte de son tempérament infâme (et qui se trouve être la pupille du roi), et d'un prince âgé de sept ans qui a l'habitude de donner des ordres à tout ce qui l'entoure.

En attendant, *suas Alba* !

Sincèrement,

Amanda Scott

www.amandascottauthor.com

# NE MANQUEZ
# PAS LA SUITE

*Les chevaliers écossais*

# AMANDA SCOTT

*Le héros des Highlands*

## Chapitre 1

*Écosse, château Turnberry, 19 février 1402*

Sa peau nue était aussi douce que la robe en soie qu'elle portait avant qu'il ne l'aide à l'enlever. Le bout de ses doigts glissait sur elle, caressant un bras nu, une épaule nue, son creux soyeux, et ensuite la douceur encore plus grande d'un sein se soulevant de désir pour lui.

Tenant dans sa main sa douceur, il effleura son mamelon avec son pouce, appréciant pendant ce temps ses gémissements passionnés et son corps qui s'arquait tandis que le bout durcissait.

Une partie de lui avait aussi durci. Son corps entier avait un désir ardent de conquérir la beauté luxuriante qui se trouvait dans son lit, mais même s'il était un homme impatient, il en était aussi un qui aimait prendre son temps avec les femmes. L'expérience — plutôt grande — lui avait appris que l'accouplement était meilleur pour les deux quand il allait lentement.

Aucun des deux ne dit mot, car il appréciait rarement la conversation en de tels moments. Préférant savourer les sensations, il choisissait des partenaires qui ne lui parlaient pas.

Les stimulant tous les deux avec ses baisers, il déplaça un bras sur elle, se positionnant pour la prendre. Tandis qu'elle ouvrait ses jambes pour l'accommoder, elle caressa son corps avec ses mains, ses doigts, sa langue, faisant réagir chaque nerf.

Il trouva de plus en plus difficile de résister à simplement la prendre, la dominer et lui montrer qui était le maître dans son lit.

Le lit se déplaça légèrement à cette pensée, et il eut une brève semi-conscience qu'il rêvait — brève, car il balaya impitoyablement cette idée à moitié formée, de peur que, si c'était vrai, il se réveille trop tôt.

D'une manière quelconque, de cette façon bizarre qu'ont les rêves de changer les choses, la beauté s'était déplacée sur un côté de lui, et il ne fut plus possible pour lui de la voir dans l'obscurité. Encore plus fou de désir, il se déplaça pour accommoder le nouvel arrangement.

Trouvant la chaleur et la douceur soyeuse de la peau de son épaule, il toucha de nouveau ses seins, se soulevant sur son coude et s'allongeant en même temps sur elle. Il sentit son corps se raidir, et lorsque sa main chercheuse trouva un doux sein, il lui parut plus petit qu'auparavant, bien qu'aussi bien fait et tout aussi doux. Pour l'amour, la *femme* elle-même sembla plus petite.

Mais encore plus bizarrement, il toucha là de la véritable soie, au lieu d'une peau nue.

Nullement découragé, il ignora sa rigidité croissante et glissa sa main vers le bas pour enlever cette soie énervante du chemin et atteindre son objectif premier.

Comme il glissait sa main le long d'une cuisse soyeuse, son corps se souleva. Un cri haletant se fit entendre près de son oreille droite et, dans un débordement de mouvements, elle se libéra de son emprise.

Se précipitant hors du lit, elle réussit en cours de route à lui porter un coup de poing stupéfiant sur la joue. Puis, il ne vit que des éclairs de mouvements et de la lumière. Avant qu'il ne parvienne à reprendre suffisamment ses esprits pour se rendre compte qu'il était réveillé et qu'il s'amusait avec une femme inconnue — mais très séduisante — dans *son* lit, un bruit près de la porte lui fit comprendre qu'elle fouillait dans le meuble qui se trouvait là.

Bondissant hors du lit, il s'élança vers elle, mais la porte se referma juste au moment où il l'atteignit, frappant fort ses doigts étirés et sa main.

La lueur d'une torche dans le corridor révéla des cheveux longs, épais, roux foncé, ainsi qu'une robe terne enfilée rapidement par-dessus un jupon rose qui dissimulait à peine de longues et magnifiques jambes, des hanches arrondies et une petite taille cruellement tentante, alors qu'elle courait. Sa main douloureuse et sa joue piquante lui fournissaient une excellente raison pour une vengeance. Mais il avait à peine commencé à la pourchasser qu'il se souvint de son propre état de rigidité dénudée, et il reprit ses esprits.

Pourchasser une beauté nubile au cœur de la nuit dans un état tel que le sien à ce moment-là pourrait attirer les faveurs, dans certains établissements pour hommes. Mais l'imposant château royal Turnberry n'était assurément *pas* un de ceux-là.

<hr />

La jeune femme qui longeait à toute allure le corridor n'osa pas regarder derrière elle, de peur que son poursuivant la connaisse et la reconnaisse. Mais alors qu'elle saisissait la poignée de la porte de la nursery royale, elle ne put s'empêcher de regarder en arrière, et sentit une bouffée de soulagement en voyant que le corridor faiblement éclairé derrière elle était vide.

Elle avait été certaine qu'il la poursuivrait. Mais quel embêtement cela aurait été, s'il l'avait fait — et, pire encore, s'il l'avait reconnue ou vue suffisamment clairement pour la reconnaître plus tard !

Poussant la porte de la nursery pour l'ouvrir, elle entra rapidement. Puis, elle referma doucement la porte, mit le crochet en place et la verrouilla, remerciant Dieu en constatant qu'Hetty ne l'avait pas déjà fait.

Se sentant enfin en sécurité, elle remarqua, dans la lumière de l'unique flambeau qui brûlait encore dans la chambre et dans la lueur plus faible de braises du feu bien entassé, qu'Hetty était profondément endormie sur une palette près du foyer. Dans le coin le plus éloigné de la chambre, les rideaux tirés d'un lit à baldaquin l'avertirent de réveiller Hetty doucement.

Se déplaçant jusqu'à la palette, tout en écoutant des sons provenant du corridor qui pourraient annoncer une recherche par l'homme qui avait dormi dans le lit d'Hetty, elle secoua gentiment la maîtresse dodue d'âge moyen de la nursery royale.

— Hetty, réveille-toi, murmura-t-elle. Oh, ne hurle pas, mais réveille-toi !

Les yeux de la femme s'ouvrirent d'un coup, et elle se redressa.

— Ma lady ! s'exclama-t-elle.

Puis, baissant le ton, elle ajouta :

— Que fais-tu ici ?

Lady Marsaili Drummond Cargill, âgée de dix-huit ans, grimaça.

— Je n'arrivais pas à dormir, Hetty. Je suis allée dans ta chambre et ai grimpé dans ton lit, comme j'avais l'habitude de le faire, mais…

— Oh ! Tu n'as pas fait une telle chose ! Pas ce soir, de toutes… ! Alors, quelle heure est-il ?

— Je ne sais pas. Minuit, je crois. Oh, Hetty…

— Pour l'amour, l'homme de Son Excellence a dit…

— Quelqu'un était *dans* ton lit, Hetty. Un homme !

— N'était-ce pas ce que j'étais en train de te dire ? Le gentleman du roi…

— Ce ne pouvait pas être Dennison, dit Marsaili. Dennison ne ferait jamais…

— Maintenant, chut, vas-tu te taire? J'essaie de te le dire, si tu veux bien m'écouter. Pour l'amour, je croyais que tu avais appris à refréner de tels idiots et impulsifs…

— Hetty, l'homme était nu!

Henrietta Childs, maîtresse de la nursery royale, saisit fermement Lady Marsaili par les épaules, la secoua et la regarda droit dans les yeux.

— Lady Marsi a fait! Dis-moi tout de suite, l'homme était-il réveillé?

— Pas au début.

— Au début!

Hetty avait prononcé plus fort ces mots, et, avec un regard rapide vers le lit à rideaux dans le coin, elle baissa le ton et dit en chuchotant :

— Qu'a-t-il fait?

— Il a roulé sur moi, et… et, avant que je ne m'aperçoive que ce n'était pas toi…

— Oh là là, t'a-t-il touchée?

Se rappelant puis ressentant instantanément les sensations fortes et jusqu'ici inconnues, mais des plus agréables, que son toucher avait d'abord provoquées en elle, Marsi déglutit. Mais Hetty avait un air féroce, et Hetty la connaissait depuis le berceau, chaque mot et chaque regard le lui rappelant, alors Marsi dit :

— Oui, il m'a touchée. Mais il ne m'a pas vue, Hetty. J'ai bondi hors du lit, saisi ma robe et filé jusqu'à toi.

— «Saisi ta robe», dis-tu? Qu'as-tu d'autre en dessous?

— Mon jupon. Mais, Hetty, qui est-il?

— Je ne connais pas son nom, et je ne parlerai de lui à personne.

— Hetty, c'est moi. À qui le dirais-je ? Je n'ai pas d'autre amie dans tout ce château à part toi, et je n'en ai pas eu depuis le décès de tante Annabella. De plus, ils disent que le duc d'Albany est en ce moment en route pour venir à Turnberry. Il pourrait arriver demain, et sinon mardi. Son Excellence m'a avertie que le duc est des plus impatients d'arranger mon mariage et qu'il n'a pas l'intention d'attendre toute l'année pendant laquelle je *dois* attendre de façon à pleurer comme il se doit la mort de tante Annabella.

— Ma lady, je sais bien que le duc d'Albany vient à Turnberry bientôt. Tu vois, c'est pour cela que cet homme dort en ce moment dans mon lit.

— Il est l'homme d'*Albany* ?

— Non, il ne l'est pas.

Hetty regarda vers le plafond, comme si elle cherchait à être guidée depuis en haut. Puis, prenant une inspiration et laissant échapper l'air, elle dit :

— Alors, je vais te le dire, mais seulement pour que tu n'essaies pas d'aller trouver par toi-même, comme je sais que tu le feras si je ne te le dis pas. Mais tu ne dois souffler mot de ce que je dis à personne d'autre. Jure-le maintenant.

— Tu sais que je ne le dirai à personne, dit Marsi. Je garde les secrets encore mieux que je ne les déniche, Hetty, et tu le sais très bien.

— Oui, en effet, sinon je ne te dirais rien à propos de ceci. Mais l'avenir de ton petit cousin Jamie pourrait en dépendre, alors veille à tenir ta parole. Vois-tu, Son

Excellence a fait envoyer cet homme pour éloigner notre garçon d'ici avant qu'Albany n'arrive.

— Loin ? Mais quand partiront-ils, et où vont-ils l'emmener ?

— Dennison n'a pas dit *où* nous irons, répondit Hetty. Je n'ai pas été assez impudente pour le lui demander. Mais nous pourrions partir aussi tôt que demain, car je devais préparer des bagages pour Jamie.

— Oui, bien sûr, Son Excellence *doit* vouloir que Jamie soit loin immédiatement, si Albany est en route pour venir ici. Rappelle-toi qu'Albany a dit à notre chère Annabella qu'il s'occuperait de Jamie et de Davy, et qu'il les protégerait contre tout mal. Mais elle craignait qu'il ait l'intention de prendre en charge Jamie dès qu'il le pourrait, après son départ, et qu'il l'utilise comme pion chaque fois qu'il croirait que cela lui permettrait d'obtenir ce qu'il veut, exactement comme il a l'intention de se servir de moi. Après, s'il a Jamie sous son pouvoir, lorsque le roi mourra et que rien ne devrait arriver à Davy…

— Jamie serait alors la seule chose qui se tiendrait entre Albany et le trône, dit Hetty. Aussi impitoyable que peut l'être Albany, la vie même de notre garçon pourrait alors être en danger.

— Mais j'aurais souhaité que vous ne soyez pas obligés de partir, Hetty, ni l'un ni l'autre.

— J'aurais préféré que nous ne soyons pas obligés de partir non plus, dit Hetty. Je sais bien que tu nous manqueras amèrement. Mais si nous restons et qu'effectivement Albany vient, il vous prendra vraisemblablement tous les deux en charge, s'il a l'intention d'arranger *votre* mariage immédiatement. Et je doute qu'il me laisse alors vous accompagner, l'un ou l'autre.

— Ma foi, j'aimerais qu'Albany se souvienne que je ne suis pas sa pupille, mais celle du roi, dit Marsi. Décidé comme il l'est à me marier à son lèche-bottes Redmyre et conscient comme il doit l'être que tante Annabella a soutenu mon refus de l'union, je doute qu'il prête attention à mes protestations, surtout si Jamie échappe à sa prise.

— Mais il pourrait avoir à le faire, dit Hetty. Même s'il est le frère du roi et que sa volonté est *bien* plus forte, Sa Majesté lui a déjà tenu tête auparavant.

Marsi émit un grognement pas très féminin.

— Oui, en effet, mais rarement. Tu sais aussi bien que moi que Son Excellence ne peut pas tenir longtemps, si Albany le prend seul et dit qu'il doit faire comme il le souhaite. Que puis-je faire, Hetty ? Albany m'a menacée de me punir d'une manière terrible, si je ne lui obéis pas, et, à vrai dire, il me terrifie.

— Oui, il terrifie la plupart des gens qui ont une once de bon sens.

— Viens avec nous, Marsi, claironna une troisième voix. Où que nous allions, ce devrait être un endroit plus gai que Turnberry le sera pendant que mon oncle Albany attendra ici.

Les deux femmes se tournèrent vers le lit à rideaux, où la tête aux cheveux châtain-roux ébouriffés du cousin de Marsi, James Stewart, comte de Carrick, apparut entre les rideaux bleus.

— Jamie, nous écoutais-tu ? demanda Marsi. Vilain petit gars !

— Je n'arrivais pas à dormir, dit d'un ton sérieux le garçon aux yeux foncés qui se trouvait en deuxième place pour la successsion du trône d'Écosse, avec une voix, comme toujours, lui donnant l'air plus âgé que ses sept ans et demi.

Hetty se leva et attrapa une robe jaune en soie qui était déposée sur un tabouret tout près.

— Je vais te faire chauffer du lait, monsieur, dit-elle. Cela te calmera de nouveau.

— Je ne veux pas de lait. Dois-je te donner l'ordre de venir avec nous, Marsi ?

— Oh, Jamie, j'aurais aimé que tu le puisses. Mais tes manières royales ne me trompent pas, jeune garçon. Tu crains ton oncle Albany presque autant que moi.

— Oui, c'est vrai, mais il ne pourra trouver aucun de nous, si nous ne sommes pas ici, fit remarquer James. Lorsqu'il quittera Turnberry, nous pourrons revenir et être de nouveau à l'aise avec mon sire royal. Viens avec nous, Marsi. Tu sais me faire rire, et pas Hetty.

Marsi hésita, tournant d'un air absent la bague en or que sa tante Annabella lui avait donnée, tout en réfléchissant à la proposition de Jamie.

Hetty lui lança un regard sévère.

— Lady Marsi, tu ne le dois pas. Pour une fois, je t'en prie, prête attention à la vieille Hetty qui te connaît le mieux. Et tiens compte des conséquences, si tu commets un acte aussi idiot. Tu es de la noblesse, ma lady, et encore une jeune fille ! Tu serais le sujet de conversation de toute l'Écosse, quand cela se saurait que tu t'es enfuie. Sans parler de ce que ferait Albany quand il te trouverait, *comme* ce serait le cas. Cet homme croit qu'il a autant le droit que le roi de te donner des ordres concernant ton avenir, et tu as dit toi-même que Son Excellence sera probablement d'accord avec lui.

Mais Marsi tenait rarement compte des conséquences. Avant que ses parents aimants ne décèdent et la laissent pupille de sa tante, la reine des Écossais, la plupart des conséquences en avaient été d'agréables. Et lorsqu'elles ne l'avaient pas été, elles s'étaient presque toujours vite terminées.

Toutefois, maintenant qu'Annabella était morte et qu'elle ne pouvait plus la protéger, le prix de rester pour affronter seule Albany pourrait être encore pire qu'elle ne l'avait imaginé.

— Je pourrais me faire passer pour ton assistante, Hetty, et t'aider à t'occuper de Jamie.

— Et *je* pourrais t'aider à surveiller Marsi, Hetty, dit James en souriant.

Henrietta regarda Marsi froidement.

— À quoi pensais-je, lorsque je t'ai dit que tu ne le devais *pas*? murmura-t-elle. Si tu obéis à Albany, tu feras simplement face à un mariage que tu ne veux pas, comme le font de nombreuses jeunes filles de la noblesse qui obéissent à leur père. Mais une personne se dirait qu'après t'avoir connue pendant presque tes dix-huit années, je saurais qu'il vaut mieux ne pas te mettre ainsi au défi.

— Y a-t-il quelqu'un d'autre qui part avec vous? demanda Marsi. Des gentlemen de Jamie, par exemple?

— Non, car Son Excellence sait bien que certains d'entre eux sont du côté d'Albany, et personne à part Albany ne sait lesquels. Je suppose que nous partirons avant qu'ils arrivent.

— Alors, rien ne m'arrêtera, dit Marsi. Je dois prendre quelques affaires, mais je reviens tout de suite.

— Tu n'as rien d'approprié à porter, pour une servante, ma lady ! Pas plus que tu ne duperais quiconque pendant longtemps, sous un déguisement peu valorisant. Tu n'es pas née ainsi.

Mais maintenant qu'elle avait pris sa décision, Marsi réfuta ces objections sans hésitation.

— Je peux facilement parler comme le ferait une servante, Hetty. M'ayant souvent grondée pour l'avoir fait, tu sais que j'en suis capable. Je dois dire que j'ai été au service d'Annabella et qu'elle m'a donné certains de ses vêtements dont elle ne voulait plus — ma cape ornée de fourrure, par exemple. Je peux dire que lorsque mon poste a pris fin à la mort de Sa Majesté la reine, j'ai proposé de t'aider parce que toi et moi sommes originaires de la même partie d'Écosse.

— Je peux dire que je connais bien Marsi aussi, Hetty, car c'est le cas, dit Jamie.

— Je peux aussi dire que je veux simplement rentrer à la maison, dit Marsi. Nous nous dirigerons probablement vers le nord ou l'est depuis ici, alors au pis aller, je peux demander à quiconque nous escortera de m'emmener chez mon oncle Malcolm à Perthshire. Il veut que j'épouse son deuxième fils. Et je te promets, Hetty, que si le choix se trouvait entre épouser un lèche-bottes d'Albany et Jack, mon cousin lourdaud, je *préférerais* Jack.